Le guide Jean Pagé de la **CHASSE** au Québec

les éditions la presse

Du même auteur

Quelques conseils de pêche et camping, Leméac, Montréal, 1968.
Almanach Chasse et Pêche Jean Pagé, Beauchemin, Montréal, 1978.
Almanach Chasse et Pêche Jean Pagé, Beauchemin, Montréal, 1979.
Almanach Chasse et Pêche Jean Pagé, Beauchemin, Montréal, 1980.
Le guide Jean Pagé de la pêche au Québec, Éditions La Presse, Montréal, 1982.

Remerciements

Je tiens à remercier le ministère du Loisir, de la Chasse et de la Pêche du Québec, le Service de la faune du Canada ainsi qu'Environnement Canada pour la précieuse collaboration qu'ils ont bien voulu m'accorder dans la préparation de cet ouvrage.

Sommaire

PREMIÈRE PARTIE
Le gibier   9

DEUXIÈME PARTIE
Équipement et techniques   87

TROISIÈME PARTIE
La sauvagine   155

QUATRIÈME PARTIE
Conseils   229

CINQUIÈME PARTIE
Comment apprêter le gibier   263

SIXIÈME PARTIE
Où chasser?   291

SEPTIÈME PARTIE
Renseignements généraux   369

INDEX   377

Avant-propos

Dieu créa l'homme en lui associant des besoins physiologiques : la nécessité de consommer des protéines qu'il retrouverait dans la viande, tout comme celle d'ingérer des végétaux.

Les animaux et les plantes ont donc été tirés du néant par le Créateur, dans le but de satisfaire à l'alimentation de ce que devait être le chef-d'oeuvre de la création du septième jour.

Si l'Homo sapiens pouvait cueillir des plantes ou couper les arbres pour répondre à certains besoins, permission lui était aussi accordée d'utiliser à bon escient ces animaux que le Créateur avait placés dans son entourage. Les bêtes peuvent donc être mises à mort, afin de nous fournir les éléments nutritifs qui nous sont essentiels.

Ni Dieu, pas plus que la Loi de Moïse, qui vint par la suite, stipulèrent que nous devions nous limiter aux animaux domestiques, puisque, à l'origine, les bêtes existaient seulement à l'état sauvage. Ce furent les hommes qui leur enlevèrent la liberté, pour les asservir, les abrutir, les engraisser et par la suite... les saigner!

Devrions-nous croire que cette habitude de mise à mort, acquise depuis des siècles, est un geste louable?

Peut-on se permettre de critiquer le chasseur, qui tout comme ses ancêtres des millénaires passés, effectue un retour aux sources?

Bien au contraire, puisque la fronde ou la flèche accordait une chance au gibier et qu'aujourd'hui, le recours au fusil et à l'arc continue cette tradition. Le geste est beaucoup plus noble que celui de l'égorgeur dont le couteau ne laisse aucune chance à l'animal, quel qu'il soit, de s'en tirer.

Chasser, c'est tout simplement observer les lois de la nature, tout en s'adonnant à la pratique d'un sport sain. Voilà les raisons qui m'ont incité à rédiger ce guide qui, je l'espère, saura vous présenter certains éléments d'un mode de récréation que nous pouvons maintenant tous pratiquer et qui reçut ses titres de noblesse bien avant que vous et moi ayons vu le jour.

Grâce aux législations restrictives, aux aménagements adéquats des territoires ainsi qu'à la diffusion des messages incitant à la conservation et à la préservation des espèces, certains gibiers sauvages prolifèrent et ils sont même plus nombreux que jadis.

La pratique de la chasse est associée aux origines de l'homme, il en sera probablement ainsi pour ceux qui nous succéderont. La pratique de la conservation en étant l'impératif!

PREMIÈRE PARTIE

Le gibier

Sommaire

LE GROS GIBIER
    Caribou
    Cerf de Virginie
    Orignal
    Ours blanc
    Ours noir
    Sanglier

LE PETIT GIBIER
    Bécasse
    Corneille d'Amérique
    Dindon sauvage
    Faisan à collier
    Gélinotte à queue fine
    Gélinotte huppée
    Lagopède des saules
    Lapin à queue blanche
    Lièvre d'Amérique
    Perdrix européenne
    Tétras des savanes

LES ANIMAUX DE SURVIE
    Castor
    Écureuil roux

    Marmotte commune
    Mouffette rayée
    Porc-épic d'Amérique
    Raton laveur

LES PRÉDATEURS
    Coyote
    Loup
    Loup-cervier
    Renard roux

LES OISEAUX MIGRATEURS
    Canards de surface
    Canards plongeurs
    Couloirs migratoires
    Bernache Canada
    Grande oie blanche
    Oie bleue

Le gros gibier

C'est la grande aventure, triompher semble le mot d'ordre du chasseur de gros gibier.

Sachant fort bien qu'il s'attaque à plus rusé que lui, et surtout à mieux doué, le nemrod cherche quand même à mystifier l'animal sauvage, qui a appris à deviner ses intentions. Par la suite et avec raison, il pourra se glorifier lorsqu'il aura réussi.

Pour arriver à ses fins, il devra apprendre à lire le grand livre de la nature pour en assimiler les secrets, mais aussi profiter de l'expérience des autres jusqu'à ce qu'il puisse maîtriser cette grande discipline.

Ceux qui ont connu l'appel de l'Orignal en période de rut, la levée soudaine d'un Cerf de Virginie, l'approche d'un Caribou ou la longue attente d'un Ours noir ont déjà compris.

La chasse au grand gibier, c'est le contrôle de soi au point d'en retenir son souffle. Sur le plan physique, il importe de savoir marcher, ramper ou courir au besoin.

Il faut aussi éduquer son corps, ses bras, ses jambes, ses yeux afin d'atteindre ce niveau de l'homme qui, sans la chasse, nous pouvons le dire, aurait été... un peu moins un homme!

Caribou

NOM SCIENTIFIQUE	Rangifer caribou
NOM POPULAIRE	Caribou
FAMILLE	Cervidés

Taille et poids

Longueur: 2,10 mètres (près de 6½ pi)
Hauteur au garrot: 1,20 mètre (4 pi)
Poids: variant entre 50 et 125 kg (100 et 250 lb)
Concernant la variété dite «Caribou des bois», A.W. Banfield, qui effectua de nombreux travaux de recherches sur ce Cervidé, mentionne qu'il peut peser jusqu'à 270 kg (600 lb). Il existe cinq sous-espèces de Caribous au Canada. Leur poids varie selon l'espèce.

Caractères distinctifs

Le Caribou est probablement le plus primitif des Cervidés. La tête du mâle et de la femelle est ornée de bois, bien que ceux du mâle soient plus imposants. Son museau ressemble étrangement à celui des Bovidés. Un pelage long et épais, qui le protège du froid pendant l'hiver et lui permet de flotter sur l'eau, recouvre son corps trapu. Ses sabots excessivement larges servent de raquettes pour marcher dans la neige et facilitent la traversée des marais. Pour s'enfuir, de longues pattes lui permettent d'atteindre des vitesses au galop de 60 à 95 kilomètres (37 à 49 milles) à l'heure. Excellent nageur, le Caribou est un grand migrateur grégaire.

Reproduction

Début octobre à novembre. Le mâle est polygame et recherche la présence de 12 à 15 femelles. La période de gestation dure de 7½ à 8 mois. La femelle met bas un seul petit, rarement deux. Moins d'une heure et demie après sa naissance, le jeune Caribou peut courir plusieurs milles.

Habitat

Le Caribou est sans nul doute le Cervidé le mieux adapté aux conditions de climat nordique qui constituent son habitat. On le rencontre dans les régions arctiques et subarctiques; plus au sud dans certaines régions montagneuses, la toundra alpine et les tourbières subalpines. Les forêts, les marécages et les tourbières où abondent le lichen, abriteront sa demeure. Les grands déplacements saisonniers caractérisent le Caribou, le plus nomade des Cervidés du Québec.

Alimentation

Le lichen ou mousse à caribou est la principale composante de l'alimentation de cet animal. En hiver, le Caribou mange des brindilles diverses dont celles des bouleaux et des saules. Au cours de la canicule, il ajoute à son menu des herbes, des racines, des fruitages et des champignons. Dans les monts Shickshock, le Caribou des bois assure davantage sa survivance avec les lichens arboricoles.

Techniques de chasse

Sans doute l'animal le plus facile à chasser au Québec, sur le plan cygénétique, on ne peut comparer d'aucune façon son importance sportive à celle du Cerf de Virginie ou de l'Orignal. On peut le chasser à l'affût: attendre avant de tirer au passage du troupeau d'apercevoir une bête valable. Pour choisir un panache (des bois), on privilégiera la technique de la battue. Idéalement, avec un bon vent, c'est à l'approche, qu'on l'abat. A.W. Banfield (que j'ai cité précédemment) écrivait: «Un de mes amis a déjà rampé jusqu'à un caribou pour lui donner une tape sur la croupe avant que l'animal ne prenne la fuite...» Exemple qui confirme clairement la non-méfiance de cet animal.

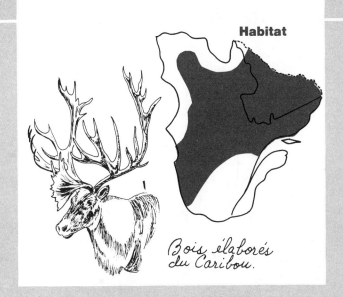

Habitat

Bois élaborés du Caribou.

Armes recommandées

.264 — .270 — .280 — 7 mm — 7 x 61 — .300 — .308 — .30/.06 et autres calibres plus puissants tels que: 8 mm Magnum — .358 Norma Magnum — .300 H & H — .300 Winchester Magnum — .30 Short Magnum — .300 Weatherby Magnum et .338 Magnum.

Valeur culinaire

Une chair excellente, la meilleure de nos gros gibiers, que l'on peut souvent apprêter comme la viande de boeuf. Les abats sont particulièrement savoureux.

Cerf de Virginie

NOM SCIENTIFIQUE	Odocoileus Virginianus
NOM POPULAIRE	Cerf de Virginie (chevreuil)
FAMILLE	Cervidés

Taille et poids

Longueur: près de 2 mètres (6 pi)
Hauteur au garrot: 92 cm (un peu moins de 3 pi)
Poids: variant de 75 à 125 kg (150 à 250 lb) chez l'adulte
À l'occasion, on peut abattre des bêtes un peu plus imposantes. Fait à souligner, plus nous nous dirigeons vers le sud, plus le poids des bêtes abattues diminue, si bien qu'en Floride, l'espèce « Key Deer » pèsera entre 20 et 30 kg (40 à 50 lb).

Caractères distinctifs

Le plus élancé et le plus gracieux de nos grands gibiers présente un profil harmonieux, des pattes effilées, une queue de près de 30 cm (1 pi) de long, de couleur fauve sur le dessus, frangée de blanc tout comme en dessous. Une tête régulière bien proportionnée, ornée de bois majestueux pour le mâle seulement. Une croyance très répandue veut que le nombre de pointes ou cors au bois du panache de l'animal indique son âge. Il n'en est rien, puisque ce sont les dents qui déterminent par leur usure le nombre d'années de vie du Cerf de Virginie, tout comme pour l'Orignal ou le Caribou.

Reproduction

Mi-octobre à la fin décembre. Les mâles grattent le sol de leurs sabots, se frottent les bois aux arbustes et combattent leurs rivaux. Habituellement il n'y a aucun dommage pour l'un ou l'autre des belligérants, ce serait plutôt une forme de rituel, d'où le plus faible se retire sans blessures graves. Il me fut toutefois donné de traverser de ces arènes sylvestres, où le sang vermeil ruisselait sur le sol jonché de feuilles. Le mâle est polygame et la femelle met bas après une période de gestation de 205 à 210 jours. La moyenne de reproduction serait de deux petits par femelle, pouvant varier d'un à quatre. On nomme communément la femelle « biche » et son petit « faon ».

Habitat

Contrairement à la croyance populaire, le Cerf de Virginie n'est pas un animal des vieilles et denses forêts. Les ramures des grands arbres feuillus et résineux de ces forêts sont trop hautes pour qu'il puisse y brouter. L'ombre dégagée par ces arbres est également défavorable à la croissance de tapis de sous-bois qu'il recherche. Il préfère la proximité des fermes, les lisières de bois laissées par la colonisation, les clairières, les berges des cours d'eau et des lacs où le cèdre ou thuya abonde. Il recherche également la proximité des prairies, profitant de l'aurore et du crépuscule pour venir y brouter.

Alimentation

L'hiver, groupés en hardes ou ravages, les Cerfs de Virginie consomment surtout le thuya (cèdre) ainsi que des brindilles et bourgeons accessibles. Il se nourrit bien d'érable à épis, d'érable rouge, de cornouiller, de sorbier, de vinaigrier et même de sapin et de pruche à l'occasion. À l'automne, il raffole des pommes. À l'été, il ajoute à son menu le trèfle des champs, le sarrasin et les champignons sauvages.

Techniques de chasse

À l'approche, c'est la technique des puristes; à l'affût, celle de ceux qui connaissent bien les habitudes de l'animal et, en battue, celle des chasseurs qui veulent à tout prix réussir. Cette dernière méthode est très populaire au Québec.

Habitat

Bois courbés vers l'avant.

Armes recommandées

.30 / .30 — .300 — .308 — .30 / .06 — .348 — .358 — .303 — .250 — .257 — .264 — .270 — .280 — 7 mm — .284 — 7 x 57. Plusieurs utilisent aussi le fusil de calibre .12 avec chevrotines ou balles uniques.

Valeur culinaire

Une chair excellente, bien que celle des mâles en période de rut et celle des bêtes âgées soit meilleure marinée avant la cuisson. Le foie, la langue, le coeur et la cervelle sont des pièces de choix.

Orignal

NOM SCIENTIFIQUE	Alces alces
NOM POPULAIRE	Orignal
FAMILLE	Cervidés

Taille et poids

Longueur: 2,60 mètres (environ 7 pi) moyenne
Hauteur au garrot: 1,90 mètre (environ 4 pi) moyenne
Poids: mâle, jusqu'à 600 kg (1200 lb); femelle, moins de 500 kg (1000 lb)

Ces dimensions concernent l'Orignal que l'on rencontre dans nos forêts québécoises. Étant le plus grand Cervidé au monde, l'Orignal peut tout de même peser jusqu'à 900 kg (1800 lb) mais, attention, ces bêtes géantes se trouvent exclusivement dans le nord-ouest de l'Amérique du Nord, notamment en Alaska et au Yukon.

Caractères distinctifs

Si ce n'était de ses bois, l'animal que nous identifions comme «Roi de nos forêts» le serait uniquement pour sa taille et non pour son apparence. Attristons-nous sur le sort de la femelle, qui, elle, ne possède pas ce «panache» ayant la forme d'une immense main ouverte. Les pattes de cette bête sont longues, démesurées, en forme d'échasses. Les épaules hautes et renfrognées sont surmontées d'une bosse. La tête allongée, même laide, se termine en un mufle d'où pend une lèvre charnue. Sous la gorge, chez le mâle, quelquefois chez la femelle, une barbiche dont l'utilité demeure discutable.

Reproduction

De septembre à la fin novembre, l'Orignal traverse la période du rut. Le mâle polygame devient alors féroce, agité et nerveux. Abandonnant une première femelle au moment de l'ovulation, il part en quête d'une autre, et ainsi de suite. Il se frotte les bois sur les arbustes, gratte le sol de ses sabots, urine, se roule dans cette boue imprégnant une forte odeur à son pelage. Il combat même tout adversaire venant troubler ses ébats amoureux. Pour la femelle, la durée de gestation varie entre 240 et 246 jours. Naîtront des jumeaux, un seul veau parfois mais rarement trois.

Habitat
Considéré comme résidant des vastes forêts, il n'en demeure pas moins que l'Orignal fréquente les marécages où l'on retrouve des conifères, les espaces ouverts ou herbeux inondés, la proximité des cours d'eau et des aulnaies tout aussi bien que les lacs. Il devient donc une proie facile pour les chasseurs en canot.

Alimentation
L'hiver, il optera pour le saule, le sapin, le tremble, le bouleau, le noisetier, le merisier, l'érable et autres essences forestières. À l'été, il leur préférera les plantes aquatiques, surtout les tubercules de nénuphars, sans oublier le feuillage des arbres. L'Orignal peut consommer de 25 à 30 kg (50 à 60 lb) de nourriture quotidiennement.

Techniques de chasse
A l'approche, en battue, mais surtout à l'affût, imitant l'appel du mâle ou de la femelle, dépendant des circonstances, pour attirer l'animal à portée de tir. Fait à souligner, « L'appel de l'orignal n'était pas pratiqué des Indiens, ce furent les Blancs qui introduisirent cette méthode de chasse ». (Claude Melançon.)

Armes recommandées
Puissantes : .300 H & H Magnum — .300 Weatherby Magnum — .308 Norma Magnum — .338 Winchester Magnum — .300 Winchester Magnum — .375 H & H Magnum —

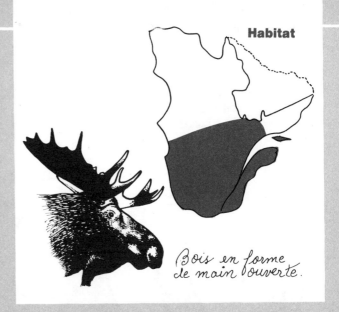

Habitat

Bois en forme de main ouverte.

.358 Norma Magnum — 8 mm Remington Magnum — .30 / .06 7 mm Magnum — .270 — .308 — .303 British — .284 — .264 Magnum. Parmi ces dernières, certaines se situent juste au seuil de la limite d'efficacité.

Valeur culinaire
Chair savoureuse, plus particulièrement celle des jeunes bêtes et des femelles. La chair des mâles en période de rut peut être moins tendre, mais tout de même supérieure à la chair de la plupart des Bovidés. La langue, la cervelle, le mufle, le foie et le coeur sont des parties de choix.

Ours blanc

Taille et poids

Longueur: de 2 à 3 mètres (7 à 11 pi)
Hauteur au garrot: 1,22 mètre (4 pi)
Poids: 315 à 454 kg (700 à 1 000 lb)
Son poids maximal est de 726 kg (1 600 lb) et la femelle est environ 25 p. 100 plus petite que le mâle.

Caractères distinctifs

Plusieurs le nomment «Ours polaire» à cause de son habitat nordique aux glaces infinies. Son corps, ses membres et son cou sont plus longs que ceux du Grizzly. Son crâne est étroit, ses oreilles petites. Son nez, ses griffes et sa langue sont noirs, ses yeux petits et bruns. Sa dentition est très forte, c'est le plus carnivore des Ursidés. Solitaire, lymphatique et rusé, sa vue est excellente et son odorat subtil. Sa vitesse à la course est de 40 km à l'heure (25 mi). Excellent nageur, il peut filer à 6,4 km (4 mi) à l'heure et demeurer 2 minutes sous l'eau. Il a la réputation d'attaquer l'homme. De plus, très dangereux lorsqu'il est blessé, il n'hésite pas à charger son assaillant.

Reproduction

La femelle s'accouple à tous les deux ans et parfois avec plusieurs mâles. C'est habituellement de la fin de juin au début de juillet que se manifeste la période des amours. La durée de gestation sera de 228 à 254 jours, à la suite desquels naîtront de 1 à 4 oursons (progéniture moyenne, 2 oursons). Les jeunes seront adultes entre 5 et 7 ans.

Habitat

On le rencontre sur tous les littoraux de l'Arctique ainsi que sur les banquises. Il évite la mer libre et les glaces

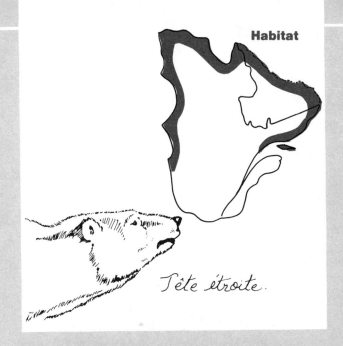

Tête étroite.

perpétuelles. Il peut s'aventurer jusqu'à 120 km (75 mi) à l'intérieur des terres lorsqu'il est en quête de nourriture. Lors d'un de mes séjours à la baie James, j'ai vu un Ours blanc capturer des truites mouchetées dans les fosses de la rivière Seal. Cahalane, pour sa part, souligne que l'Ours blanc a été observé à 240 km (150 mi) de l'eau salée. Sa répartition géographique est vaste, s'étendant de l'Alaska au Labrador, et au sud de la baie d'Hudson, jusqu'au nord d'Ellesmere, en terre canadienne.

Alimentation
Il est surtout carnivore, donc grand chasseur de phoques annelés, barbus et communs, ainsi que de jeunes morses. Durant l'été, il mange aussi de la charogne, du poisson, des moules, des crabes, des astéries, des oiseaux, oisillons et oeufs. Il nage même sous des eiders, pour les happer en faisant surface. Il consomme aussi des herbes, des champignons, des baies et des lemmings lors de ses périples à l'intérieur des terres.

Techniques de chasse
A cause des pressions intensives de chasse qui ont été exercées à son endroit, l'Ours blanc est maintenant protégé. L'utilisation de l'avion pour le retracer facilement, et par la suite l'abattre, a été l'un des facteurs prédominants nécessitant l'imposition de ces restrictions.

Armes recommandées
Où il est permis de le chasser: .300 H & H Magnum — .300 Weatherby Magnum — .30 — .338 Magnum — .30 Short Magnum — .308 Norma Magnum — .338 Winchester Magnum — .358 Norma Magnum — .375 H & H Magnum. Balles variant entre 180 et 300 grains. Les Esquimaux le chassent avec leurs chiens, tant pour le poursuivre, découvrir son gîte que pour le mettre aux abois.

Valeur culinaire
Sa chair est consommée par les Esquimaux et on l'utilise aussi pour nourrir les chiens. Son foie est toxique à cause de la quantité excessive de vitamine A qu'il contient. Il est aussi l'hôte occasionnel de la trichine, ce parasite nématopode pouvant être transmis à l'homme.

Ours noir

NOM SCIENTIFIQUE	Ursus americanus
NOM POPULAIRE	Ours noir
FAMILLE	Ursidés

Taille et poids

Longueur: environ 1,8 mètre (6 pi)
Hauteur au garrot: 1 mètre (3⅓ pi)
Poids moyen: moins de 100 kg (200 lb)
Des ours pesant 226,80 kg (500 lb) ont été abattus mais ce sont là des records.

Caractères distinctifs

Robuste, trapu, un museau allant s'amincissant prolonge une large tête percée de petits yeux et surmontée d'oreilles arrondies. Le cou est fort, très court, suivi d'un dos et d'épaules formant une ligne presque droite. Les pattes sont robustes, garnies de cinq doigts aux courtes griffes, fortes mais non rétractiles. Les coussinets plantaires sont sans poils ni duvet. Le pelage est long et fourni, habituellement tout noir, à l'exception d'un museau brunâtre très pâle et d'un « V » blanchâtre occasionnel sur la poitrine. On rencontre des Ours noirs, aussi paradoxal que cela puisse paraître, au pelage de couleur de miel ainsi que des bêtes blanches et des bleues, ces dernières sur la côte du Pacifique. Qualifié à tort d'animal inoffensif, l'Ours noir doit être respecté, plus particulièrement lorsque la femelle accompagne les oursons.

Reproduction

Accouplement, de la mi-avril à la fin du mois d'août. Contrairement aux autres périodes de l'année où l'ours mène une vie solitaire et peu bruyante, la période des amours est tapageuse. La gestation de la femelle dure 220 jours, les petits naissant entre la mi-janvier et la fin de février au cours de l'hibernation. Les petits, un peu plus gros qu'une souris, mesurent 20 centimètres de longueur, ils sont alors nus, sans pelage et aveugles. Les mâles deviennent féconds à 5 ou 6 ans, les femelles à 4 ou 5 ans.

Habitat

Largement influencé par sa facilité à trouver de la nourriture, l'Ours noir recherche un habitat propice sur ce plan. Son domaine couvrirait de 27 à 31 km² (70 à 80 mi²). Lorsque l'automne commence à se manifester, il cherche une caverne, une crevasse ou un arbre creux où s'installer pour la froide saison. Il se confectionne une litière de brindilles, de rameaux de conifères ou de feuilles. En octobre, la torpeur hivernale commence à l'envahir; il pourra toutefois retarder son sommeil hivernal jusqu'en décembre si la température demeure trop élevée. Au cours de l'hiver, sa température corporelle descendra jusqu'à 34°C (88°F), son rythme respiratoire pouvant s'abaisser de 2 à 4 respirations à la minute.

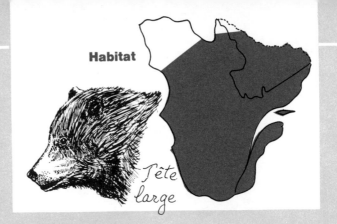

Habitat

Tête large

Alimentation

C'est le gourmet et le gourmand de la forêt, l'été lui permettant de se gaver de fraises, de framboises, de mûres, de groseilles, de bleuets, de cerises, de noisettes, de faînes, de glands ou de canneberges, sans oublier les tendres racines qu'il sait très bien trouver. L'automne, il dévore des pommes, des raisins, des insectes et ce délicieux miel sauvage que son odorat subtil sait très bien découvrir. Au printemps, les aiguilles d'épinettes lui permettront de subsister, mais il déracinera les souches dans le but d'y trouver des nids de fourmis ou des larves; les carcasses des animaux morts au cours de l'hiver, les nouvelles pousses et les bourgeons au printemps compléteront ce menu saisonnier. Nous avons là la base de son alimentation, mais il ne refusera jamais l'occasion de se saisir d'un jeune orignal, d'une marmotte, d'un lièvre, d'une souris et de poissons qu'il capturera avec facilité lorsque ces derniers frayeront dans les ruisseaux. Quant aux fermiers, ils l'accusent, et souvent avec raison, de dévorer veaux, porcelets ou moutons. Toutefois, cet animal est végétarien à plus de 75 p. 100.

Techniques de chasse

On peut le chasser à l'approche ou en battue, mais il est difficile de réussir selon ces deux méthodes. Au Québec, c'est à l'affût que la plupart des ours sont abattus. Il suffit d'attirer l'animal à l'aide d'une carcasse en putréfaction déposée en forêt et de faire le guet pour réussir sa chasse, d'où la très grande popularité des affûts à proximité des dépotoirs.

Armes recommandées

.358 — .35 — .348 — .308 — .300 — .30 / .06 — .280 — 7 mm — .270 — .264 Magnum. Au seuil de l'efficacité: .250 — .357 — .244 — .30 / .30 et .243. Dans nos forêts, sauf l'homme, l'ours ne possède pas d'ennemi.

Valeur culinaire

Sa chair est excellente, plus particulièrement celle des jeunes dont l'habitat ne se situe pas dans le voisinage des dépotoirs. Il est préférable de faire examiner une bête abattue avant de la consommer, plusieurs parasites pouvant l'affecter. Le foie de cet animal n'est pas comestible.

Sanglier

NOM SCIENTIFIQUE	Sus scrofa
NOM POPULAIRE	Sanglier
FAMILLE	Suidés

Taille et poids

Hauteur : 92 à 102 cm (36 à 40 po) ; 1 mètre (3 pi) chez les grands individus
Poids : 200 à 300 kg (400 à 600 lb) à l'état sauvage

Le Sanglier n'atteint toutefois pas cette taille dans les enclos où nous pouvons le chasser. Il ne vit à l'état sauvage qu'en de rares endroits aux États-Unis, notamment au Tennessee et en Caroline du Nord.

Caractères distinctifs

Au contraire du Porc, qui est lourd et disgracieux, le Sanglier est un bel animal, fait pour le combat et la course. Sa tête allongée, que l'on nomme «hure», se termine par le boutoir dont l'extrémité plate et ovale, c'est-à-dire le groin, est percée par les narines. Sa peau épaisse est recouverte de soies et une crinière aux poils raides se prolonge sur sa nuque. Sa queue n'est jamais en tire-bouchon comme celle des cochons. Son corps, comprimé latéralement, porte sur des pattes relativement fines. Ses canines inférieures recourbées en arrière, tout aussi bien que les supérieures dirigées vers le haut, forment de véritables défenses avec lesquelles il peut éventrer facilement un adversaire.

Reproduction

C'est en plein hiver, en décembre et en janvier, qu'a lieu la période du rut. Les vieux mâles se battent alors entre eux pour obtenir les faveurs des femelles ou «laies». Ces combats sont souvent sanglants et des estafilades profondes marquent parfois les belligérants. Puis, après l'accouplement, les mâles ou «verrats» quittent les femelles. Après 3 ou 4 mois, ces dernières mettront bas, entre 3 et 4 petits sangliers, ou marcassins, chez les jeunes, tandis que la progéniture des plus âgées pourra aller jusqu'à 15. Dès 6 mois, après avoir perdu leurs rayures, les Marcassins sont appelés Bêtes rousses puis, par la suite, Bêtes de compagnie jusqu'à 2 ans. Ils deviendront des Ragots à 2 ans; Tiers-ans à 3; Quartaniers à 4; Grands sangliers à 5; Grands vieux sangliers à 6; enfin Solitaires à partir de 7 ans.

Habitat

Les Sangliers sont sociables et vivent par bandes ou compagnies. Sans considérer les bêtes en enclos que nous chassons ici, à l'état sauvage ces Suidés fréquentent les boisés tranquilles pour s'abriter dans leur bauge durant le jour. Ils en sortent au crépuscule pour rechercher la nourriture qui leur convient, ce qui dans bien des cas fait le désespoir des fermiers. Avant ou après avoir absorbé leur nourriture, ils aiment se vautrer dans des mares. Ces bains de boue, ou souilles, les débarrassent des parasites.

Alimentation

Ils fouissent le sol de leur boutoir pour en extraire des racines, des betteraves, des pommes de terre et des navets. En surface, ils ramassent des glands, des faînes et des fruits sauvages. Mais ils se nourrissent aussi d'insectes, de larves, de vers de terre, de reptiles, d'oiseaux, d'oeufs, de petits mammifères. Dans les champs, ils détruisent beaucoup plus qu'ils ne consomment.

Techniques de chasse

Si la technique de l'approche peut s'appliquer à la chasse en enclos, elle est déconseillée pour la chasse de cet animal à l'état sauvage. C'est en battue, même avec des chiens, que se pratique surtout la chasse au sanglier.

Habitat

Fermes d'élevage

Armes recommandées

La grosse carabine déployant une énergie violente à courte distance devrait être utilisée. Selon le Royal St-Hubert de Belgique, mieux vaut la puissance de choc, que la grande portée. La balle rayée de calibre .12 est reconnue comme étant des plus efficaces. C'est d'ailleurs celle que j'utilise pour pratiquer ce genre de chasse.

Valeur culinaire

La chair des jeunes animaux est excellente. Par contre, celle des bêtes adultes est très souvent coriace et elle possède un fort goût de venaison. Pour l'attendrir et en améliorer la saveur, il est indiqué de la mariner.

Le petit gibier

De toutes nos pratiques de la chasse, c'est celle du petit gibier qui recueille le plus grand nombre d'adeptes, et l'on comprend pourquoi! Que de tressaillements de joie à la vue d'une Gélinotte, d'un Lièvre, d'un Lapin ou d'un Tétras au détour d'un sentier sylvestre! Quel sentiment de satisfaction lorsque, après une journée bien remplie, la courroie de la gibecière s'incruste dans l'épaule!

Une fois de retour, qu'il fait bon enlever des bottes devenues trop lourdes, tout en observant le feu dans la cheminée ou en écoutant les crépitements du poêle à bois!

Que dire des véritables festins qui s'ensuivent, semblables à ceux que connaissaient nos ancêtres. Perdrix au chou ou civet de lièvre que l'on déguste entouré de ses amis les plus chers... ses compagnons de chasse!

Des discussions amicales qui s'animent, des rires qui se font entendre: les bêtes ratées l'ont été à cause d'un fusil mal ajusté ou de cartouches inadéquates...

Enfin, quelle sensation de bien-être lorsque les effets de l'air pur et de la longue marche de la journée commencent à se faire sentir, que les paupières s'alourdissent à la lueur d'une lampe vacillante et que l'on se retire pour la nuit... pour rêver à la chasse du lendemain!

Bécasse

NOM SCIENTIFIQUE	Philohela minor
NOM POPULAIRE	Bécasse américaine
FAMILLE	Scolopacidés

Poids

D'un poids variant entre 170 et 284 grammes (6 à 10 oz), la bécasse peut voler de 16 à 24 km (10 à 15 mi) à l'heure.

Caractères distinctifs

Cela vous surprendra peut-être, mais je trouve que la Bécasse est un «drôle» de petit oiseau. On le dirait formé de diverses parties de la gent ailée. Son bec est long et effilé, ses yeux plutôt gros sont enchâssés près du sommet de la tête, ses ailes sont courtes, les trois premières plumes de celles-ci sont étroites, semblant même séparées des autres. Ses pattes, on les dirait empruntées aux oiseaux des rivages. Quant à son coloris, il est exactement de la couleur des feuilles mortes jonchant le sol, ce qui lui permet de s'y bien dissimuler.

Reproduction

La Bécasse recherche les endroits les plus variés pour faire son nid: les aulnes, les buissons où les fourrés épais de broussailles pourront lui convenir, tout aussi bien que les endroits d'arbrisseaux mêlés ou de résineux. Le nid est au sol, le nombre d'oeufs se limitant à 4 et l'incubation se prolongeant de 19 à 21 jours.

Habitat

On retrouve la Bécasse américaine dans tout le sud-est du Québec. Hivernant dans le sud des États-Unis, on la rencontre alors en Floride, en Louisiane, au Texas, au Mississipi, en Georgie, en Arkansas et autres États du Sud-Est.

Alimentation

Elle recherche principalement les vers de terre, c'est pourquoi vous l'apercevez fréquemment sur les routes forestières après la pluie. Oiseau nocturne, la Bécasse s'aventure dans les champs pour trouver sa nourriture, fréquentant même les fossés à proximité des routes. Son long bec flexible pourvu de corpuscules sensitifs lui permet de se renseigner sur la présence de ses proies. On prétend même que de l'extrémité de ses ailes, elle bat le sol, dans le but de simuler la pluie, pour inciter les vers à s'approcher de la surface, d'où elle peut les cueillir avec facilité.

Techniques de chasse

La Bécasse peut se chasser à la passe au crépuscule, alors qu'elle surgit habituellement d'un même boisé pour chercher sa nourriture. La Chasse fine ou l'Approche est très difficile à cause de son camouflage parfait qui la rend invisible. La façon idéale consiste à utiliser le chien d'arrêt. Nous devons toutefois déplorer l'ignorance de la pratique de cette chasse chez nous, alors qu'elle est très populaire chez nos voisins du Sud. Pourtant, ces oiseaux que l'on chasse tout le long de la côte est de l'Atlantique originent en grande partie du Québec.

Armes recommandées

Plusieurs utilisent le fusil de calibre .12, mais, pour un oiseau pesant toujours moins de 1 kilo, cette arme est excessive. Le calibre .20 à canon modifié, ou encore mieux à cylindre amélioré, devrait être employé. Quant aux plombs, les 7½, 8 et 9 suffisent.

Valeur culinaire

Si la Bécasse devient rare, la raison est bien simple: à cause de la finesse de sa chair, elle fut chassée de façon intensive pour la vente commerciale pendant bon nombre d'années.

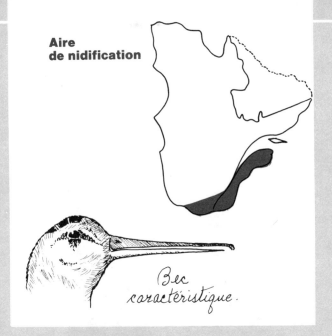

Aire de nidification

Bec caractéristique.

Corneille d'Amérique

NOM SCIENTIFIQUE	Corvus brachyrhunchos
NOM POPULAIRE	Corneille d'Amérique
FAMILLE	Corvidés

Taille

Longueur: variant entre 43 cm et 53 cm (17 et 21 po)

Caractères distinctifs

La Corneille ne devrait peut-être pas être considérée comme gibier du fait que nous ne consommons point sa chair, exception faite de rares chasseurs qui affirment que les jeunes oiseaux peuvent avoir une certaine valeur dans l'assiette. Du Corbeau, cousin de l'oiseau dont il est sujet, Larousse nous dit: «On l'utilise quelquefois pour préparer un bouillon qui n'a, en général, rien de succulent. Quant à sa chair, elle est trop coriace et filandreuse pour être considérée comme un aliment.» Par contre, en Angleterre, à la suite d'une préparation fort compliquée et où les épices fortes sont des ingrédients importants, on l'utilise pour préparer le «rook-pie». La Corneille est simple à identifier: entièrement noire, avec des reflets verdâtres ou violacés sur le dos, les ailes et la queue.

Reproduction

Elle niche dans les conifères, ou autres arbres, à diverses hauteurs, ainsi que dans les buissons et même au sol. Une ponte varie de 4 à 6 oeufs: ils sont verdâtres et marqués de brun.

Habitat

Étant peu difficile quant au choix de sa nourriture, composée à 28 p. 100 de matières animales et 72 p. 100 de matières végétales, elle préfère les endroits à découvert pour aisément chercher sa subsistance, mais se perche en forêt ou à l'orée pour se reposer. Les champs cultivés voisins de boisés remplissent très bien ses exigences d'habitat, au grand désespoir des fermiers.

Alimentation

Charognard et visiteur des dépotoirs, c'est un omnivore vorace, pouvant consommer des quantités excessives de nourriture. La jeune Corneille mange l'équivalent de la moitié de son poids en guise de subsistance, à tous les jours. Quant à l'oiseau adulte, il peut s'empiffrer de 8 à 10 fois quotidiennement. Les insectes, les limaces, les oeufs d'oiseaux, mais surtout les récoltes des fermiers font partie de sa diète. Les dommages que cet oiseau occasionne à l'agriculture ne peuvent être compensés par les services qu'il peut rendre en consommant certains insectes. Sous le règne d'Henri VIII, on payait une prime à ceux qui détruisaient les nids de Corneilles; ce n'est donc pas d'hier que nous la chassons.

Techniques de chasse

Par ses poursuites incessantes, l'homme a transformé la Corneille en un oiseau des plus rusés. Sa vue perçante et son instinct développé en ont fait un gibier, véritable défi pour chasseurs compétents. Chasser la Corneille, c'est tout comme s'en prendre aux Bernaches les plus rusées et, dans bien des cas, c'est plus difficile. On chasse cet oiseau à l'affût, utilisant un pipeau pour simuler l'appel, ainsi que des leurres imitant les oiseaux. Le Hibou étant un ennemi naturel de la Corneille, un tel rapace naturalisé se révèle très efficace pour attirer ces oiseaux de jais à portée de fusil. Sachant que ledit Hibou possède une vision de peu de valeur durant le jour, les Corneilles n'hésitent pas à l'attaquer.

Armes recommandées

Le fusil de calibre .12 est le plus populaire avec plombs

Aire de nidification

Profil de l'oiseau.

n° 6. Le n° 7½ est acceptable jusqu'à 27 mètres (30 verges) de distance.

Valeur culinaire

Voici ce que disent Cuniset-Carnot dans *la Vie aux Champs*: «Préparez selon les rites sacrés, et avec tous les soins voulus, un bon pot-au-feu ordinaire. Sur le couvercle qui recouvre le pot, couvercle renversé pour la circonstance, on place un corbeau dépouillé. Puis, après 5 ou 6 heures de douce coction on... jette le corbeau au feu et on savoure le pot-au-feu...» Ce doit être la même recette pour la Corneille!

Dindon sauvage

NOM SCIENTIFIQUE	Meleagris gallopavo
NOM POPULAIRE	Dindon sauvage
FAMILLE	Méléagrididés

Taille et poids

Longueur: 1,2 mètre (4 pi) mâle; environ 1 mètre (3 pi) femelle

Poids: 3 à 9 kg (8 à 20 lb)

C'est le plus grand représentant du groupe des Faisans en Amérique. Son identification scientifique est quelque peu erronée à la suite d'une confusion remontant aux 16e et 17e siècles.

Caractères distinctifs

C'est un oiseau de grande taille, majestueux et très impressionnant. Dans l'ensemble son plumage paraît cuivré, mais le noir y est aussi très évident. L'iridescence des plumes et leurs reflets métalliques lui donnent un coloris à nul autre pareil. Le Dindon sauvage est beaucoup plus élancé et gracieux que son cousin domestiqué. Chez l'oiseau de basse-cour, les extrémités des plumes de la queue sont blanches, tandis que chez l'oiseau sauvage elles sont brunâtres. La tête est petite, dénudée comme le long cou; les deux sont rougeâtres avec certaines protubérances bleutées. Le mâle fait la roue avec les plumes de sa queue ou, si vous préférez, forme un éventail afin d'impressionner la femelle, de plus petite taille, et dont le coloris est beaucoup moins éclatant. Le Dindon possède une «barbe» de poils raides attachée à la partie supérieure de sa poitrine; plus elle est longue, plus beau est le trophée.

Reproduction

Le nid est habituellement placé dans les herbes hautes et denses, ou encore dans un bosquet touffu; il est toujours très bien dissimulé. Les oeufs peuvent varier en nombre, 9 à 18, et ils sont jaunâtres tachetés de brun.

Habitat

Gallinacé recherchant les forêts denses ainsi que les vastes boisés de conifères, il est disparu du nord-est des États-Unis il y a plus de cent ans pour devenir un gibier exclusif au sud du pays, phénomène causé par la destruction graduelle de son habitat. Après la Seconde Guerre mondiale débutèrent des tentatives de réintroduction à l'habitat naturel qui eurent d'heureux résultats. Non inscrit dans les inventaires ornithologiques du Québec, il en a été fait mention pour la première fois en 83 dans le journal *Dimanche-Matin* ainsi que dans la revue *Sentier, chasse et pêche*. On y soulignait que des Dindons avaient traversé la frontière américaine pour s'aventurer dans le sud-est du Québec, résultat des introductions qui ont débuté en 1969 chez nos voisins. Les Dindons ne demeureront ni ne survivront sans doute pas chez nous, mais ils ont tout de même été aperçus et chassés en maintes occasions. Si toutefois ils parvenaient à s'acclimater au Québec, ce serait la réalisation d'un grand rêve de chasseur.

Alimentation

Quatre-vingt-quatre pour cent de la nourriture du Dindon sauvage est constituée de matières végétales et 16 p. 100 de contenu animal. Dans cette diète mentionnons les baies sauvages, les glands, les faînes, les raisins sauvages, les sauterelles, les chenilles, les criquets, les limaces, etc.

Techniques de chasse

Oiseau devenu excessivement prudent, plusieurs prétendent qu'il n'existe que deux sortes de chasse: la première ou celle du Dindon sauvage... et les autres! Je n'irais pas

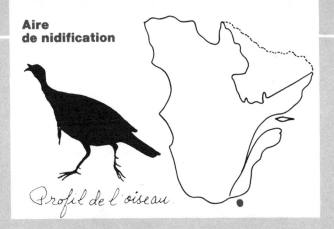

Aire de nidification

Profil de l'oiseau.

jusqu'à prétendre que cet énoncé est indéniable — tout de même, le Dindon sauvage est très intéressant sur le plan cynégétique — du fait qu'un peu comme l'Orignal, il répond à l'appel. De plus, il y a habituellement deux saisons pour le chasser, une phase printanière durant l'accouplement et à l'automne.

Armes recommandées

La carabine et le fusil sont permis dépendant des endroits où l'on chasse. Fusils: .10 et .12 avec plombs « BB », 2 ou 4. Carabines: .22 Hornet — .222 Remington ou autres calibres du genre.

Valeur culinaire

La chair de l'oiseau est excellente, l'une des meilleures. Au début des années 1800, on vendait les Dindons 0.06 pièce dans les États du nord-est des États-Unis, ce qui contribua aussi à la disparition de ce grand gibier.

Faisan à collier

NOM SCIENTIFIQUE **Phasianus colchicus**

NOM POPULAIRE **Faisan à collier**

FAMILLE **Phasianidés**

Taille et poids

Poids moyen : variant entre 57 g et 2 kg (2 oz et 4 lb)
La femelle est plus petite que le mâle. La vitesse en vol est de 43 à 61 km (27 à 38 mi) à l'heure. Lorsque poursuivi, il peut atteindre 90 km (60 mi) à l'heure. Originaires d'Eurasie, les premiers Faisans furent importés en Amérique en 1790.

Caractères distinctifs

Des plumes éblouissantes, bigarrées symétriquement, aux couleurs les plus éclatantes ; le vert iridescent, le cramoisi, le jaune, les tons de brun et l'or s'y retrouvent comme sur une véritable palette d'artiste. La Poule faisane, pour sa part, est de couleur terreuse. Les ailes sont courtes, donc le vol peu élevé. La queue est formée de longues plumes s'amincissant. Le mâle est dépourvu de crête, contrairement aux autres Gallinacés, mais l'oeil est largement contourné d'une surface charnue d'un rouge vif.

Reproduction

A l'approche du printemps, les mâles commencent à se livrer combat à proximité des femelles. Les belligérants deviennent alors d'une beauté à nulle autre pareille. La peau des joues devient d'un rouge écarlate, les plumes du cou se soulèvent en collerette, la démarche s'affine gracieusement. Le harem du mâle pourra varier de 2 à 5 faisanes et même plus. Cette dernière pondra de 10 à 12 oeufs, certains diront de 8 à 15, d'un brun olive. La couvée dure de 23 à 25 jours.

Habitat

La proximité des fermes semées de céréales, de maïs, de pois, de foin et autres herbes constitue son habitat préféré.

Mais il lui faudra le voisinage des buissons, des marais, des boisés divisant les terres et d'endroits broussailleux lui permettant de fuir ses ennemis. Au Québec, nous le retrouvons en quantité limitée dans la partie sud de la province, mais il est très abondant sur le Mont-Royal, en plein coeur de la métropole.

Alimentation

Toute la nourriture familière aux Gallinacés l'intéresse: graines, baies sauvages, insectes occasionnels, plus particulièrement les Sauterelles, ainsi que les Limaces.

Techniques de chasse

Sa chasse idéale se pratique avec des chiens, mais il est tout de même abattu régulièrement par ceux qui s'adonnent aux battues, ou préfèrent la chasse fine ou l'approche. En général, au Québec, à cause de sa rareté à l'état sauvage, les faisandiers contribuent à la plus large part de son abattage. C'est d'ailleurs grâce à eux que nous retrouvons le Faisan sauvage à proximité de leurs établissements. Par la Roue du roi — méthode de chasse consistant à libérer des oiseaux du centre d'un boisé, pour que les chasseurs postés à l'affût tentent de les atteindre en vol — la moyenne de succès est d'environ 75 p. 100, l'autre 25 p. 100 peut se réfugier dans les régions avoisinantes.

Armes recommandées

Le fusil de calibre .12 est l'arme la plus populaire pour la chasse au Faisan à collier, et le canon à étranglement maximum (full choke) tout désigné pour ceux qui le poursuivent à l'état sauvage. Pour la chasse chez les faisandiers, à cause de la facilité à déterminer la provenance de

Aire de nidification

Profil de l'oiseau.

l'oiseau, tout aussi bien qu'une distance de tir rapprochée, le canon modifié est recommandé. Deux conseils: à cause de sa grande facilité à prendre son vol à la verticale, il faut faire attention de ne pas tirer en dessous. Sa longue queue peut aussi inciter à tirer à l'arrière.

Valeur culinaire

Qualifié de plat de roi, je n'oserais contredire ce dicton.

Gélinotte à queue fine

NOM SCIENTIFIQUE	Pedioecetes phasianellus
NOM POPULAIRE	Poule de prairie, véritable Gélinotte à queue fine
FAMILLE	Tétraonidés

Taille

D'une taille un peu plus imposante que la Gélinotte huppée, les ailes du *phasianellus* ou petit faisan mesurent de 199 à 212,5 mm.

Caractères distinctifs

La queue, courte et pointue, se distingue de celle de la véritable Poule de prairie par les marques en « V » bien nettes sur les plumes, au lieu de rayures et, lorsque l'oiseau est en vol, le blanc qui borde cette queue à l'intérieur est bien évident. Cette Gélinotte se différencie des autres Tétraonidés par ses ailes blanchâtres et pointues. C'est un oiseau rapide pouvant dépasser 64 km (40 mi) à l'heure (A. Wetmore). À distance, il ressemble beaucoup à la femelle du Faisan.

Reproduction

Le nid creusé dans le sol est tapissé d'herbes et habituellement dissimulé de la vue par un buisson, sous une touffe d'herbes, sous un arbre, aussi bien dans un pré herbeux qu'en forêt. Les oeufs, habituellement au nombre de 10 à 13, sont bruns, parfois pointillés de plus foncé. La période d'incubation serait d'environ 24 jours. La Gélinotte à queue fine niche dans l'ouest central du Québec, mais malheureusement, les limites de ses territoires de nidification sont mal connues. Les jeunes Gélinottes peuvent prendre vol à dix jours seulement. Au cours de périodes cycliques les populations subissent des diminutions et augmentations.

Habitat

On rencontre cet oiseau dans les terrains les plus variés: plaines, prairies herbeuses, endroits sablonneux couverts de buissons, vallées, proximité des ruisseaux, terrains broussailleux ou autres semés de céréales, terrains plantés d'arbres clairsemés, clairières, endroits couverts de conifères, brûlis, ou muskegs et tourbières.

Alimentation
Les grains, les baies sauvages, les insectes, les feuilles tendres, voilà en résumé son menu quotidien.

Techniques de chasse
Oiseau méconnu à cause de son habitat restreint et éloigné des grands centres, la Gélinotte à queue fine est tout de même un oiseau des plus intéressants à chasser. Les méthodes sont à peu près les mêmes que celles pratiquées pour la chasse à la Gélinotte huppée: chasse fine ou approche.

Armes recommandées
Les mêmes calibres de fusils que ceux utilisés pour la Gélinotte huppée sont indiqués, mais on peut employer des plombs un peu plus gros.

Valeur culinaire
Sa chair foncée possède une saveur incomparable, probablement l'une des meilleures des oiseaux que nous chassons.

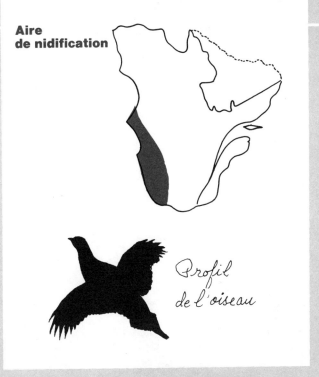

Aire de nidification

Profil de l'oiseau

Gélinotte huppée

NOM SCIENTIFIQUE	Bonasa umbellus
NOM POPULAIRE	Gélinotte huppée
FAMILLE	Tétraonidés

Taille et poids

Les ailes de la Gélinotte huppée mesurent de 174 à 187 mm. La femelle, plus petite que le mâle, a un poids moyen variant entre 500 et 550 grammes (1 lb 2 oz et 1 lb 11 oz). La vitesse varie entre 32 et 37 km (20 et 25 mi) à l'heure.

Caractères distinctifs

Possédant une huppe sur la tête, d'où son nom, cette Gélinotte se distingue facilement à sa queue en éventail à plusieurs rayures foncées, ainsi que par une large délimitation subterminale, de ladite queue, habituellement noire ou très foncée. On connaît deux phases de coloration chez l'espèce, l'une grisâtre, et l'autre brunâtre, d'où ces identifications données par les chasseurs: «*Perdrix de bois franc*» et «*Perdrix de savane*». Pourtant ces deux phases de coloration ne dépendent ni du sexe, ni de l'âge ou de la saison.

Reproduction

Au printemps, le mâle, dans le but de délimiter son territoire et d'y attirer une femelle, fait entendre un bruit bien caractéristique connu de tous les amateurs de plein air. Placé sur un arbre creux, l'oiseau s'appuie sur sa queue et, de ses ailes arquées, frappe cette caisse de résonance improvisée. La tambourinade débute par un rythme lent, allant progressant et diminuant d'intensité pour se perdre dans la forêt: bop...bop...bop...bop...bop-bop-bop-opoprrrr...rrr. Les oeufs, au nombre de 9 à 12, seront couvés par la femelle durant environ 24 jours.

Habitat

La proximité des rives des rivières, ruisseaux et lacs, où se trouvent aulnaies et broussailles, tout aussi bien que les forêts bûchées où abondent les repousses l'intéressent particulièrement. Les clairières, les lisières de forêt et les vergers sauront aussi l'attirer. Elle ne recherche pas les grandes forêts parvenues à maturité.

Alimentation

La plupart des baies sauvages entrent dans sa diète, tout comme, occasionnellement, les insectes et les graines. Le raisin sauvage à l'automne, tout autant que les pommes et les glands. L'hiver, les bourgeons du peuplier, du tremble et du bouleau forment une grande partie des aliments consommés par notre Gélinotte.

Techniques de chasse

C'est à l'approche ou chasse fine que sont abattues la plupart des «perdrix», identification populaire que lui donnent les chasseurs. Ceux qui possèdent des chiens d'arrêt savent en profiter davantage.

Armes recommandées

Tous les fusils peuvent servir à chasser ce gibier, mais il faut éviter les «full choke» ou ceux à étranglement maximum. Optez plutôt pour un canon modifié. Je vous fais ici une petite confession, j'utilise fréquemment un canon cylindre lorsque je chasse dans les boisés touffus. Quant aux plombs, ils doivent être petits, 6 ou 7½. Tous ces conseils ont pour but de vous faire épargner la chair de cet oiseau délicieux. Si les calibres .12 et .16 peuvent tuer la Gélinotte, je leur préfère les .20 et .410.

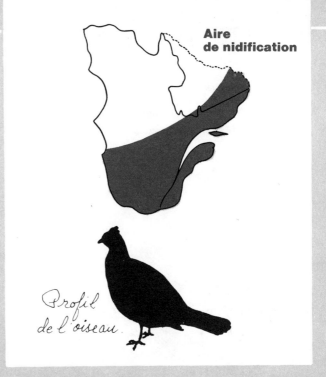

Aire de nidification

Profil de l'oiseau

Valeur culinaire

Nul autre oiseau ne possède une chair aussi délicieuse. Sa saveur bien caractéristique est incomparable, surtout lorsqu'on le prépare avec des fèves au lard, du chou, à la sauce béarnaise ou selon votre recette personnelle.

Lagopède des saules

NOM SCIENTIFIQUE   Lagopus lagopus
NOM POPULAIRE   Perdrix blanche,
véritable Lagopède des saules
FAMILLE   Tétraonidés

Taille et poids

Longueur d'aile: environ 217 mm chez le mâle et 200 mm chez la femelle
Cet oiseau est de la grosseur moyenne de la Gélinotte huppée.

Caractères distinctifs

Les doigts sont emplumés et une grande proportion de son plumage demeure blanc même durant l'été. Fait à souligner, c'est un oiseau dont le coloris se modifie trois fois par année, c'est-à-dire en été, à l'automne et en hiver. Au cours de la période hivernale, le Lagopède des saules est presque entièrement blanc. En été, on retrouve du brun grisâtre dans son plumage. Favorisé par le mimétisme au cours des diverses périodes de l'année, seules des rectrices, de même que des yeux et un bec noirs trahissent sa présence sur la neige. Le Lagopède des rochers (lagopus mutus), sauf quelques petites différences, dont une raie noire de part et d'autre de l'oeil dans son plumage hivernal, lui ressemble beaucoup. Les sous-espèces «rupestris» et «ungavus» sont aussi rencontrées au Québec. Ces populations sont sujettes à des variations cycliques.

Reproduction

Il niche dans une dépression à même le sol, qu'il tapisse d'herbes et de feuilles. Le nombre de ses oeufs varie entre 7 et 9. Ils sont jaunâtres tachetés de brun foncé.

Habitat

Les Lagopèdes des saules sont des Tétraonidés des régions arctiques préférant la toundra basse, plutôt humide et mieux couverte, que la toundra fréquentée par les Lagopè-

des des rochers. Comme son nom l'indique, les prés parsemés de saules, tout comme la proximité de ruisseaux bordés de cette essence forestière leur conviennent. On le retrouve dans le nord du Québec et dans l'intérieur sud, jusqu'au lac Bienville, dans le secteur nord du golfe Saint-Laurent et en d'autres endroits septentrionaux. Il hiverne dans la plus grande partie de son aire de nidification, mais il émigre aussi de façon irrégulière dans le Sud. Bien que le phénomène se présente rarement, il m'est arrivé une fois d'apercevoir des Lagopèdes des saules à proximité de Montréal. C'est un visiteur plus régulier des régions de Chibougamau, de Chapais, de Matagami, de la Côte-Nord et du nord du lac Saint-Jean.

Alimentation

Au début de l'été, il se nourrira de jeunes pousses et d'insectes, puis, par la suite, de baies sauvages diverses. Durant l'hiver, mousse, lichens et bourgeons, dont ceux du saule, complètent son menu. Le besoin se manifestant, cet oiseau n'hésite pas à s'attaquer à de plus petits oiseaux pour les dévorer. (A. Wetmore.)

Techniques de chasse

Pour celui qui a l'habitude de chasser la Perdrix, le Tétras ou les Gélinottes, le Lagopède ne présente aucun problème. Les chasseurs de Caribou savent en tirer profit, lorsqu'ils visitent la toundra. Toutefois, lorsque la température devient très froide et que se produisent des migrations vers le Sud, certaines parties de l'Abitibi et de la Côte-Nord méritent énormément de considération. C'est habituellement en décembre que ces visites se produisent. Des vêtements très chauds et de bonnes raquettes devraient faire partie de l'équipement de chasse.

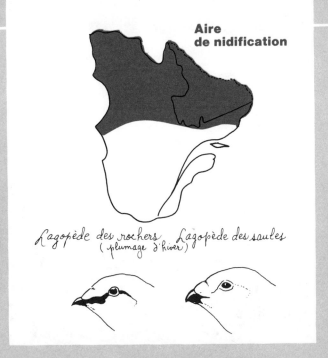

Aire de nidification

Lagopède des rochers (plumage d'hiver)   Lagopède des saules

Armes recommandées

Les fusils, plus particulièrement de calibre .12, avec projectiles 5 ou 6, puisque l'oiseau possède un épais plumage.

Valeur culinaire

Sans posséder la saveur de la chair de la Gélinotte huppée, celle du Lagopède est tout de même agréable au goût.

39

Lapin à queue blanche

NOM SCIENTIFIQUE	Sylvilagus floridanus
NOM POPULAIRE	Lapin à queue blanche
FAMILLE	Léporidés

Taille et poids

Longueur totale : 446 mm ou 17 pouces
Poids moyen : 8 à 1,5 kg (2 à 4 lb)
Les femelles sont légèrement plus grosses que les mâles.

Caractères distinctifs

C'est le plus petit de nos Léporidés indigènes. Les oreilles sont plus petites que celles du Lièvre et ne possèdent pas de poils noirs aux extrémités. Le pelage demeure brun l'hiver, contrairement à son cousin le Lièvre d'Amérique, qui blanchit. Il se blottit dans un bosquet, sous une souche, une bille de bois, ou tout autre abri durant la journée, profitant de la soirée et de la nuit pour chercher sa nourriture. Il ne s'éloigne jamais de ses endroits familiers. Il est actif durant tout l'hiver.

Reproduction

En guise de prélude à l'accouplement de la fin de février, les Lapins exécutent des jeux intéressants. Ils se poursuivent, se font face, l'un bondit en l'air alors que l'autre passe dessous. La période de gestation varie entre 26 et 32 jours. La femelle pourra avoir trois portées et même plus, la dernière au mois de septembre.

Habitat

Comme il n'aime pas les forêts denses, il a proliféré dans les régions agricoles du sud du Canada. On le trouve à l'orée des bois, dans les bosquets, les buissons, les vergers, les haies et les prés. On le rencontre dans le sud du Québec, de l'Ontario, du Manitoba, de la Saskatchewan et de la Colombie-Britannique. Aux États-Unis, il est répandu sur la moitié Est du territoire.

Alimentation

Il se nourrit durant l'été de plantes et d'herbes vertes, incluant le plantain, la verge d'or, le céraiste, l'oseille, la renoncule, le pâturin et, au cours de l'automne, d'écorces, de brindilles et de bourgeons. Son goût pour les plantes potagères et les arbustes ornementaux n'est pas tellement apprécié des jardiniers et campagnards. « S'il n'était pas contrôlé par de nombreux parasites et prédateurs, sa prolifération serait telle que nous serions submergés par un océan de Lapins à queue blanche. » (National Geographic Society.)

Techniques de chasse

Gibier le plus chassé d'Amérique, il ne l'est pas au Québec du fait que son habitat y est limité. On le chasse devant soi, à l'affût ou en battue. Il est tout simplement formidable pour la chasse avec chiens « beagles », cette technique étant certainement la plus passionnante.

Armes recommandées

Son tir à la carabine .22 est des plus intéressantes, sauf qu'elle est à déconseiller pour des raisons sécuritaires — les ricochets de cette balle peuvent avoir de tristes conséquences. Les fusils sont mieux indiqués, de calibres .410 et .20, du fait qu'ils sont légers, mais les .16 et .12 peuvent aussi répondre aux exigences nécessaires pour abattre ce gibier, sauf qu'ils sont démesurés et possèdent un surplus de puissance. Les canons modifiés et les plombs 7½ sont indiqués.

Valeur culinaire

Sa chair dépasse en saveur celle du Lièvre d'Amérique, ce qui veut tout dire.

Habitat

Traces du lapin à queue blanche.

1-7 pieds

Lièvre d'Amérique

NOM SCIENTIFIQUE   Lepus americanus
NOM POPULAIRE   Lièvre d'Amérique
FAMILLE   Léporidés

Taille et poids
Longueur: variant entre 33 à 46 centimètres (13 à 18 po)
Poids: 1 à 2 kg (2 à 4 lb)

Caractères distinctifs

De taille moyenne, se situant entre le Lièvre arctique et le Lapin à queue blanche, ce sujet possède un pelage brunâtre ou grisâtre au cours de l'été, avec ligne noirâtre sur le dos, et un abdomen blanc. Les oreilles sont brunâtres et noires aux extrémités. Il revêt une livrée toute blanche en hiver. Seuls les yeux, les paupières et les extrémités des oreilles demeurent foncés. Les pattes arrière, plus longues que celles d'avant, lui permettent de se déplacer plus rapidement en gravissant qu'en descendant une pente. Garnies de poils longs, elles lui servent de raquettes pour courir avec toute l'aisance possible sur la neige.

Reproduction

La phase d'accouplement débuterait entre la fin de février et la mi-mars et pourrait se poursuivre jusqu'en septembre. La période de gestation étant de seulement 36 jours, une même femelle peut avoir jusqu'à 4 portées par année. Le nombre de Levrauts peut varier de 1 à 8. Les ébats nuptiaux méritent d'être décrits: défilés par une femelle suivie de plusieurs mâles, tambourinades des pattes, bonds élevés, chasses rapides, etc.

Habitat

On le rencontre dans les grandes forêts mais, à mon avis, les plus imposantes concentrations se retrouvent à proximité des marais, parmi les aulnaies le long des cours d'eau et des lacs, dans les fourrés, ainsi que dans les savanes,

ou grands marécages recouverts de cèdres (thuyas) ou terres basses semées de conifères.

Alimentation

Très actif à l'aurore et au crépuscule, il semble que le Lièvre d'Amérique soit aussi influencé par la luminosité solaire. L'hiver surtout, si le temps est sombre, il circule l'après-midi. Toutes sortes d'herbes et de plantes composent son menu estival ou printanier, incluant le trèfle, le pissenlit, la marguerite ou le fraisier. L'hiver, ce seront des brindilles, des bourgeons, de l'écorce et des feuilles résistantes de petits arbres.

Techniques de chasse

C'est probablement le gibier le plus populaire. Toutes les techniques sont acceptables pour le chasser: l'approche, la battue, l'affût produisent d'excellents résultats, mais c'est avec une meute ou même un seul chien «Beagle» que la chasse au Lièvre est la plus captivante. Dans certaines régions du Québec, il est même permis de capturer cet animal aux collets. Il n'y a pas lieu de s'inquiéter de la disparition des populations de Lièvres au Québec. Des expériences scientifiques ont prouvé que ces populations varient selon différentes périodes de densités maximales ou minimales. Celles-ci peuvent être de 6 à 13 ans, mais plus fréquemment de 9 à 10 ans.

Armes recommandées

Bien que la carabine de calibre .22 soit autorisée, nous la déconseillons à cause des dangers qu'elle comporte. Tous les fusils sont acceptables, plus particulièrement le .410. Utilisez de petits plombs 5, 6 ou 7½ par exemple.

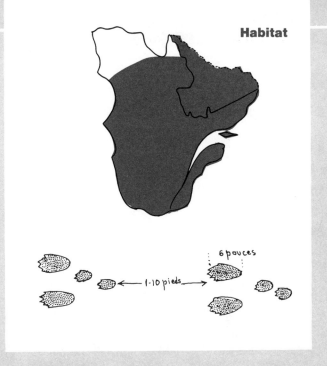

Habitat

6 pouces

1-10 pieds

Valeur culinaire

Le lièvre possède une chair délicieuse, même s'il est préférable quelquefois de la mariner. Mais attention! Cet animal abattu en début de saison peut parfois être atteint de tularémie.

Perdrix européenne

NOM SCIENTIFIQUE   Perdix perdix

NOM POPULAIRE   Perdrix hongroise, véritable Perdrix européenne

FAMILLE   Phasianidés

Taille et poids

(Perdrix de taille moyenne à queue modérément courte)
Longueur: 31 à 33 cm (12 à 13 po) environ
Longueur de l'aile (mâle): 154 mm environ
Longueur de l'aile (femelle): 151 mm en moyenne

Caractères distinctifs

La ligne sourcilière est colorée d'égale façon. Les joues et la gorge sont brun pâle. La poitrine est grisâtre et les flancs sont rayés de brun rougeâtre. La poitrine finement vermiculée permet de la distinguer de toutes les autres Perdrix. Une tache marron en forme de «U» entre les pattes et le cou permet, lorsqu'elle est présente, d'identifier positivement la Perdrix européenne.

Reproduction

Les oeufs, dont le nombre peut varier entre 9 et 20, sont d'un brun olivâtre. On trouve le nid dans une dépression creusée dans le sol, celle-ci tapissée d'herbes.

Habitat

C'est un oiseau qui fréquente les champs, les terrains couverts de verdure et les prés ou prairies cultivés. Oiseau-gibier ayant été introduit en Amérique, il s'est bien acclimaté dans certaines parties du sud du Canada, notamment dans le sud de notre province et dans le nord et le centre des États-Unis. Sa population est sujette à des fluctuations, et les limites précises de sa répartition au Québec sont mal connues. Toutefois, la Perdrix européenne est très bien établie dans le sud-ouest du Québec.

Alimentation

Le grain, les insectes, les larves, les baies, la verdure et les bourgeons l'hiver, voilà ce dont se nourrit couramment cette Perdrix.

Techniques de chasse

À cause d'un habitat propice, très souvent à découvert, ces oiseaux, qui demeurent pour la plupart du temps en couvées, sont certainement les plus intéressants à chasser avec des chiens. C'est un gibier qui prend son vol comme la Caille, peut courir comme le Faisan et possède la qualité de déjouer habilement les chiens. On peut aussi le chasser devant soi, ou si vous préférez à la «chasse fine», mais ce n'est pas la façon idéale.

Armes recommandées

Le fusil de calibre .12, tout aussi bien que le .20, est indiqué. Les plombs plus petits que 7½ ne seront pas efficaces.

Valeur culinaire

Cet oiseau-gibier est un véritable délice de gourmet. En 1899, quelques douzaines de Perdrix européennes furent importées, pour être libérées à Lynnhaven en Virginie. Par la suite, en 1906, 180 oiseaux furent introduits dans le comté d'Essex du même État, mais ils disparurent. Au début du siècle dans les États de Washington, de l'Oregon, de l'Idaho, du Montana et au Canada en Colombie-Britannique, d'autres introductions, ces dernières suivies de nouvelles tentatives en 1908 et 1909 près de Calgary en Alberta. Dans un habitat constitué principalement de prairies ensemencées de grains, les Perdrix européennes proliférèrent dans cette province tout comme au Manitoba et en

Aire de nidification

Profil de l'oiseau.

Saskatchewan. Par la suite, le nord-est américain s'impliquait de la même façon. Quarante-cinq mille Perdrix européennes auraient été importées pour constituer cette population maintenant très intéressante d'un nouveau gibier faisant la joie de tous.

Tétras des savanes

NOM SCIENTIFIQUE	Canachites canadensis
NOM POPULAIRE	Perdrix des savanes et Perdrix noire, véritablement Tétras des savanes
FAMILLE	Tétraonidés

Taille et poids

Longueur de l'aile (mâle adulte): 177 mm environ
Longueur de l'aile (femelle): 168 mm en moyenne

Ces dimensions s'approchent de très près de celles de la Gélinotte huppée, qui sont de 179 mm et 176 en moyenne respectivement.

Caractères distinctifs

Les pattes du Tétras des savanes sont emplumées jusqu'aux doigts. Le mâle adulte possède une belle ligne rouge au-dessus de l'oeil, ce qui contraste agréablement avec un plumage d'aspect général foncé. Le haut de la poitrine, tout comme le front et la gorge sont noirs bordés d'une ligne blanche. La queue noire se termine par des plumes aux extrémités brun pâle. La femelle ressemble à la Gélinotte huppée, sauf qu'elle n'a pas de collerette foncée et la queue, plus courte, n'a pas de raie subterminale.

Reproduction

Les Tétras des savanes font leur nid dans une dépression du sol tapissée d'herbes et feuilles. La femelle est une mère dévouée se chargeant seule de la couvaison. Elle pondra de 4 à 7 oeufs de couleur chamois marqués de taches brunes. La période d'incubation serait d'environ 24 jours. Les jeunes ressemblent à la mère, mais dès la première mue ils revêtent leurs plumages distinctifs des sexes.

Habitat

Comme l'indique son nom, on rencontre surtout cet oiseau dans les forêts et boisés de conifères. De même que dans les étendues sylvestres mêlées, les muskegs, l'orée des forêts et les clairières. Aussi dans les terrains à découvert, particulièrement fertiles en bleuets.

Alimentation
Cette espèce a une préférence marquée pour les bourgeons et les aiguilles d'épinette. Toutefois, au cours de l'été, des insectes et des baies compléteront son menu.

Techniques de chasse
Toutes les façons de le chasser lui conviennent, puisque le Tétras des savanes est probablement l'oiseau le plus stupide de tous nos gibiers. Habituellement, il craint très peu l'homme; il prend vol et ne se perche pas très haut dans un arbre, observant le nouveau venu. Si le chasseur tire un coup de feu et manque son objectif, l'oiseau demeurera sur sa branche tout comme si de rien n'était. Très souvent on peut tuer le Tétras des savanes à coups de bâton, ou en lui lançant des pierres. Oiseau peu méfiant, il disparaît tout de même très rapidement des endroits où s'établit la civilisation.

Armes recommandées
Tous les fusils à canons lisses sont indiqués pour ce genre de chasse, du calibre .12 au .410 que certains chasseurs préfèrent à tous les autres. Les plombs 6 ou 7½ sont le plus souvent utilisés.

Valeur culinaire
La chair foncée a une saveur très forte. Par contre, ceux qui aiment le goût prononcé de «sapinage» estiment que c'est un gibier de choix. L'été, lorsque l'oiseau peut manger baies et insectes, le goût de la chair de ce Gallinacé s'améliore, mais sa chasse est interdite. On peut faire mariner ce gibier avant de le cuisiner.

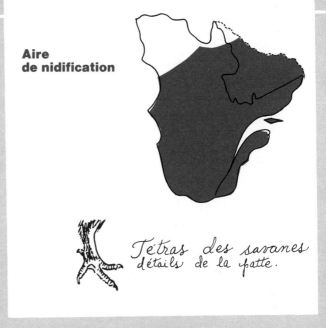

Aire de nidification

Tétras des savanes détails de la patte.

Les animaux de survie

Même si certaines espèces ne peuvent être qualifiées de gibier proprement dit, et que, le plus souvent, il est interdit de les chasser, il n'en demeure pas moins que quelques-unes d'entre elles méritent notre attention, ne serait-ce que parce que le chasseur les côtoie régulièrement.

Cependant, l'objet principal des pages qui suivent est de faire connaître la valeur et les caractéristiques respectives de ces animaux dont la présence pourrait s'avérer indispensable lors d'imprévus tels que accident, retard d'hydravion, panne de véhicule en forêt, etc., et que ceux qui en sont victimes doivent trouver un moyen de subsistance en attendant du secours.

Nous avons donc cru bon d'inclure dans ce guide quelques mammifères, dits de survie, des plus familiers tels que le porc-épic, l'écureuil et le castor, pour ne citer que ceux-là. Certains sont des animaux à fourrure interdits à la chasse sportive, d'autres retiennent très peu l'attention des sportifs.

Quant aux autorités responsables de la conservation, elles n'ont jamais sévi lorsqu'il s'est agi de survie; elles auraient d'ailleurs bien mauvaise grâce à le faire.

Castor

NOM SCIENTIFIQUE	Castor canadensis
NOM POPULAIRE	Castor
FAMILLE	Castoridés

Taille et poids

Longueur totale: plus de 100 cm (3 à 4 pi)
Poids: variant de 20 à 45 kg (45 à 90 lb) selon l'âge et le sexe.

Caractères distinctifs

Le corps du Castor est robuste, la tête carrée et large, le cou et les membres sont courts, tandis que la queue, large et aplatie, est recouverte d'écailles. Les membres avant sont délicats; les Castors s'en servent pour manipuler le bois. Ceux d'arrière sont palmés de véritables avirons qui lui permettent de se déplacer aisément dans l'eau. La fourrure est dense sur tout le corps; le brun de la tête et des épaules est plus brillant que celui du dos. Par un coup de queue retentissant sur la surface de l'eau, il alerte ses congénères du danger: sa force est impressionnante.

Reproduction

Janvier et février. Le mâle est monogame. La femelle portera durant trois mois et demi et mettra bas normalement 4 petits, bien que les portées varient de 1 à 8 jeunes Castors. Avant la mise bas, la femelle chasse son partenaire de la hutte, signe révélateur que la naissance est proche. Chez cet animal, les sexes sont très difficiles à distinguer.

Habitat

Le Castor, emblème national du Canada, vit dans les ruisseaux, les lacs et les rivières. Avec sagesse, il ne fréquente pas les cours d'eau impétueux et n'essaie pas de les contrôler à cause des risques de crues subites. C'est la proximité des forêts de trembles qui l'attire, mais les endroits couverts de saules, d'aulnes et de plantes aquatiques pourront servir à l'abriter. On le retrouve dans presque tout le Canada ; en Amérique du Nord, du Mexique à l'Alaska. Lorsqu'une colonie de Castors décide de s'installer à un endroit, elle érige une digue de pierres, de terre battue, de branches entrelacées : véritable chef-d'oeuvre de la nature. Ce barrage doit maintenir le niveau de l'eau suffisamment élevé pour que l'animal puisse circuler sous la glace l'hiver. De plus, ils construisent une hutte de 2 à 3 mètres (6 à 9 pi) de hauteur pour s'abriter. C'est avec raison que le Castor est surnommé « l'ingénieur de la nature ».

Alimentation
Les écorces tendres, certaines feuilles, des brindilles, des plantes aquatiques composent le menu de cet animal. Sa nourriture préférée demeure le peuplier et le faux-tremble. Pour l'hiver, il accumule des réserves à proximité de sa hutte. Un Castor abat environ 216 arbres par année, tant pour se nourrir que pour bâtir.

Techniques de chasse
Il est interdit de chasser cet animal à l'aide d'armes à feu, car sa fourrure est l'une des plus en demande. Son piégeage est autorisé selon des normes déterminées et révisées périodiquement. À la suite de pressions excessives exercées au profit du commerce, en 1930 l'espèce avait presque disparu. Grâce à de rigoureuses mesures de conservation, les populations augmentèrent avec les années, pour reprendre à nouveau leur prépondérance dans le domaine du commerce des fourrures.

Valeur culinaire
Sa chair est très bonne, surtout celle des jeunes Castors, et tout particulièrement la queue, qui est un mets de choix.

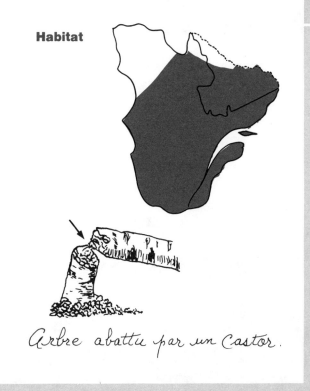

Habitat

Arbre abattu par un Castor.

Écureuil roux

NOM SCIENTIFIQUE	Tamiasciurus hudsonicus
NOM POPULAIRE	Écureuil roux
FAMILLE	Sciuridés

Taille et poids

Longueur : 38 cm (15 po) en moyenne
Poids : variant entre 190 et 290 gr (5 à 10 onces ½)
Il est plus petit que l'Écureuil gris et les mâles sont plus gros que les femelles.

Caractères distinctifs

C'est un petit rongeur trapu : tête courte et large, queue mesurant les trois quarts de la longueur totale de tout le corps. Le pelage d'été est roux tacheté de noir ; blanc sur le ventre. L'hiver, la fourrure plus soyeuse est de couleur grisâtre. Criard, l'Écureuil roux, sans qu'il le sache, est un véritable système d'alarme pour son entourage. À la moindre intrusion dans son territoire, ses « tcher-r-r-r! » résonnent aux oreilles du voisinage. Lorsqu'il vient chercher des amandes dans vos mains, il semble très sympathique, mais vous récompense de votre geste en s'introduisant dans le chalet pour piller les armoires et déchirer les matelas. Extrêmement agile, la vocation arboricole lui convient bien ; il peut aisément bondir d'une branche à l'autre et se laisser choir sur le sol d'une hauteur de 10 mètres (30 pi). De plus, bon nageur, il profite des objets flottants sur les eaux pour se reposer.

Reproduction

La femelle pourra avoir une ou deux portées par an, dépendant de la localisation, au sud ou au nord, de son habitat. La période de gestation est de 40 jours et la progéniture moyenne est de 1 à 8 petits. La femelle assure l'éducation des jeunes. Si un danger les menace, elle les transporte vers un autre nid.

Habitat

On le rencontre un peu partout au Canada, dans les habitats les plus variés. Il se plaît à se nicher dans les conifères et les arbres feuillus des forêts bien qu'il préfère le versant nord des collines, comprenant des mixtes de pins et de pruches.

Alimentation

L'Écureuil roux se nourrit des cônes de plusieurs conifères, de noix, de bourgeons, de fleurs, de fruits, d'écorce, de champignons et s'abreuve de sève. C'est un carnivore vorace et audacieux qui dévore les souris, les campagnols, les jeunes Lapins à queue blanche, les Merles d'Amérique, les Merles bleus, les Orioles et les Gélinottes huppées. Il n'hésite pas à grignoter les carcasses d'animaux morts, pas plus qu'à sucer les oeufs des oiseaux, manger les oisillons ou simplement les jeter hors du nid. Par besoin de calcium pour sa portée prochaine, on dit que la femelle grignote les os qu'elle trouve ou les bois de cerf tombés à l'automne.

Techniques de chasse

On le chasse aux États-Unis selon des normes définies, mais il est maintenant interdit de le chasser comme gibier au Québec depuis 1979. Sur le plan cynégétique, l'Écureuil permettait aux jeunes chasseurs la pratique du tir et l'appréciation des joies de la forêt, tout en assurant une forme de contrôle plus que limitée. C'est un animal fort discuté quant à son utilité dans le domaine forestier tout aussi bien que dans celui de la conservation, et ce à cause des

Habitat

Écureuil roux
faisant entendre son cri strident

méfaits dont il est l'auteur auprès des oiseaux et même des oiseaux-gibiers.

Valeur culinaire

Excellente nourriture de survie en forêt.

Marmotte commune

NOM SCIENTIFIQUE	Marmota monax
NOM POPULAIRE	Marmotte commune
FAMILLE	Sciuridés

Taille et poids

Longueur: 60 cm (2 pi) de long
Poids moyen: 7 kg (14 lb)

Caractères distinctifs

Le corps trapu de la Marmotte est surmonté d'une tête large et plate. Le cou est très court, les oreilles, petites et rondes, les membres courts et puissants. La queue mesure le quart de la longueur du corps. L'animal semble grisonnant, la queue est brune ou noire, les pieds sont noirs. Les épaules et les pattes avant sont rousses, les joues fauves. Les spécimens albinos ou mélaniques ne sont pas rares.

Reproduction

Dès qu'ils sortent du nid en mars, les mâles cherchent à s'accoupler et les bagarres sont fréquentes. Après une gestation de 31 ou 32 jours, la femelle donnera naissance à 3 petits en moyenne, soit de 1 à 8. À 5 semaines, ils sont devenus de véritables Marmottes en miniature, revêtus d'un pelage lustré, sachant siffler et grincer des dents.

Habitat

À la suite du déboisement, ce rongeur s'est multiplié au point que les populations actuelles sont plus élevées qu'elles ne l'ont jamais été. L'agriculture, la colonisation et l'exploitation forestière ont favorisé la Marmotte, au point qu'elle est devenue une véritable peste pour les fermiers. Elle préfère les terrains accidentés, les bosquets d'arbres, les tas de cailloux, les haies et les pâturages. On la retrouve dans toutes les provinces du Canada, sauf à l'Île-du-Prince-Édouard. Il y aurait six sous-espèces de Marmottes dans notre pays. On la rencontre aussi dans l'est des États-Unis.

Alimentation

Le «siffleux», car c'est là son nom commun, est avant tout un herbivore consommant surtout des plantes vertes (trèfle, luzerne, sarrasin, pissenlit, plantain, verge d'or). Il s'assoit fréquemment pour manger à l'aide de ses pattes avant. Au grand désespoir des fermiers, il dévore fruits et légumes et mange aussi, s'il lui arrive de les croiser sur son chemin, insectes et oisillons nichés au sol.

Techniques de chasse

Cet écureuil terrestre est d'un intérêt tout particulier pour la chasse; il intéresse surtout les tireurs de précision. Au printemps, à l'aide de jumelle, à cause de l'absence de végétation, il est possible de l'observer à distance et, de là, le tirer à la carabine. La Marmotte est craintive et disparaît rapidement dans son terrier, en émettant un sifflement strident à la moindre alerte, donc un tir rapide et précis à effectuer, très souvent à une longue distance. On peut aussi la piéger et l'empoisonner dans son refuge à l'aide de bisulphure de carbone ou de cyanure de calcium. Ce sont d'ailleurs ces dernières méthodes qu'utilisent les fermiers, à moins que vous ne leur prêtiez main-forte avec vos carabines.

Armes recommandées

Les carabines de calibre .22 à .25, avec lunettes de visée sont les plus populaires: .22 WMR, .222 Remington, .22 / 250 Varminter, .243 Winchester. Les balles d'environ 70 grains sont très efficaces dans les .243 et .244. Fait à souligner, certains tireurs préféreront délaisser les bêtes adultes pour tirer les jeunes, afin d'assurer une bonne reproduction de leur gibier préféré. Une croyance populaire veut que le 2 février, si l'animal sort de l'hibernation et

Habitat

Traces de la Marmotte

aperçoit son ombre, il s'enfouit à nouveau sous terre pour y demeurer durant 6 semaines, d'où une prolongation aussi longue de la saison. Par contre, s'il demeure à l'extérieur, le printemps sera hâtif. Ce dicton folklorique est amusant, mais il ne faut pas lui prêter trop d'attention.

Valeur culinaire

La chair est bonne.

Mouffette rayée

NOM SCIENTIFIQUE	Mephitis mephitis
NOM POPULAIRE	Mouffette rayée
FAMILLE	Mustélidés

Taille et poids
Longueur: 60 à 79 cm (24 à 30 po)
Poids: variant entre 1,8 et 4,5 kg (4 et 10 lb)
Le mâle est un peu plus gros que la femelle.

Caractères distinctifs
Cet animal est calme, agréable et sympathique du fait qu'il est énormément sûr de lui. Une paire de glandes internes secrètent un liquide à l'odeur infecte, et par l'anus en contractant ses sphincters, il peut lancer ce fluide nauséabond en direction d'ennemis ou assaillants. La Mouffette possède donc toute l'assurance lui permettant d'être lente dans sa démarche, son allure maximale étant de 7 km (4,5 mi) à l'heure. A peu près de la taille d'un chat, sa tête est petite, ses oreilles et ses yeux sont minuscules, et ses pattes courtes. Son pelage est long, lustré, et d'un beau noir de jais, avec une étroite tache blanche au front; deux longues bandes immaculées partent de l'arrière de la tête et se terminent à la base de la queue qui forme un véritable panache noir et blanc.

Reproduction
Les Mouffettes s'accouplent en février ou mars. La femelle, après une période de gestation de 62 jours, mettra bas de 2 à 10 petits. En fin d'été et à l'automne, les nouveaunés suivent la femelle dans ses excursions nocturnes, ils hibernent par la suite avec elle à l'approche de l'hiver.

Habitat
Nous connaissons quatre sous-espèces de Mouffettes rayées au Canada: *hudsonica*, *mephitis*, *nigra* et *spissigrada*. On les retrouve à peu près partout en Amérique du

Nord dans les forêts et vallées fluviales, mais surtout dans le voisinage des régions cultivées.

Alimentation

Son régime alimentaire est constitué de fruits: raisins sauvages, cerises, mûres, fraises et plusieurs autres. Plusieurs petits mammifères s'ajoutent à son menu: Campagnols, Souris, Lapins à queue blanche et aussi d'énormes quantités d'insectes: (Sauterelles, Larves, Coléoptères, Hannetons...) A l'occasion, la Mouffette se saisira d'un Poulet, mais les innombrables insectes qu'elle détruit compensent quelque peu pour cette faiblesse. Elle se nourrit aussi de quelques oeufs et oisillons, d'Ecrevisses, de Vairons, de Mollusques, de Lézards, de Grenouilles et de Serpents.

Techniques de chasse

Considéré comme animal à fourrure, il est interdit de chasser la Mouffette à l'aide du fusil ou de la carabine, mais on peut au Québec la piéger. C'est un autre règlement récent (1979). Pour vous débarrasser de tels animaux réfugiés sous un chalet, une maison ou un hangar, utilisez de la naphtaline. Si vous êtes victime de son fluide nauséabond, lavez-vous avec de l'essence, de l'ammoniaque ou du jus de tomates. Comme j'ai élevé des Mouffettes en captivité, au point de les rendre tout aussi affectueuses qu'un chien et beaucoup plus réceptives qu'un chat, je puis vous assurer qu'il est faux de prétendre qu'en les soulevant brusquement du sol en les tenant par la queue, elles deviennent impuissantes. N'essayez surtout pas, vous risqueriez d'être obligé de prendre un bain de jus de tomates.

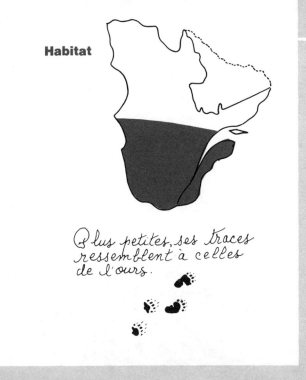

Habitat

Plus petites, ses traces ressemblent à celles de l'ours.

Valeur culinaire

La chair de cet animal est tendre et savoureuse, même celle des adultes. Toutefois, il faut absolument qu'au moment de l'éviscération, elle soit protégée du liquide sécrété par les glandes.

Porc-épic d'Amérique

NOM SCIENTIFIQUE	Erethizon dorsatum
NOM POPULAIRE	Porc-épic d'Amérique
FAMILLE	Éréthizontidés

Taille et poids

Longueur: 90 cm (3 pi)
Poids: 12 kg (25 lb)
Parmi les rongeurs du Canada, seul le Castor le dépasse en grosseur.

Caractères distinctifs

Le Porc-épic est trapu, lourd et couvert de piquants. Son corps est robuste, sa tête petite, ses oreilles et ses yeux sont minuscules. Son museau est court, sa queue épaisse, ses pattes sont courtes, fortes, pourvues de longues griffes. Son coloris général est brun très foncé ou noir argenté. Sa démarche est lente et lourdaude. Lorsqu'il est poursuivi, il se déplace en galopant, mais peut être facilement rattrapé. Pour se défendre, ses dards sont une arme des plus efficaces. Il cherche un endroit où se dissimuler la tête, tournant le dos à l'adversaire et lui offrant des piquants hérissés. Il balance la queue de gauche à droite et, avec rapidité, peut en frapper celui qui s'approche trop. Le Porc-épic ne lance pas ses piquants et il est bon nageur.

Reproduction

Voilà la question que plusieurs se posent: Comment ces bêtes peuvent-elles s'accoupler? Disons qu'elles doivent être «prudentes», mais l'abdomen et les pattes sont dépourvues de piquants, ce qui facilite l'accouplement puisque le mâle et la femelle se rencontrent de face. La femelle possède, de plus, un contrôle parfait de ses dards qu'elle couche alors sur son dos. Si elle ne désirait pas d'un mâle, celui-ci aurait beaucoup de difficultés à la séduire. Si une première tentative automnale n'a pas réussi, elle pourra être fécondée lors d'une seconde période de chaleur, entre janvier et avril. La gestation est d'une durée de 209 à 217 jours, un seul petit naîtra, rarement deux. Autre problème que celui de mettre au monde un petit couvert de dards songerez-vous? Ne vous en faites pas, il voit le jour tête première, donc dans le bon sens des piquants, et ceux-ci sont mous à ce moment-là.

Habitat
Les forêts tant résineuses que feuillues constituent son habitat; il fréquente aussi les prés et champs cultivés. On trouve les Porcs-épics dans la majeure partie de l'Amérique du Nord.

Alimentation
Les tiges vertes d'herbacées, les arbres et les arbustes, ainsi que les plantes aquatiques sont à son menu. Il y ajoute des rameaux tendres et des bourgeons. Il est à l'origine de la disparition des bois des cerfs qui tombent à tous les ans puisqu'il grignote ces denrées riches en minéraux. Les poignées des rames, les sièges de toilettes l'intéressent aussi, probablement à cause de la transpiration humaine qui s'y est imprégnée. Certaines colles utilisées dans la fabrication du contreplaqué le font gruger les chaloupes, ce qui exaspère les pêcheurs.

Techniques de chasse
En vertu d'une loi non écrite, les chasseurs ne tuent pas les Porcs-épics, même si ces derniers causent fréquemment d'énormes dommages. À cause de sa lenteur, il est facile à attraper. Sans arme, d'un seul coup de bâton sur la tête, on peut le tuer. Comme il a déjà permis à des personnes éga-

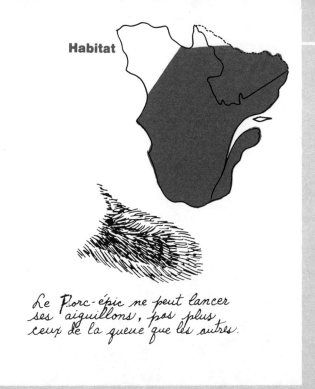

Habitat

Le Porc-épic ne peut lancer ses aiguillons, pas plus ceux de la queue que les autres.

rées en forêt de survivre, cette forme de reconnaissance lui est témoignée.

Valeur culinaire
Excellente... même si vous n'êtes pas égaré!

Raton laveur

NOM SCIENTIFIQUE	Procyon lotor
NOM POPULAIRE	Raton laveur
FAMILLE	Procyonidés

Taille et poids

Longueur: 75 à 90 cm (30 à 36 po)
Poids: de 7,5 à 8,5 kg (16,5 à 18,8 lb)
À l'occasion, de gros spécimens peuvent atteindre près de 14 kg (30 lb).

Caractères distinctifs

Le corps trapu du Raton laveur est recouvert d'une longue fourrure gris argenté ou brunâtre. Sa face est ronde et un masque noir y est clairement défini. Son museau effilé se termine par un petit nez sensible. Ses pattes peuvent rivaliser avec celles du singe tellement il peut les utiliser habilement. Il est intelligent, s'apprivoise facilement, mais peut se défendre farouchement lorsqu'il est menacé.

Reproduction

Ils s'accouplent entre la fin de janvier et le début de mars. La femelle, après une période de gestation de 63 jours, mettra bas de 3 à 5 petits en moyenne, soit de 1 à 6. Elle est remplie d'attentions pour eux, leur enseignant, au cours de leur premier été, à chasser et à grimper aux arbres. Ils demeurent avec elle durant le premier hiver, mais au printemps, la famille se disperse.

Habitat

Le Raton laveur aime les régions boisées et la proximité des cours d'eau. Les vallées fluviales, les bosquets parsemés çà et là dans les prairies, mais pas nécessairement tout près de l'eau.

Alimentation

Il aime le maïs, les cerises, les groseilles, les baies et les raisins sauvages. Les écrevisses, les larves, les sauterelles,

les grillons, les mollusques, les petits poissons, les grenouilles, les tortues, les campagnols, les souris, les lapins à queue blanche, les écureuils et les oisillons. Il peut dérober quelques poulets à l'occasion, mais il trouve surtout sa nourriture le long des berges, des lacs, rivières ou ruisseaux. Il lui arrive fréquemment de plonger sa nourriture dans l'eau, sans faire de différence qu'il soit boueuse ou limpide, d'où son nom «lotor» signifiant laveur.

Techniques de chasse
On le piège à cause de sa fourrure et il fait aussi l'objet de chasse à courre. La façon la plus populaire consiste à le poursuivre à l'aide de chiens le soir, pour le faire grimper dans un arbre et par la suite l'abattre. D'autre part, nombre de chasseurs de cette catégorie s'adonnent à ce genre de poursuite nocturne tout simplement pour le plaisir de la chose; ils ne tuent pas l'animal lorsqu'ils ont réussi à l'immobiliser au sommet de ce perchoir. Le Raton laveur est reconnu pour sa puissance à combattre les chiens lancés à sa poursuite; il lui arrive de doubler de taille son assaillant. Selon le naturaliste John Burroughs: «Le Raton laveur déborde de courage.»

Valeur culinaire
Sa chair est très bonne mais, malheureusement, méconnue. Dans son livre de recette centenaire, «Musky» Jones la décrit comme très tendre et délicieuse.

Habitat

Masque du Raton laveur

Les prédateurs

Rares sont ceux qui ont pu apercevoir un Loup en forêt. Toutefois, pour certains à qui cela arrive, rapporter un tel trophée représente un grand défi. Pour d'autres, l'intérêt qu'ils portent à la chasse des prédateurs provient du fait qu'ils les considèrent comme de véritables compétiteurs dans leur domaine sportif. On sait que ces bêtes se nourrissent très souvent de gibier très recherché sur le plan cynégétique: il en résulte donc une rivalité entre l'homme et le prédateur.

Encourager les chasseurs à tuer les prédateurs ne date pas d'hier, puisque déjà au Ve siècle avant J.-C. les administrateurs y avaient songé. La prime accordée à cette époque lointaine était de cinq drachmes.

Chez les Capétiens, le journal du Trésor de 1297 mentionne la dépense de 60 soles pour la capture de douze Loups.

Au Québec, comme ailleurs, nous avons connu des périodes où des primes étaient payées sur les Loups et les Ours.

Renards et Coyotes intéressent aussi certains chasseurs qui profitent de l'hiver pour accentuer leurs chances de succès dans la poursuite de ces Canidés rusés.

Les prédateurs sont aussi des gibiers intéressants pour ceux qui font de la chasse leur activité récréative principale; la plupart de ces animaux peuvent en effet être chassés à longueur d'année.

Nous traiterons donc, dans les pages qui suivent, du Coyote, du Loup, du Renard roux et du Lynx du Canada. Nous aurions pu inclure le Lynx roux et les sous-espèces du Renard roux que sont l'argenté et le tacheté, de même que le Renard arctique, mais les autres mentionnés précédemment semblent suffire aux fins de ce guide.

Coyote

NOM SCIENTIFIQUE	Canis Latrans qui signifie «Chien aboyeur»
NOM POPULAIRE	Coyote
FAMILLE	Canidés

Taille et poids

Taille: variant selon les sujets; le mâle est plus grand que la femelle

Poids moyen: 13,5 kg (30 lb); peut varier entre 9 et 28 kg (20 et 60 lb)

Caractères distinctifs

Le Coyote ressemble à un petit chien «coley». Les oreilles sont longues et pointues, les pattes longues, la queue très touffue mesure près de la moitié de la longueur du corps. Le pelage est généralement gris jaunâtre, celui de la gorge et de l'abdomen blanc. La queue à l'extrémité est noire. C'est un animal sociable et familial. Son cri est bien connu des gens des plaines: «une série d'aboiements suivis de hurlements aigus». Plus rapide que le Loup, il peut courir à une vitesse de 56 à 70 km (35 à 43 mi) à l'heure. A la course, la queue est portée basse, ce qui permet à distance de le différencier du Loup qui, lui, la maintient horizontale ou remontée (voir illustration). Cet animal aime jouer, certains prétendent même qu'il possède un certain sens de l'humour.

Reproduction

Entre la fin janvier et la fin mars. La période de rut est d'une durée de quatre à cinq jours. Après 60 à 63 jours de gestation, la femelle met bas de 1 à 19 petits. La portée moyenne est de 6 à 7. La facilité à se procurer de la nourriture ou son abondance influencera le nombre de naissances. Si la nourriture est rare, la portée sera mince: un ou deux petits seulement.

Habitat

Au cours des derniers 30 à 40 ans, le Coyote a littéralement envahi l'est du continent. Il est maintenant répandu sur les trois quarts du territoire de l'Amérique du Nord. On n'en dénombre aucun à l'ouest ni à l'est de la baie James, donc tout le nord du Québec, de l'Ontario, du Manitoba et de la Saskatchewan. On le rencontre aussi au Mexique et dans presque tout l'ouest de l'Amérique Centrale. Il semble s'adapter à différents milieux et s'accommoder de la proximité des fermes et des villes.

Alimentation

Il se nourrit d'à peu près tout ce qui est comestible, vivant ou mort. Il préfère les petits mammifères, mais mange des oiseaux, des cerfs, des insectes, de la verdure, du poisson, des crustacés et des mollusques. A titre d'exemple, voici l'analyse des contenus de trois estomacs de Coyote: souris, écureuils, oiseaux, poissons, os de poulet, aiguilles de pin, poils d'ours (issus probablement d'une charogne), plumes, caoutchouc d'une bouteille à eau chaude, déchets divers provenant de poubelles. Selon Cahalane, les Loups et les Coyotes sont des antagonistes; les premiers semblent considérer les seconds comme des braconniers. S'ils en ont la chance, ils s'entretueront.

Techniques de chasse

On l'empoisonne à la strychnine lorsque permis ou on le prend au piège car il est devenu l'ennemi des fermiers et des éleveurs. Dans la pratique sportive, on l'abat à la carabine ou au fusil, mais ce sont surtout les adeptes de la motoneige qui lui font la vie dure pendant l'hiver, en le poursuivant d'un boisé à un autre pour finalement le tirer. Plusieurs expériences de chasse à courre au Coyote ont été tentées au Québec.

Valeur culinaire

Aucune.

Habitat

Loup

Coyote

Loup

NOM SCIENTIFIQUE	Canis lupus
NOM POPULAIRE	Loup
FAMILLE	Canidés

Taille et poids

Longueur: un mâle peut mesurer 1,8 m (6 pi) même plus
Hauteur au garrot: 90 cm (3 pi), la louve est plus petite
Poids: le poids moyen des adultes varie entre 27,3 à 79 kg
(60 et 175 livres)

Caractères distinctifs

La tête du Loup est grosse et robuste. Les dents sont puissantes. Le pelage du Loup peut varier du blanc au noir. Certains sont gris très pâle, d'autres plus foncés, bruns ou crème. Les sujets gris cendré sont les plus nombreux. La silhouette générale de cet animal ressemble à celle du Chien berger allemand, mais le Loup a le corps plus mince, les pattes plus hautes, les pieds plus forts et la poitrine plus étroite. Il court, la queue horizontale ou légèrement redressée, à une vitesse pouvant atteindre 45 km (28 mi) à l'heure.

Reproduction

En janvier, février ou mars, dépendant des régions, avec sommet habituellement à la fin de février et début de mars. Les Loups connaissent les diverses phases de la période des amours. Il semble que le mâle et la femelle s'accouplent pour la vie. La période de gestation varie entre 60 et 63 jours. Les portées seront de 5 à 14 louveteaux avec moyenne de 7. Les Loups possèdent une vie sociale des plus intéressantes; des louves surveilleront les louveteaux, tandis que d'autres iront chasser. L'éducation des jeunes se fera en observant les adultes et une hiérarchie vraiment admirable régnera au sein des meutes. L'étranger sera mal accueilli, même tué.

Habitat

Ce grand voyageur, car il est toujours en mouvement, ne semble pas avoir de préférence pour un habitat particulier. Parmi les Loups, surtout chez ceux qui ne possèdent pas de responsabilités familiales, des circuits de chasse sont visités régulièrement plusieurs fois par mois. Ces sentiers peuvent défiler sur des longueurs dépassant une centaine de kilomètres. Une famille de Loups peut avoir un territoire de chasse allant jusqu'à 416 km² (260 milles carrés).

Nourriture

Son régime alimentaire se compose à 80 p. 100 de gros gibier : orignal, cerf de Virginie, caribou pour les populations de l'est du Canada. Dans l'Ouest s'ajouteront au régime du mouflon d'Amérique, du bison, du wapiti. Il se nourrit aussi de lièvres, de lapins, de marmottes, de rats musqués, de souris, sans oublier les castors, les oiseaux, les insectes, les baies, les fruits et les herbes. Le Loup n'est pas très rapide, il doit recourir à la ruse pour s'attaquer au gros gibier, à moins qu'il ne profite de la neige. «On a la certitude qu'il s'attaque de préférence aux bêtes débiles, âgées en ce qui concerne les grands mammifères, mais cette sélection est moins claire lorsqu'il s'agit du Cerf de Virginie.» (Banfield.)

Techniques de chasse

On le prend au collet et au piège à cause de l'intérêt que suscite sa fourrure dans le domaine commercial. Il est aussi possible de le repérer l'hiver du haut des airs, alors que durant la période d'accouplement, il n'hésite pas à s'aventurer sur les grands lacs. On peut alors prendre une posi-

Habitat

Position de domination chez le Loup

tion favorable au sol, afin de l'intercepter grâce à un bon vent. Cette technique est aussi pratiquée par les chasseurs en motoneige. Lors d'une chasse à l'Orignal ou au Chevreuil, il arrive parfois au Loup de se laisser prendre dans une battue. Mais la plupart des chasseurs de gros gibier n'ont jamais pu apercevoir un Loup en forêt et il est probable qu'ils n'en verront jamais. Est-ce que le Loup attaque l'homme ? Rares sont les preuves à ce sujet, autres que celle détenue par l'auteur, alors qu'à Nominingue, il y a quelques années, des Loups ont attaqué des travailleurs forestiers, qui ont dû être hospitalisés à Mont-Laurier.

Valeur culinaire
Aucune.

Loup-cervier

NOM SCIENTIFIQUE	Lynx lynx
NOM POPULAIRE	Loup-cervier
FAMILLE	Félidés

Taille et poids

Longueur: 91 à 123 cm (3 à 4 pi) excluant la queue mesurant de 10 à 13 cm (4 à 5 po)
Poids du mâle: 50 à 76 km (25 à 38 lb)

La femelle est plus petite que le mâle.

Caractères distinctifs

Les pattes du Loup-cervier, le plus grand de nos félins, sont longues, se terminant par des pieds coussinés sur une grande surface plantaire. La queue est tronquée, les oreilles sont pointues et noires aux extrémités. Le pelage est long, soyeux et dense, d'aspect généralement grisâtre, bien qu'à l'été il brunisse. Des taches et bandes foncées se dessinent sur la fourrure. La vue de cet animal est légendaire et son sens de l'ouïe très développé, il est habituellement chasseur solitaire nocturne, nyctalope. Des griffes rétractiles, tranchantes et très aiguisées lui servent à exercer son rôle de prédateur.

Reproduction

Au printemps, probablement entre la mi-mars et la mi-avril; les informations à ce sujet sont plutôt limitées. La période de gestation serait de 9 semaines et les petits, dont le nombre varierait entre 1 et 5, naîtraient entre la mi-mai et la mi-juin.

Habitat

Ce félin vit de préférence dans les forêts stables du Nord, celles dont les sous-bois sont encombrés de broussailles. Il s'aventure aussi dans la toundra, lorsque la nourriture devient rare. Il y pénètre même très profondément afin de satisfaire son appétit en dévorant les lemmings, les lagopèdes et les lièvres arctiques.

Alimentation

Le Loup-cervier peut très bien s'en prendre au chevreuil et encore plus facilement au faon, tout aussi bien qu'au jeune caribou. Mais sa nourriture de prédilection demeure le lièvre d'Amérique. Il consomme énormément d'oiseaux; canards, perdrix, tétras, lagopèdes et passereaux. S'il peut s'aventurer autour des fermes, la chair du poulet l'intéressera vivement. Cet animal consommerait environ 200 lièvres par année, sans oublier mulots et souris.

Techniques de chasse

L'animal serait abattu dans 75 p. 100 des cas accidentellement, c'est-à-dire lorsqu'il croise la route d'un chasseur de petit ou de gros gibier. À l'occasion, il se laisserait prendre dans une battue organisée spécifiquement pour le chevreuil. D'autre part, comme les chiens détestent l'odeur des félins, cette méthode peut être utilisée avec succès, mais rares sont ceux qui la pratiquent.

Armes recommandées

La plupart de nos calibres sportifs peuvent facilement abattre le Loup-cervier, mais attention à sa fourrure, il ne faudrait pas l'abîmer. Cette pelleterie connut une longue période d'impopularité, mais à cause de la mode actuelle, qui se veut favorable aux «poils longs», la peau d'un Lynx ou Loup-cervier peut se vendre jusqu'à 500$.

Valeur culinaire

La chair de ce grand chat est comestible, même excellente, ressemblant quelque peu à celle de la volaille. Les Indiens en sont très friands.

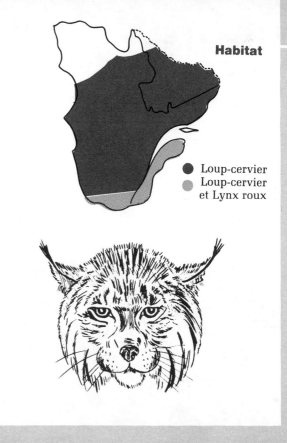

Habitat

● Loup-cervier
● Loup-cervier et Lynx roux

Renard roux

Taille et poids

Longueur: les mâles sont un peu plus grands que les femelles

Hauteur moyenne: 38 à 31 cm (15-16 po)

Poids: la pesanteur varie entre 2,6 et 6,8 kg (6 et 15 lb)

Caractères distinctifs

Le Renard roux est un des mammifères les plus connus de l'hémisphère nord. Son aspect général est celui d'un petit chien élancé. La face et les oreilles sont pointues. Les pattes délicates et les coussinets des pieds velus. Le pelage long et soyeux se prolonge en une queue touffue. La livrée la plus fréquente est rousse, pour une moyenne allant jusqu'à 77 p. 100 des sujets. Ceux-ci ont la poitrine, l'abdomen, les lèvres et le bout de la queue blancs. On en rencontre aussi de croisés ou tachetés, d'aspect brun grisâtre ou ocre, ainsi qu'une catégorie beaucoup plus rare, soit celle des renards argentés. Ce sont les variétés courantes auxquelles s'ajoutent les Renards de Samson, des bâtards de teinte platine issus de croisements d'élevage.

Reproduction

L'accouplement atteint son summum entre la mi-janvier et la mi-mars. La monogamie est coutumière, la polygamie occasionnelle. La période de gestation dure de 51 à 53 jours. Les portées sont habituellement de 1 à 10 petits (moyenne 5,1).

Habitat

On le rencontre rarement dans les forêts denses, car il leur préfère les terrains semi-découverts, les champs cultivés, les rives des lacs et cours d'eau. On le trouve dans tout le

Canada, de Terre-Neuve à la Colombie-Britannique. Des fluctuations atteignant des sommets à tous les 8 ou 10 ans contrôlent les populations.

Alimentation

Timide et nerveux, il n'en est pas moins des plus rusés et astucieux pour obtenir sa nourriture. L'hiver, il consomme surtout de la viande, tandis que les invertébrés et la végétation tiennent une place prépondérante dans son alimentation estivale. Taupes, musaraignes, marmottes, écureuils, lapins à queue blanche, lièvres, tétras, faisans, colins, canards, oisillons, poulets, écrevisses, grillons, sauterelles, coléoptères et chenilles viennent compléter son menu. Alors que sur le plan végétal, ce sont les glands, les herbes, le maïs, les baies, les cerises, les fraises, les prunes, les pommes. Il mangera aussi des serpents, du poisson et des grenouilles. Grâce à son odorat, il sait capturer les souris enfouies sous la neige.

Techniques de chasse

A la chasse devant soi, il arrive occasionnellement que l'on croise cet animal; la même situation prévaut dans les battues. Il est responsable de la popularité de la chasse à courre en maints endroits. Il est surtout piégé, à cause de sa fourrure, dont la valeur est conditionnée à la demande. En certaines occasions, ses peaux pourront commander jusqu'à quelques centaines de dollars, alors qu'en d'autres, elles vaudront une fraction de ce prix. Si nous prenons l'exemple du Renard argenté, son prix était de plus de 246$ en 1919-20, alors qu'en 1971-72 le prix moyen aux encans était de 17,94$.

Valeur culinaire

Aucune.

Habitat

Empreinte du Renard roux 3"

Les oiseaux migrateurs

Pour les adeptes de la chasse à la sauvagine, nul domaine du monde cynégétique se compare à celle-ci. Les Canards et les Oies, c'est la grande chasse, la seule véritable!

En ce qui les concerne, rien ne peut remplacer le lever du jour par un matin d'ouverture de la saison, à ce moment précis où se dissipe la brume matinale et qu'un soleil paresseux se hisse lentement au-dessus de l'horizon. Les bruissements d'ailes les font frémir — les vols d'oiseaux lointains les voient disparaître à l'arrière d'un rideau de quenouilles.

Ces oiseaux migrateurs que sont les Anséridés suscitent de véritables défis. Ils nécessitent l'adresse dans le tir, la connaissance des moeurs des oiseaux, l'identification du gibier en vol, en plus d'un art véritable, au moment venu de disposer les leurres qui inciteront les oiseaux eux-mêmes à s'approcher à portée des fusils de nemrods dissimulés dans les affûts.

D'innombrables traités ont été rédigés sur le sujet, tout aussi fascinants les uns que les autres. Toutefois, bien que je ne conteste pas leur utilité — certains peuvent en apprendre davantage sur ce que je qualifie d'art véritable — ce sont les expériences vécues qui contribueront le plus à élever un individu à ce haut palier qu'occupent les véritables chasseurs de Canards.

Dans le prochain chapitre, nous tenterons d'apporter notre humble contribution à ce monde merveilleux.

En ce qui me concerne, pour rien au monde je ne manquerais à l'appel des Canards par un matin d'ouverture!

Les Canards de surface

Pour certains, ce sont des Canards de marais, pour d'autres des barboteurs. Ce sont ces Palmipèdes ailés qui préfèrent les marais et les plans d'eau peu profonds assez vastes d'eau douce ou salée.

Même si ce sont de bons plongeurs, ils préfèrent demeurer en surface, la queue et l'arrière-train hors de l'eau, plutôt que de plonger pour trouver leur nourriture.

Sur l'aile, une marque de couleur différente, très souvent irisée et de teinte vive, les caractérise.

Ils sont surtout végétariens et plusieurs d'entre eux se nourrissent aux champs, étant très agiles sur leurs pattes.

Un peu comme l'hélicoptère, ils décollent de façon verticale de la surface de l'eau ou du sol.

Ils préfèrent les grands plans d'eau et les cours d'eau profonds, ainsi que les baies et cours d'eau se déversant dans la mer.

Pour la plupart, ils ont la queue courte et de larges pattes palmées leur permettant de se diriger en vol.

Ils plongent pour trouver leur nourriture, très souvent à de grandes profondeurs et peuvent se déplacer très loin lorsqu'il y a danger.

Si leur chair est un peu moins savoureuse, sans en faire une généralité, c'est qu'ils se nourrissent de poissons, testacés, mollusques et plantes aquatiques.

Des ailes trop petites en proportion de leur taille les obligent à battre l'air de façon beaucoup plus rapide que les Canards de surface.

Pour prendre leur envol, la plupart des plongeurs doivent prendre leur élan en surface, s'élevant dans l'air comme un hydravion.

Les Canards plongeurs

Anatomie des canards

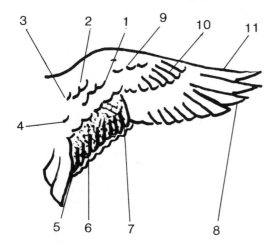

Aile d'oiseau

1 - grandes sus-alaires
2 - moyennes sus-alaires
3 - petites sus-alaires
4 - scapulaire
5 - rémiges tertiaires
6 - rémiges secondaires
7 - speculum
8 - rémiges primaires
9 - alula
10 - moyennes tectrices primaires
11 - tectrices primaires

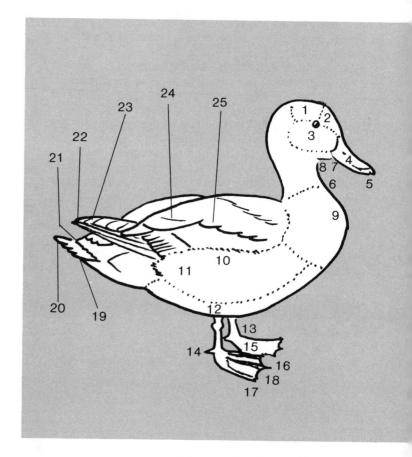

1 - *calotte*
2 - *front*
3 - *oeil*
4 - *narine*
5 - *onglet*
6 - *devant du cou*
7 - *menton*
8 - *gorge*
9 - *poitrine*
10 - *côté*
11 - *flanc*
12 - *abdomen*
13 - *tarse*
14 - *doigt postérieur*
15 - *doigt interne*
16 - *doigt médian*
17 - *doigt externe*
18 - *palmure*
19 - *tectrices sous-caudales*
20 - *rectrices*
21 - *tectrices sus-caudales*
22 - *croupion*
23 - *rémiges primaires*
24 - *pennes (rémiges tertiaires)*
25 - *scapulaire*

Couloirs migratoires

Un couloir migratoire comprend une vaste région géographique possédant des aires de nidification vers le nord et un habitat propice hivernal au sud.

Les deux endroits sont habituellement éloignés l'un de l'autre mais reliés par des routes migratoires empruntées par diverses variétés d'Oies et Canards.

Certaines espèces suivront une route migratoire à l'intérieur d'un couloir au printemps, dans le but de venir se reproduire. Sauf quelques exceptions, le même trajet sera parcouru à l'automne en direction de l'habitat hivernal.

Des quatre couloirs existants, ceux de l'Atlantique et du Mississipi intéressent nos chasseurs québécois. Les deux autres sont celui du Pacifique, longeant la côte ouest du Canada, et le Central traversant l'Alberta.

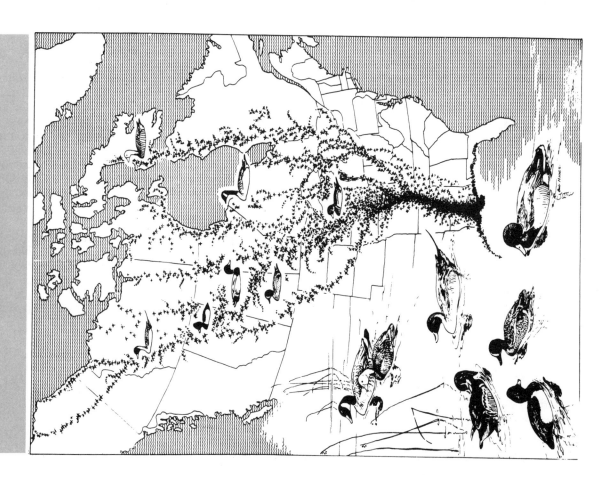

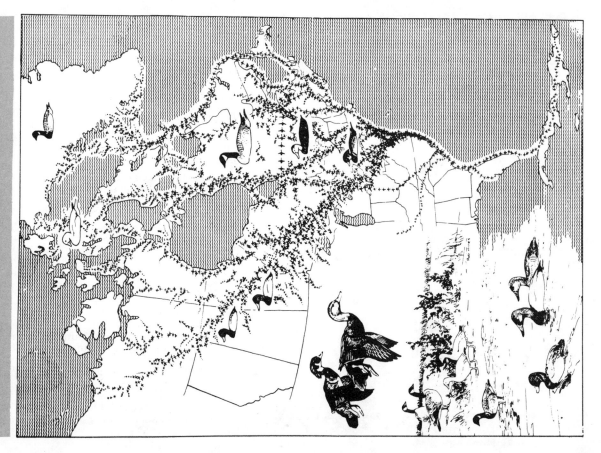

Bernache Canada

NOM SCIENTIFIQUE	Branta canadensis
NOM POPULAIRE	Bernache Canada (outarde)
FAMILLE	Anatidés (Ouellet)

Poids

Au Québec, où se retrouvent les sous-espèces *branta canadensis interior* et *branta canadensis canadensis*, le poids des oiseaux varie entre 3 et 5,5 kg (6 et 11 lb). Dans l'Ouest, la sous-espèce *branta maxima*, que l'on croyait disparue mais qui semble faire un retour, peut peser près de 10 kg (20 lb). Sa vitesse se situe à environ 96 km (60 mi) à l'heure.

Caractères distinctifs

Nos Bernaches du Québec s'identifient facilement par leur grande taille, une tête et un cou noirs avec de larges taches blanches sur les joues, qui se rejoignent sous la gorge. Les plumes de la partie supérieure du corps sont brun gris, puis noires là où sont plantées celles de la queue, laquelle, noire aussi, est recouverte de plumes blanches. L'abdomen est blanc avec flancs plus foncés. Pas moins de six sous-espèces de Bernaches nichent au Canada, ce sont: *canadensis, interior, maxima, moffiti, fulva* et *occidentalis*, toutes ayant des caractères plus ou moins apparents qui permettent de les différencier.

Reproduction

Nos Bernaches du Québec nichent sur le sol, de préférence à proximité de l'eau sur une petite île, dans un nid abandonné par un autre oiseau, sur une butte de Rat musqué ou de Castor, même sur un rocher. On rencontre de ces nids dans tout le nord de la province, que ce soit dans l'Ungava, sur la Côte-Nord, le long des baies James et Hudson, en Abitibi, à Anticosti et même plus au sud, où il m'est arrivé d'observer des Bernaches et leurs couvées alors que j'étais à la pêche. L'incubation de 4 à 6 oeufs sera d'une durée variant entre 24 et 33 jours.

Habitat

Beaucoup plus végétarienne que la plupart des canards, la Bernache recherchera les fruits sauvages et une variété d'herbes, mais lors des migrations, elle saura fréquenter les champs cultivés où les céréales et les grains seront abondants. Fait à souligner, les distilleries, encourageant les cultivateurs du sud de la province à semer leurs champs de maïs, contribuèrent à ces arrêts beaucoup plus fréquents des vols, les Bernaches s'attardant dans les champs pour se gaver de blé d'Inde.

Techniques de chasse

Malheureusement, c'est au printemps que nous pourrions obtenir nos meilleurs résultats de chasse, car les oiseaux se posent dans nos régions pour y demeurer jusqu'à ce qu'une température plus clémente leur permette de monter plus au nord. Mais, que voulez-vous, c'est interdit et avec raison. À l'automne, en quelques endroits du Québec, il est possible de chasser d'un affût, en utilisant des appeaux et des pipeaux pour l'appel. Les chasseurs de canards ont fréquemment la chance d'abattre quelques-uns de ces magnifiques oiseaux; il est malheureux que nous ne puissions comparer nos succès à ceux des Américains. L'oiseau est aussi chassé au champ, alors qu'il est possible de le tirer de l'affût, lorsqu'à la fin du jour il tente de s'y poser pour manger. Cet oiseau est un véritable baromètre: lorsqu'une température de 28°F ou moins persiste, il s'envole alors vers des cieux plus cléments.

Armes recommandées

Le fusil de calibre .12 à étranglement maximum (full choke) demeure toujours le plus populaire, bien que les

Aire de nidification

Joue blanche de la Bernache Canada.

adeptes du calibre .10 deviennent de plus en plus nombreux. Quant aux plombs, les n°s 4, 2 et « BB » doivent être utilisés. Pour chasser cet oiseau, une crosse dont l'extrémité est coussinée pourra vous protéger l'épaule.

Valeur culinaire

Chair délicieuse qui s'apprête particulièrement bien avec des fruits.

81

Grande oie blanche

NOM SCIENTIFIQUE	Chen caerulescens atlantica ou anser c. a.
NOM POPULAIRE	Grande oie blanche
FAMILLE	Anatidés

Poids

Poids du mâle: variant entre 7 lb 4 oz et 10 lb 7 oz
Poids de la femelle: variant entre 6 lb 2 oz et 6 lb 8 oz (en moyenne)
Cette sous-espèce est la plus grande des Oies blanches.

Caractères distinctifs

L'oiseau adulte, d'aspect général, est blanc, exception faite de l'extrémité des ailes qui est noire. Le bec est rose et les pattes sont rougeâtres. Chez les juvéniles, le plumage est grisâtre, l'abdomen blanc, les pattes et le bec sont plus foncés. On estime sa vitesse à 96 km (50 mi) à l'heure. Nous avons là notre Oie typique de la région du cap Tourmente, celle qui n'aurait pas de phase bleue selon W. Earl Godfrey.

Reproduction

La Grande oie blanche construit son nid au sol avec de la mousse, d'autres matières végétales et du duvet. La ponte est habituellement de 3 à 5 oeufs, ces derniers, d'un blanc terne, seront couvés entre 23 et 25 jours par la femelle, tandis que le mâle assurera la surveillance du nid.

Habitat

Lors des migrations printanières et automnales, les Oies blanches, plus particulièrement la forme *atlantica,* se rassemblent au cap Tourmente, circulent entre Montmagny, les îles aux Grues et aux Oies, ainsi qu'entre diverses autres îles et battures avoisinantes. Ce serait d'ailleurs dans cette région que se retrouverait la population entière de la Grande oie blanche ou sous-espèce *atlantica,* d'où une très grande facilité à procéder aux inventaires quantitatifs. Du début du siècle à nos jours, le nombre de ces oiseaux serait passé à plus de 200 000, phénomène qui aurait pour effet de réduire de façon inquiétante la nourriture disponible. Au cours de l'été, son aire de nidification s'étend au nord de la Terre de Baffin, aux îles Bylot, Ellesmere, Heiberg, Devon, Somerset, Axel, Prince-de-Galles, ainsi qu'à l'extrémité nord-ouest du Groenland. L'hiver, elles émigrent en Caroline du Nord, en Virginie, au Delaware ou au Maryland.

Alimentation

Comme l'Oie blanche fréquente trois habitats, sa nourriture est diversifiée. Graminées, scirpes, joncs ou certaines cypéracées forment la base de son menu. Au cap Tourmente et dans la région, les scirpes, surtout le scirpe américain, les sagittaires, les joncs, le riz sauvage et autres plantes assureront sa subsistance.

Techniques de chasse

C'est uniquement à l'affût que se chasse cet oiseau. Une fosse creusée dans le sol permettant aux chasseurs de se dissimuler. Habituellement, les appeaux sont de simples papiers blancs, l'oiseau, beaucoup plus stupide que la Bernache, semblant répondre à peu près à n'importe quel cri d'appel. Lorsque les oisons sont abondants, les résultats de la chasse sont excellents.

Armes recommandées

L'Oie blanche étant un oiseau imposant, les calibres .12 et .10 avec étranglement maximum (full choke) sont les plus populaires, bien que certains bons titeurs utilisent le .20 Magnum. Les plombs indiqués sont les suivants: « BB », 2 et 4, ce dernier dans les munitions Magnum.

Valeur culinaire

Oiseau à chair brune, l'Oie blanche constitue un excellent apport à notre cuisine québécoise de gibier.

Territoire de chasse

Extrémité noire des ailes chez l'oie blanche.

Oie bleue

NOM SCIENTIFIQUE	Chen caerulescens
NOM POPULAIRE	Oie bleue
FAMILLE	Anatidés

Poids

Poids du mâle: variant entre 2,7 kg et 3,5 kg (5 lb 8 oz et 7 lb)

Poids de la femelle: variant entre 2,2 kg et 2,9 kg (4 lb 13 oz et 6 lb 4 oz)

La vitesse de l'Oie bleue serait semblable à celle de l'Oie blanche, soit 80 km (50 mi) à l'heure.

Caractères distinctifs

Cet oiseau est en fait la Petite oie blanche *(lesser snow goose)* en phase bleue. Il y a à peu près un demi-siècle l'Oie bleue était plutôt rare, mais sa population va sans cesse croissant. La tête et le cou sont blancs, le corps et les ailes foncés, variant du brun au gris bleuâtre. Chez les oisons ou juvéniles, l'aspect général est grisâtre ou brunâtre. Quant aux pattes et au bec, ils possèdent exactement les mêmes caractéristiques que celles que l'on retrouve chez l'Oie blanche.

Reproduction

L'Oie bleue niche à peu près de la même façon que l'Oie blanche, sauf que ses oeufs, 3 à 5, sont couvés un peu moins longtemps, soit 22 ou 23 jours.

Habitat

Ces Oies effectuent de longues migrations, tout comme les blanches. Nichant dans le Grand Nord ou l'Arctique, îles Banks, Southampton, Baffin, rivière Perry et Pointe aux Esquimaux, les grandes volées qui nous intéressent pour la chasse suivent le littoral est de la baie d'Hudson pour se poser et demeurer durant quelque temps à la baie James, un peu comme le font les Grandes oies blanches au cap Tourmente. Par la suite, elles se dirigeront vers le Sud, s'arrêtant occasionnellement du Maine à la Georgie, mais ce seront les marais côtiers de la Louisiane et du Texas, même de l'est du Mexique, qui verront hiverner la majeure partie des volées. La migration se fera à l'inverse au printemps.

Alimentation

Espèce identique à la Petite oie blanche, une nourriture similaire l'intéresse: plantes particulières aux marécages, tout comme le menu des champs au moment des migrations.

Techniques de chasse

Tout comme pour la Grande oie blanche, la chasse se pratique à l'affût, mais d'une façon beaucoup plus agréable que dans la région du cap Tourmente, où la présence de boue et de vase est déplaisante. À la baie James, le littoral tantôt rocheux, tantôt solide facilite les déplacements vers les affûts. Ceux-ci sont habituellement façonnés de simples branches enfoncées dans le sol et simulant un bosquet. Quant à l'appel, jadis les Indiens le pratiquaient à trois voix, ce qui donnait vraiment l'impression d'Oies sauvages se nourrissant. L'Oie bleue peut aussi être chassée de l'arrière de gros blocs rocheux que l'on trouve en maints endroits de la côte lorsque la marée est basse. Ces blocs deviennent alors d'excellents affûts, le chasseur vêtu de gris s'assimilant au paysage ambiant. Comme pour les Grandes oies blanches, la chasse aux Oies juvéniles est des plus faciles lorsqu'elles sont nombreuses, les limites permises pouvant être atteintes très rapidement.

Armes recommandées

C'est un oiseau de forte taille, nécessitant au moins les

Territoire de chasse

Oie bleue: tête blanche, corps foncé.

calibres .12 ou .20 Magnum. Aux États-Unis, on emploie de plus en plus le calibre .10 pour la chasse aux Anséridés. Les plombs «BB», 2 et 4, ce dernier en munition Magnum sont recommandés.

Valeur culinaire

Chair excellente, identique à celle de l'Oie blanche.

DEUXIÈME PARTIE

Équipement et techniques

Sommaire

ARMES
   Historique
   Les fusils modernes
   Comment ajuster une carabine
   Entretien des armes

CALIBRES ET MUNITIONS
   Les calibres
   Plombs, cartouches et «choke»
   Tables de balistique

ÉQUIPEMENT DU CHASSEUR
   La lunette de visée
   La hache, outil de survivance
   Pour bien chasser l'hiver...

MÉTHODES DE CHASSE
   L'art de dépister
   Les chiens de chasse
   Le tir à l'arc

LE TIR
   Bien tirer
   Effets de la balle sur le gibier
   Le tir aux pigeons d'argile

Les armes

Historique

De la pierre à l'arc...

Il semble assez simple de retracer l'historique des armes offensives par l'analyse des diverses périodes de l'évolution de l'Homme se situant entre l'âge de pierre (époque au cours de laquelle on utilisait une simple pierre ou une massue) et les temps modernes où l'on se sert de carabines et de fusils pour chasser.

Loin de vouloir me plonger dans l'étude de la paléontologie, je me permets, ici, de vous brosser un rapide tableau que j'appellerai «l'évolution des armes». À vous d'excuser les erreurs de quelque

2 millions d'années

100 000 ans, ce qui dans le domaine de la préhistoire n'a point l'heur de faire sursauter personne!

On présume que les Paranthropes et les Australopithèques, ces préhominiens qui vivaient il y a quelque 2 millions d'années, utilisaient des galets grossièrement taillés, ou de gros blocs de pierre trouvés au sol en guise d'armes, probablement aussi des bouts de bois. Puis, près d'un million d'années plus tard, vint l'*Homo erectus*. Un peu plus évolué, il fabriquait des armes rudimentaires avec des ossements. Celles-ci étaient plus efficaces que celles de ses ancêtres les Australopithèques pour qui une simple branche d'arbre durcie ou séchée aurait pu servir à chasser. L'*Homo erectus* perfectionna les outils et les armes de l'âge dit «de pierre». Des pointes de silex terminaient leurs lances; des couteaux ou tout au moins des lames commencèrent à s'ajouter à l'inventaire de l'équipement de chasseur.

1 million d'années

Par la suite, il y a 500 000 ans, apparut l'Homme de Néandertal, qui fabriqua des lances avec des jeunes arbres. Il les appointaient à l'aide d'outils en pierre pour les faire ensuite durcir sur le feu. On pratiquait surtout la chasse avec la lance.

À l'aube de l'ère moderne, chez l'Homme de Cro-Magnon, notre ancêtre d'il y a 300 000 ans, l'ingéniosité et l'esprit d'invention se manifesta vraiment. On prétend même qu'il fut le meilleur chasseur de tous les temps. Intelligent, il était équipé d'armes variées : couteaux, lances et même frondes.

100 000 ans

300 000 ans

Il savait tendre des pièges aux petits animaux et creuser des fosses pour y capturer les plus gros.

C'est au cours de l'évolution du Néandertalien et de son successeur le Cro-Magnon, prédécesseurs de l'Homme moderne, que l'arc et les flèches devinrent les armes les plus efficaces pour la chasse. Cette instinctive découverte dépassait grandement toutes les tentatives antérieures dans ce domaine. De nos jours encore, de nombreuses tribus indigènes utilisent ce moyen de chasse. Plus près de nous, les adeptes du tir à l'arc sont de plus en plus nombreux à capturer leur gibier avec cette arme.

Mais on dit que la mythologie grecque prêtait à Apollon, fils de Zeus, l'invention de l'arc. Ce serait lui qui aurait enseigné aux Crétois les rudiments de cette arme.

Au Moyen Âge, l'arc fut constamment utilisé tant pour la chasse que pour la guerre. Au XIIe siècle, l'arbalète devint le complément encore plus efficace du chasseur.

De la mèche à la percussion...

Si l'évolution des armes primitives, allant de la simple pierre à l'arc et aux flèches, s'étala sur quelques millions d'années, il ne fallut que quatre siècles environ pour permettre aux hommes de modifier les armes à feu.

La «poudre noire» était connue depuis les temps très anciens. Les Chinois l'auraient inventée, mais, pour eux, ce mélange de charbon de bois, de salpêtre et de soufre était loin de servir pour les armes de chasse sportive. On retrouva son utilisation pour la première fois en France en 1338, et de là survint un progrès très rapide dans son emploi pour les armes à feu.

L'arquebuse à mèche
XVIIᵉ siècle

Arquebuse à mèche

Au XVIᵉ siècle apparut l'*arquebuse*, arme tellement lourde qu'il fallait, pour tirer, l'appuyer sur une fourche. C'était une arme à mèche, c'est-à-dire qu'il fallait que le feu vienne en contact avec de la poudre placée à proximité de l'extrémité arrière du canon pour, ainsi, provoquer une explosion et de là le départ du projectile.

Fusil à pierre

Vint ensuite le *fusil à pierre* dont le chien (pièce d'une arme à feu qui portait jadis le silex) était armé d'une amorce. Lorsque la détente était pressée, la

Fusil à pierre
XVIIIᵉ siècle

tombée de la gâchette heurtait le rouet d'acier, provoquant l'étincelle, d'où l'exposion de la charge de poudre.

Fusil à percussion
(Fusil à baguette)
XIXᵉ siècle

Fusil à percussion et fusil moderne

Le *fusil à percussion* fit par la suite son apparition. C'est celui que nous nommons encore aujourd'hui *fusil à baguette*. Une capsule de fulminate était tout simplement placée sur un mammelon perforé conduisant à la charge de poudre. Lorsque le chien se rabattait, la poudre explosait immédiatement et la charge sortait du canon.

Jusqu'à cette période de l'histoire, toutes ces armes de chasse devaient être chargées par la bouche du canon; la poudre logée au fond par-dessus le ou les projectiles. Vinrent ensuite les armes conventionnelles, *le fusil moderne* que nous employons de nos jours, c'est-à-dire celui qui se charge à l'aide de cartouches insérables dans la culasse.

Fusil moderne
xxᵉ siècle

Ces armes sont à percussion centrale; seulement le rabattement du chien frappant une aiguille provoque l'explosion. Elles vinrent déclasser complètement toutes celles qui existaient au préalable. Pour quelques petits calibres seulement, nous retrouvons de ces mêmes munitions mais à percussion latérale.

Les fusils modernes

Fusil à deux canons superposés

Fusil à fût coulissant

Mécanisme semi-automatique

Fusil à un coup

Les carabines modernes

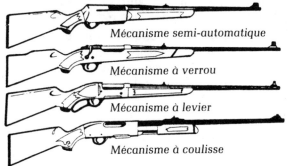

Mécanisme semi-automatique

Mécanisme à verrou

Mécanisme à levier

Mécanisme à coulisse

Comment ajuster une carabine?

D'une saison à une autre, les mires de carabine peuvent se déplacer. Sans compter également qu'une arme de fabrication américaine, expédiée au Canada, puis entreposée chez un distributeur avant d'être envoyée dans un magasin et être ensuite manipulée par le consommateur durant des semaines et des mois, a nécessairement perdu son ajustement de mire initial.

Quelques balles et un peu de patience vous permettront de rectifier l'ajustement. Il ne faut pas ou-

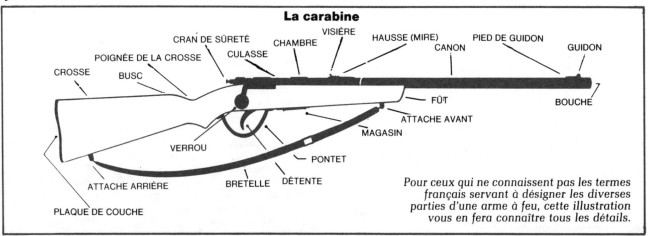

La carabine

CRAN DE SÛRETÉ
CHAMBRE
VISIÈRE
HAUSSE (MIRE)
CANON
PIED DE GUIDON
GUIDON
POIGNÉE DE LA CROSSE
CULASSE
CROSSE
BUSC
FÛT
BOUCHE
ATTACHE AVANT
MAGASIN
VERROU
PONTET
ATTACHE ARRIÈRE
BRETELLE
DÉTENTE
PLAQUE DE COUCHE

Pour ceux qui ne connaissent pas les termes français servant à désigner les diverses parties d'une arme à feu, cette illustration vous en fera connaître tous les détails.

blier que tous les chasseurs ne fixent pas leur mire de la même façon.

La méthode idéale, pour ajuster une carabine, est de placer une cible à 100 verges (92 m) du tireur. À une moindre distance, on risque d'augmenter d'autant l'imprécision de la visée à longue portée. Une erreur de 1 pouce (3 cm) à 25 verges (23 m) en devient une de 4 pouces (10 cm) à 100 verges (92 m) et de 8 pouces (20 cm) à 200 verges (183 m) et ainsi de suite.

Au moment de l'ajustement, le fût de l'arme doit être appuyé sur une surface spongieuse, et ce afin de réduire au maximum le mouvement et d'éviter les vibrations que pourrait causer un support trop dur et par conséquent donner comme résultat un tir trop haut.

Pour la plupart des carabines, un groupe haut de 2 pouces (5 cm) tiré à 100 verges (92 m) se résumera en une cible parfaite et en plein centre à 200 verges (183 m). La marge d'erreur sera à peine perceptible lorsque vous chasserez le gros gibier avec une carabine ajustée selon cette méthode. Mais la carabine ne pourra tirer mieux que vous...

Si vous désirez faire mouche, même si vous avez mis en pratique ces recommandations, il vous faudra viser juste. Il est donc extrêmement important que vous pratiquiez régulièrement votre tir et non seulement dépenser quelques balles juste avant le départ pour une excursion de chasse.

La chasse, dont la base reste le tir, est un grand sport, mais comme toutes les autres disciplines sportives, il faut s'y exercer pour bien réussir.

Ajustement de la mire à courte distance

Il peut arriver qu'il devienne nécessaire d'ajuster vos mires à une distance plus courte que la « portée recommandée » si l'on manque d'espace pour faire ce travail. Dans ce cas, il faut d'abord s'assurer par la table des distances du point auquel la balle traversera la ligne de visée la première fois. On place une cible à cette distance et on tire ensuite trois balles en s'assurant d'être solidement appuyé. Le point central de ce groupe de trois balles devient le centre de choc; c'est-à-dire l'endroit où les balles viendront frapper la cible en général. On ajuste alors les mires et l'on tire encore trois coups. Si le centre de choc devient le centre de la cible, la carabine sera alors mirée aux distances recommandées dans la table des distances. Lorsque l'espace le permettra, vous pourrez vérifier cet ajustement en tirant une cible placée à la portée recommandée.

Table des distances Données fondées sur une hauteur de mire de 1½'' au-dessus du centre du canon. **Mesures recommandées** Le signe + indique la distance la plus favorable de réglage des mires pour simplifier le pointage (visée) à de courtes et longues distances. Le signe + indique la hausse en pouces; le signe — indique la baisse en pouces.

Les calibres

C'est à un armurier français du nom de Lefaucheux que reviendrait l'honneur, dit-on, d'avoir inventé la première cartouche. C'est également lui qui serait à l'origine du premier système à percussion pour cette arme à canon lisse qu'est le «fusil».

Il y a quelque 175 ans, un autre armurier, cette fois-ci un Anglais, Joe Manton, établit les normes de chargement pour ces fusils à canon lisse, ceux que nous identifions encore aujourd'hui comme «à baguette» ou «chou-creux», c'est-à-dire, comme je l'ai déjà spécifié, «ceux qui se chargent par le canon». Ces normes sont encore d'actualité puisque nous les retrouvons parfois sur les couvercles des boîtes de munitions que nous achetons. Joe Manton avait établi, après de longues expériences, que de «1 à 1¼ once» de projectiles ou plombs constituait une charge pouvant être propulsée par 3½ drachmes de poudre noire, ce qui, pour la chasse, représente l'équilibre idéal de chargement d'une cartouche ou d'un canon.

Pourquoi un .10, .12, ...et .410?

Aujourd'hui, les calibres usuels sont les suivants: .10, .12, .16, .20, .28 et .410. Mais les chasseurs ont déjà utilisé des fusils de calibre .4. Surprenant, n'est-ce pas? Imaginez le canon monstre de cette arme et les épaules de l'individu qui devait accuser le recul d'une telle pièce d'artillerie.

Les premiers fusils servaient à tirer des projectiles uniques, habituellement des sphères de plomb. Il était donc normal que les armuriers de l'époque définissent le diamètre du canon d'un fusil en terme de pesanteur d'une boule de plomb.

Pour définir ces fameux calibres, les experts des siècles suivants décidèrent que «le nombre de sphères de plomb entrant dans un canon donné, pour former un poids d'une livre, devait par leur nombre déterminer le calibre du fusil». En d'autres mots, si 12 boules de plomb exactement de même grosseur pèsent une livre, elles peuvent être introduites de justesse dans le canon d'un fusil de calibre .12. Ce calibre est donc déterminé par le diamètre d'une sphère de plomb dont la pesanteur est de $\frac{1}{12}$e de livre. Il en est donc encore de même de nos jours pour le .10, le .16, le .20 et le .28, mais que doit-on penser du .410?

Le .410, une exception à la règle

Dans ce mode d'identification des divers calibres expliqué précédemment, le fusil de calibre .410 fait exception à la règle parce que sa fabrication est plus récente. L'explication du calibre est beaucoup plus logique: .410 signifie tout simplement un diamètre précis de .410 po. Selon l'ancien système en vigueur pour déterminer les calibres des autres fusils, son calibre serait un «.67», ce qui nous semble aujourd'hui très loufoque.

98

Table des distances

95

L'entretien des armes

Au retour d'une excursion de chasse ou d'une partie de tir, vous devriez vous astreindre à une discipline, soit celle de bien nettoyer l'arme utilisée. Qu'il s'agisse d'un fusil à canon lisse ou d'une carabine rayée, il ne faut jamais remettre à plus tard cette brève opération... qu'importe la fatigue!

La poudre employée dans la fabrication de nos munitions étant corrosive, elle attaque le métal intérieur du canon, même si celui-ci est de la meilleure qualité, même chromé. Quant à l'extérieur de l'arme, la pluie, la boue, la neige, l'humidité et même seulement la transpiration des mains pourront l'abîmer. Il est donc recommandé:

1— De démonter l'arme, de l'essuyer complètement à l'aide d'un chiffon doux et sec.
2— D'enlever les résidus de poudre à l'intérieur du canon en utilisant un autre chiffon retenu à une baguette, ou une ficelle conçue à cet effet.
3— De brosser ensuite l'intérieur du canon à l'aide de la brosse circulaire pour enlever l'emplombage ou les traces de bourres.
4— De passer de nouveau un chiffon propre et, par la suite, d'humecter d'un peu d'huile antirouille pour assurer une protection complète.
5— Ceci dit pour l'astiquage du canon, il faut aussi nettoyer et graisser les parties du mécanisme, sans oublier la crosse et le fût qui nécessitent également l'entretien.

A

B

Si vous n'avez pas ce nécessaire habituellement utilisé pour nettoyer les canons d'armes à feu: A) Prenez un morceau de chiffon, un bout de ficelle et un plomb servant à la pêche. B) Réunissez les trois éléments et, en un clin d'oeil, en glissant le tout à l'intérieur, votre canon sera brillant comme un sou neuf.

Calibres et munitions

Calibres et gibier?

Calibre	Balle	Portée	Utilité	
Calibre .17				
.17	25 grains	225 verges	Vermine	Pour les spécialistes et les collectionneurs. Difficile à nettoyer. Pas très populaire.
Calibre .22				
.218 Bee	46 grains	150 verges	Vermine	Introduite au cours des années 30. L'action à verrou est indiquée. Bien remplacée par la .22 Hornet.
.22 Hornet	45 grains	125 verges	Vermine	Se classe parmi les meilleurs calibres de tous les temps.
.22 Savage	70 grains	Très limitée	Vermine	Inventée par C. Newton en 1890. Calibre désuet maintenant disparu.
.222 Remington	50 grains	250 verges	Vermine	Grande précision, parmi les plus populaires.
.222 Remington Magnum	55 grains	275 verges	Vermine	Remington obtenait du succès avec la .222. La version «magnum» n'a pas été populaire.
.223 Remington	55 grains	275 verges	Vermine	Version militaire de la U.S. 5.56 mm.
.225 Winchester	55 grains	Erratique	Vermine	Impopulaire, à cause de ses erreurs de performance. Popularité décroissante.
.22-250 Remington	55 grains	400 verges	Vermine	C'est le summum du calibre .22. Par contre, cette balle est très bruyante.
Calibre .24 (6 mm)				
.243 Winchester	80 grains 100 grains	400 verges	Vermine-Gibiers moyens	Précision excellente. L'une des meilleures pour les distances ultra-longues.
6 mm Remington	80 grains 90 grains 100 grains	Comparable à la précédente	Vermine-Gibiers moyens	Pas tellement pratique, ni populaire, la .243 offrant des possibilités similaires.

Calibre	Balle	Portée	Utilité	
Calibre .25				
.25-06 Remington	87 grains 100 grains 120 grains	400 verges	Vermine- Gibiers moyens	Bonne précision, mais très bruyante. Recommandée pour les femmes et les enfants, à cause d'un recul réduit.
.25-20 Winchester	86 grains	Réduite	Vermine et Petits gibiers	Considérée comme curiosité du passé.
.25-35 Winchester	117 grains	Marginale	Gibiers moyens	Recul réduit et non bruyante. Utilisation devenant de plus en plus rare.
.250 Savage ou (.250-3000)	87 grains 100 grains	300 verges	Vermine- Gibiers moyens	Précise, non bruyante. Effectuant un retour auprès des tireurs de vermine et chasseurs de chevreuil. Se classe parmi les meilleurs calibres.
.256 Winchester	60 grains	100 verges	Vermine	Créée pour les pistolets, adaptée par la suite pour les carabines. Presque oubliée de nos jours.
.257 Roberts	80 grains 100 grains 117 grains	400 verges	Vermine- Gibiers moyens	La balle de 117 grains peut être utilisée pour la chasse de gibiers dépassant en taille celle du chevreuil. Recul suffisamment léger.
Calibre .26 (6.5 mm)				
6.5 Mannlicher Schoenauer	160 grains	200 verges	Chevreuil	À cause de sa pénétration avec projectile d'acier, on l'a déjà utilisée pour chasser l'éléphant. Balistiques normales inférieures à la .30-30.
6.5 x 55 mm (6.6 Suédoise)	160 grains	200 verges	Gibiers moyens	Jadis arme officielle en Suède. Maintenant rare en Amérique, les munitions n'étant plus disponibles.
6.5 mm Remington Magnum	120 grains	250 verges	Gibiers moyens	Impopulaire.
.264 Winchester Magnum	100 grains 140 grains	500 verges	Vermine	La plus populaire des 6.5 mm. Bruyante, recul prononcé. Bonne arme pour les longues distances.

Calibre	Balle	Portée	Utilité	

———— Calibre .27 ————

Calibre	Balle	Portée	Utilité	
.270 Winchester	100 grains 130 grains 150 grains	250 à 400 verges	Vermine- Gibiers moyens et gros	Populaire depuis les années 20. Modérément bruyante, recul acceptable. Un excellent choix pour les gibiers allant jusqu'à 800 lb et plus. Des calibres sont plus efficaces dans la catégorie .30.

———— Calibre .28 (7 mm) ————

Calibre	Balle	Portée	Utilité	
7 mm Mauser (7 x 57 mm)	175 grains	Moyenne	Gibiers moyens	Sans offrir trop de recul, excellente pour les gibiers allant jusqu'à 500 livres.
7 mm Remington Magnum	125 grains 150 grains 175 grains	200 à 225 verges	Vermine- Moyens et gros gibiers	L'un des succès de Remington. N'est pas de l'essor de ceux qui sont influencés par le recul et le bruit. Excellent calibre, tout de même.
.280 Remington	150 grains 165 grains	Bonne	Moyens et gros gibiers	Créée comme produit compétiteur de la .270, mais n'a connu que l'ombre de son succès.
.284 Winchester	125 grains 150 grains	225 à 350 verges	Vermine- Gibiers moyens	Maintenant considérée comme désuète.

———— Calibre .30 ————

Calibre	Balle	Portée	Utilité	
.30 (M-1) «Carbine»	110 grains	Décevante	Aucune	Trop lourde pour le petit gibier, trop légère pour le gros. Arme militaire, cette carabine ne rend service qu'aux criminels.
.30 Remington	170 grains	Semblable à la .30-30	Gibiers moyens	D'aucun intérêt. Équivalent de la .30-30, mais les munitions et les armes sont rares.
.30-30 Winchester	125 grains 150 grains 170 grains	150 à 200 verges	Vermine- Gibiers moyens	L'une des armes les plus en demande jamais produites. Précise. Pas tellement bruyante et sans trop de recul. C'est l'arme la plus populaire pour chasser le chevreuil.

Calibre	Balle	Portée	Utilité	
.300 H & H Magnum	180 grains 220 grains	500 à 800 verges Jusqu'à 1000 verges en compétition	Gros gibiers	Excellente et précise à longue distance. Décline rapidement cédant sa place à la .300 Winchester Magnum. Recul violent.
.300 Winchester Magnum	150 grains 180 grains 220 grains	Se compare de très près à la .300 H & H	Gros gibiers	Pour le chasseur de gros gibiers. C'est l'arme pour réussir à abattre toutes les espèces. Recul prononcé.
.30-06 Springfield	110 grains 125 grains 150 grains 180 grains 220 grains	Très bonne mais à déconseiller avec munitions de 110 grains, au-delà de 200 verges	Vermine-Gros gibiers	Très populaire du fait qu'elle était utilisée par l'armée américaine. Grande variété et facilité d'obtenir les munitions. Recul assez violent.
.30-40 Krag	180 grains 220 grains	Inadéquate	Gibiers moyens	Ancienne arme militaire américaine pratiquement oubliée.
.300 Savage	150 grains 180 grains	225 verges	Gibiers moyens	Précise et possédant des balistiques supérieures à la .30-30, la .300 Savage est l'une des préférées des chasseurs de chevreuils. Avec des balles 180 grains, de nombreux orignaux ont été abattus.
.303 Savage	190 grains	150 à 200 verges	Gibiers moyens	Calibre impopulaire, dont les balistiques se comparent à celles de la .30 Remington ou de la .30-30 Winchester. En voie de disparition.
.308 Winchester	110 grains 125 grains 180 grains 220 grains	225 verges sur la vermine et bonne portée pour le gros gibier	Vermine-Gros gibiers	Pour l'armée des É.-U., la .308 a remplacé la .30-06. Sur le plan précision, arme pour arme, la .308 est supérieure. Toutefois, la .30-06 reste la plus populaire.

Calibre	Balle	Portée	Utilité	

Calibre .31

.303 British	150 grains 180 grains	Moyenne	Gros gibiers	Arme jadis utilisée par l'armée anglaise, ce calibre ne possède rien pour lui assurer l'attention des chasseurs. Plusieurs de ces armes usagées doivent être examinées avec soin avant d'être achetées, à cause d'un usage excessif.

Calibre .32 (8 mm)

8 mm Mauser (8 x 57 mm)	170 grains	Moyenne	Gibiers moyens	Avant 1968, plusieurs armes militaires, chambrées pour recevoir les munitions 8 mm, sont entrées en Amérique. Munitions difficiles à trouver.
.32 Remington	170 grains	Similaire à la .30-30, ou 200 verges	Gibiers moyens	Version similaire à la .32 Winchester Special. Bonne arme pour le chevreuil. Presque oubliée de nos jours.
.32 Winchester Special	170 grains	Semblable à la .30-30	Gibiers moyens	Les munitions pour ce calibre disparaîtront sous peu, si ce n'est déjà fait.
.32-20 Winchester	100 grains	50 verges	Vermine	Calibre trop lourd pour le petit gibier et pas suffisamment pour le gros. À déconseiller.
.32-40 Winchester	170 grains			Maintenant disparue.

Calibre .33

.338 Winchester Magnum	200 grains 250 grains 300 grains	200 verges	Gros et dangereux gibiers	Peut être utilisée pour n'importe quel gros gibier dans le monde, à l'exception du rhinocéros, l'éléphant et le buffle. Précis, recul violent.

Calibre .34

.348 Winchester	200 grains	150 verges	Gros gibiers	Les modèles 71 Winchester sont maintenant des articles de collection. Fabrication discontinuée.

Calibre	Balle	Portée	Utilité	

━━━━━━ Calibre .35 ━━━━━━

Calibre	Balle	Portée	Utilité	
.35 Remington	150 grains 200 grains	150 à 200 verges	Gibiers moyens	Excellent calibre pour le tir du chevreuil à distance moyenne.
.350 Remington Magnum	200 grains	200 à 300 verges	Moyens et gros gibiers	Pas tellement populaire, même si elle est très puissante. À l'origine, on fabriquait une balle de 250 grains, maintenant discontinuée.
.351 Winchester	180 grains	Marginale 50 verges	Petit chevreuil	Personne ne regrette sa disparition.
.358 Winchester	200 grains 250 grains	Bonne	Gros gibiers	Calibre impopulaire, qui se meurt.
.375 H & H Magnum	270 grains 300 grains	Longue distance	Gros et dangereux gibiers	Peut abattre du chevreuil à l'éléphant. Surplus de puissance pour gibier de plus de 1 000 livres. Recul violent.
.38-55 Winchester	255 grains	Très réduite	Chevreuil courte distance	Aucune raison d'exister. N'est plus fabriquée.

━━━━━━ Calibre .40 ━━━━━━

Calibre	Balle	Portée	Utilité	
.38-40 Winchester	180 grains	Réduite	Pas d'application pratique	Autre calibre appartenant au passé.
.44 Remington Magnum	240 grains	100 verges	Gibiers moyens	Surtout populaire pour le chevreuil. La balle doit être visée avec précision.

━━━━━━ Calibre .45 ━━━━━━

Calibre	Balle	Portée	Utilité	
.45-70 «Government»	405 grains	Moins de 125 verges	Gibiers moyens	Excellente à très courte distance pour le gros gibier.
.458 Winchester Magnum	500 grains 510 grains	Bonne	Gibiers dangereux	Pour l'éléphant, le rhinocéros, le buffle du Cap. Recul extrêmement violent. Pas d'utilité pour nos gibiers.

Plombs, cartouches et « chokes »

On dénombre quatre sortes de cartouches s'adaptant aux divers fusils : charge régulière, lourde, à longue portée et magnum.

En ce qui a trait à la chasse aux canards, deux genres d'étranglements sont recommandés : le « full choke » et le modifié, avec plombs 4, 5 et 6.

Il existe donc 24 combinaisons possibles de plombs, cartouches et « chokes » au calibre .12 pour la chasse aux canards ; autant de points d'interrogation pour le débutant.

Trop de facteurs entrent en ligne de compte, pour en arriver à une combinaison idéale : le vent, la méthode de chasse, la période de la saison et les habitudes du chasseur. Examinons ensemble les différentes techniques de chasse, et la sélection de plombs, de cartouches et de retreints qu'elles commandent.

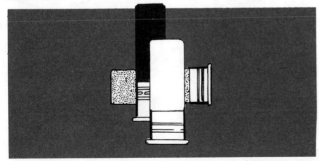

Tir à l'affût

Comme les oiseaux volent parfois très haut, on doit utiliser un même fusil et des charges identiques. La longue portée étant impérative, le long canon, le « full choke » et des plombs lourds N° 4 sont ici recommandés. Vos projectiles doivent posséder un impact puissant afin d'éviter de blesser inutilement le gibier.

Tir à l'approche ou à la levée

Certains diront que c'est la chasse à « cul levé », et ils ont probablement raison puisque, en tirant du rivage, la même combinaison que pour le tir à l'affût s'impose ; les oiseaux auront alors tôt fait de prendre vol et de s'éloigner s'ils vous entendent marcher entre les joncs. Par contre, sur l'eau, vous pourrez probablement vous approcher davantage du gibier. Les plombs 4, 5 et 6 et un canon à « choke modifié » sont dans ce cas suggérés.

Chasse au-dessus des appeaux

C'est la méthode la plus courante, mais il faut s'armer convenablement pour bien réussir. On doit s'équiper d'un bon fusil et de cartouches assez puissantes. Ce n'est pas tous les jours que se présente un matin d'ouverture et que les canards peu craintifs s'approchent ou se mêlent aux appeaux. Les fusils de faibles calibres, les cartouches peu puissantes et les trop petits plombs sont à déconseiller.

Choisissez un fusil de calibre .12, un «full» ou un modifié et des cartouches chargées de plombs 4, 5 ou 6.

Évidemment, certains bons tireurs pourront utiliser le .20 magnum et d'autres préféreront les plombs 7½ pour tirer des sarcelles en début de saison.

Chasse aux champs

Quand les canards volent à basse altitude, on doit suivre la même méthode que lorsque l'on chasse au-dessus des appeaux, tout comme nous l'avons indiqué au paragraphe précédent. Si le gibier se tient en hauteur, conformez-vous aux recommandations du tir à l'affût.

L'expérience vous apprendra à choisir vos propres combinaisons, et les conseils des chasseurs vraiment expérimentés vous seront profitables.

Vérifiez la gerbe de plombs

Il est préférable de vérifier le rendement d'un fusil. Les différentes grosseurs de plombs ne conviennent pas nécessairement à toutes les armes. Tirez plusieurs cartouches à 40 verges (36 m), de chacune des charges 4, 5 ou 6. Examinez vos cibles par la suite. Vous constaterez peut-être que la charge N° 4 s'adapte mieux à votre arme que la charge régulière N° 5, par exemple. Utilisez de bonnes munitions, celles qui sont susceptibles de donner les meilleurs ré-

sultats en fonction de la chasse que vous ferez. Au Québec, nous n'avons qu'un seul manufacturier, mais son produit est excellent. Les chasseurs connaissent toutes les munitions fabriquées par les Industries Valcartier; mentionnons «Imperial», et c'est tout dire!

Rappelez-vous qu'il ne suffit pas de tirer une seule fois pour bien apprécier la valeur de son arme. C'est par des exercices répétés que vous connaîtrez les imperfections de votre tir: trop haut, trop bas, trop à gauche, trop à droite, etc. Vous vous rendrez ainsi compte que votre fusil est une arme dont la portée est limitée, c'est-à-dire 50 verges (46 m) avec un grand maximum de 60 verges (56 m).

Fusil et munitions

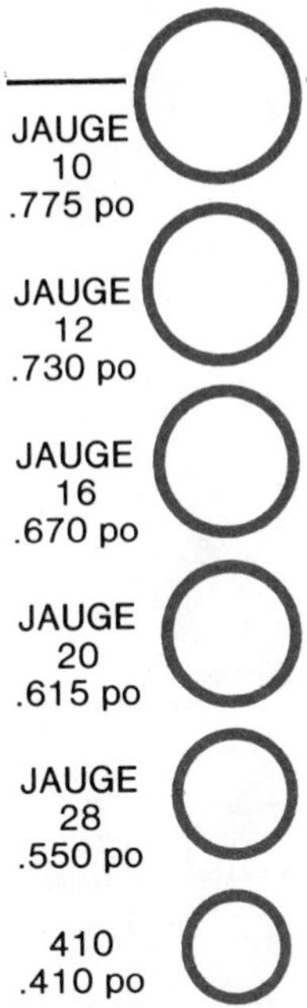

	Grosseur des plombs	Charge	Gibiers recommandés
JAUGE 10 .775 po	BB, 2	Tous les fusils de calibre .12 avec munitions 3'' et tous les .12 avec munitions à haute vélocité utilisant des charges de 1½ once.	Oie et Bernache Dindon sauvage Renard Canard
JAUGE 12 .730 po	2, 4 et 5	Calibre .12 haute vélocité, charges 1¼ once ou plus. Dans le calibre .20, les plombs 5 avec 1¼ once de charge pour une cartouche 3'' magnum. Distance minimale de 40 verges.	
	4, 5 et 6	Calibre .12 haute vélocité avec charge 1¼ ou plus. Pour le calibre .20, les plombs 5 et 6 dans les munitions 3'' magnum avec 1¼ de charge.	Faisan Corneille
JAUGE 16 .670 po	5 et 6	Dans les calibres .12, .16 et .20, charge de 1¼ once.	Écureuil (si permis par la loi)
	4, 5, 6 et 7½	Dans les calibres .12, .16 et .20. Charges de 1¼ ou 1⅛ once. Avec les plombs, 7½ dans tous les .12, .16 et .20, il est recommandé d'utiliser une charge de 1 à 1¼ once.	Lièvre, Lapin à queue blanche
JAUGE 20 .615 po	6 et 7½	Dans les .12, .16 et .20 avec charges de 1⅛ once et plus.	Gélinotte huppée Tétras des savanes Lagopède
JAUGE 28 .550 po	7½ et 8	Dans les .12, .16 et .20 avec charges de 1 à 1⅛ once.	Perdrix européenne Pigeon
	7½	Toutes les charges 1⅛ once. Pour le tir à la volée dans le calibre .12, 2¾ ou 3 drachmes, charge de 1⅛ once.	Tir à la volée
	8 et 9	Toutes les charges avec ⅞ à 1⅛ once.	Bécasse, Caille, Bécassine
410 .410 po	9	Toutes les charges avec ⅞ à 1⅛ once.	Skeet
	11	Toutes les charges à vélocité standard de ¾ à 1⅛ once.	Râle

Ce sont là des données dont la véracité a été reconnue et qui permettent de faire un choix adéquat des munitions et des calibres pour les diverses espèces de gibier.
Toutefois, certains tireurs et chasseurs préféreront tenter des expériences qui leur rapporteront des dividendes. Il n'est pas dit que les plombs 6 ne seront pas efficaces au-dessus des appeaux lors d'une journée d'ouverture de la chasse du canard, pas plus que le numéro 8 est insuffisant pour abattre le Lapin à queue blanche!

PLOMBS			CHEVROTINES		
Numéro	Diam. en pouces	Nombre approx. de plombs par once	Numéro	Diam. en pouces	Nombre approx. de plombs à la livre
● 12	.05	2385	● 4	.24	340
● 9	.08	585			
● 8	.09	410	● 3	.25	300
● 7½	.09½	350			
● 6	.11	225	● 1	.30	175
● 5	.12	170			
● 4	.13	135	● 0	.32	145
● 2	.15	90			
● BB	.18	50	● 00	.33	130

Tables de balistique

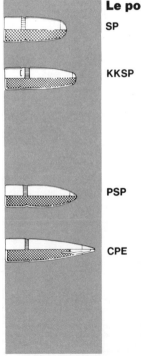

Le pourquoi des balles...

SP *À bout mou:* Cette balle à enveloppe métallique et à nez de plomb arrondi ou plat est fort en faveur pour les calibres à moindre vitesse.

KKSP *«Kling-Kor» à bout mou:* Des dentelures invisibles étreignent le coeur de la balle et tels des dardillons neutralisent toute tendance à rupture ou à la désintégration au contact de la cible. De minces languettes de plomb refoulées à travers les dents, démontrent qu'il se produit un emprisonnement immédiat au moment critique.

PSP *À bout mou pointu:* Idéale pour la chasse aux animaux nuisibles et au gibier de moyenne et petite taille. Sa grande vitesse et sa trajectoire rectiligne éliminent le réglage des mires.

CPE *Bout en cuivre à expansion:* Cette balle à trajectoire rectiligne et d'un écrasement parfait est idéale quand il faut tenir compte du poids du gibier. Sa grande vitesse et sa précision simplifient le réglage des mires. (Présentée seulement dans les calibres 30-06 Springfield et 303 British).

MC *Blindée:* Recommandée lorsqu'on veut obtenir un maximum de pénétration sans écrasement. Trappeurs et chasseurs la préfèrent car elle n'abîme pas la peau des animaux à fourrure précieuse.

PNEU *Pneumatique:* Une poche d'air interne et un blindage spécial constituent des facteurs d'écrasement rapide et de puissance de choc.

HP *À bout creux:* Une formation éclair en «champignon», un impact de grande puissance, alliés à une haute précision de tir en trajectoire droite en font la balle de choix contre la vermine.

ST *«Sabretip»:* Allie les caractéristiques d'une formation en «champignon» parfaite, d'un excellent comportement balistique, à une trajectoire juste et une bonne résistance de l'ogive contre les avaries.

«Kling-Kor» et «Sabretip» sont des abréviations commerciales des munitions «Imperial».

KKSP	— Kling-Kor à bout mou
SP	— bout mou
PSP	— pointue à bout mou
PNEU	— pneumatique
MC	— blindée (bout dur)
CPE	— écrasante à bout de cuivre
HP	— bout creux
ST	— Sabretip

Winchester

	Cartouche	Type de gibier	Charge poids en grs.	Bouts	Symboles	Canon	Vitesse en pieds par seconde					
							Bouche	100	200	300	400	500
	218 Bee Super-X	S	46	OPE(HP)	X218B	6½-116	24	2760	2102	1550	1155	961	850
	22 Hornet Super-X	S	45	SP	X22H1	6½-116	24	2690	2042	1502	1128	948	840
	22 Hornet Super-X	S	46	OPE(HP)	X22H2	6½-116	24	2690	2042	1502	1128	948	841
■□	22-250 Remington Super-X	S	55	PSP	X222501	8½-120	24	3730	3180	2695	2257	1863	1519
■□	222 Remington Super-X	S	50	PSP	X222R	6½-116	24	3140	2602	2123	1700	1350	1107
■□	222 Remington Super-X	S	55	FMC	X222R1	6½-116	24	3020	2675	2355	2057	1783	1537
	223 Remington Super-X	S	55	PSP	X223R	6½-116	24	3240	2747	2304	1905	1554	1270
	223 Remington Super-X	S	55	FMC	X223R1	6½-116	24	3240	2877	2543	2232	1943	1679
■□	225 Winchester Super-X	S	55	PSP	X2251	8½-120	24	3570	3066	2616	2208	1838	1514
■□	243 Winchester Super-X	S	80	PSP	X2431	8½-120	24	3350	2955	2593	2259	1951	1670
	243 Winchester Super-X	D,O/P	100	PP(SP)	X2432	8½-120	24	2960	2697	2449	2215	1993	1786
	6 MM Remington Super-X	S	80	PSP	X6MMR1	8½-120	24	3470	3064	2694	2352	2036	1747
	6 MM Remington Super-X	D,O/P	100	PP(SP)	X6MMR2	8½-120	24	3130	2857	2600	2357	2127	1911
■	25-06 Remington Super-X	S	90	PEP	X25061	8½-120	24	3440	3043	2680	2344	2034	1749
	25-06 Remington Super-X	D,O/P	120	PEP	X25062	8½-120	24	3010	2749	2502	2269	2048	1840
	25-20 Winchester	S	86	SP	X25202	6½-116	24	1460	1194	1030	931	858	798
	25-20 Winchester	S	86	Lead	X25201	6½-116	24	1460	1194	1030	931	858	798
	25-35 Winchester Super-X	D	117	SP	X2535	8½-120	24	2230	1866	1545	1282	1097	984
	250 Savage Super-X	S	87	PSP	X2501	8½-120	24	3030	2673	2342	2036	1755	1504
	250 Savage Super-X	D,O/P	100	ST	X2503	8½-120	24	2820	2467	2140	1839	1569	1339
	256 Winchester Mag. Super-X	S	60	OPE(HP)	X2561P	6½-116	24	2760	2097	1542	1149	957	846
	257 Roberts Super-X	S	87	PSP	X2571	8½-120	24	3170	2802	2462	2147	1857	1594
	257 Roberts Super-X	D,O/P	100	ST	X2572	8½-120	24	2900	2541	2210	1904	1627	1387
	257 Roberts Super-X	D,O/P	117	PP(SP)	X2573	8½-120	24	2650	2291	1961	1663	1404	1199
●	264 Winchester Mag. Super-X	S	100	PSP	X2641	8½-120	24	3320	2926	2565	2231	1923	1644
■	264 Winchester Mag. Super-X	D,O/P	140	PP(SP)	X2642	8½-120	24	3030	2782	2548	2326	2114	1914
■	270 Winchester Super-X	S	100	PSP	X2701	8½-120	24	3480	3067	2690	2343	2023	1730
■	270 Winchester Super-X	D,O/P	130	PP(SP)	X2705	8½-120	24	3110	2849	2604	2371	2150	1941
■	270 Winchester Super-X	D,O/P	130	ST	X2703	8½-120	24	3110	2823	2554	2300	2061	1837
	270 Winchester Super-X	D,L	150	PP(SP)	X2704	8½-120	24	2900	2632	2380	2142	1918	1709
	284 Winchester Super-X	D,O/P	125	PP(SP)	X2841	8½-120	24	3140	2829	2538	2265	2010	1772
	284 Winchester Super-X	D,O/P,L	150	PP(SP)	X2842	8½-120	24	2860	2595	2344	2108	1886	1680
	7 MM Mauser (7x57) Super-X	D	175	SP	X7MM	8½-120	24	2440	2137	1857	1382	1204	
●	7 MM Remington Mag. Super-X	D,O/P	125	PP(SP)	X7MMR3	8½-120	24	3310	2976	2666	2376	2105	1852
●	7 MM Remington Mag. Super-X	D,O/P	150	PP(SP)	X7MMR1	8½-120	24	3110	2830	2568	2320	2085	1866
●	7 MM Remington Mag. Super-X	D,O/P,L	175	PP(SP)	X7MMR2	8½-120	24	2860	2645	2440	2244	2057	1879
	30 Carbine	S	110	HSP	X30M1	6½-116	20	1990	1567	1236	1035	923	842
	30 Carbine	S	110	FMC	X30M2	6½-116	20	1990	1596	1278	1070	952	870
★	30-30 Winchester Super-X	D	150	OPE	X30301	8½-120	24	2390	2018	1684	1398	1177	1036
★	30-30 Winchester Super-X	D	150	PP(SP)	X30306	8½-120	24	2390	2018	1684	1398	1177	1036
★	30-30 Winchester Super-X	D	150	ST	X30302	8½-120	24	2390	2018	1684	1398	1177	1036
★	30-30 Winchester Super-X	D	170	PP(SP)	X30303	8½-120	24	2200	1895	1619	1381	1191	1061
★	30-30 Winchester Super-X	D	170	ST	X30304	8½-120	24	2200	1895	1619	1381	1191	1061
	30 Remington Super-X	D	170	ST	X30R2	8½-120	24	2120	1822	1555	1328	1153	1036
■	30-06 Springfield Super-X	S	110	PSP	X30060	8½-120	24	3380	2843	2365	1936	1561	1261
■	30-06 Springfield Super-X	S	125	PSP	X30062	8½-120	24	3140	2780	2447	2138	1853	1595
■	30-06 Springfield Super-X	D,O/P	150	PP(SP)	X30061	8½-120	24	2920	2580	2265	1972	1704	1466
■	30-06 Springfield Super-X	D,O/P	150	ST	X30063	8½-120	24	2910	2617	2342	2083	1843	1622
■	30-06 Springfield Super-X	D,O/P,L	180	PP(SP)	X30064	8½-120	24	2700	2348	2023	1727	1466	1251
■	30-06 Springfield Super-X	D,O/P,L	180	ST	X30066	8½-120	24	2700	2469	2250	2042	1846	1663
■	30-06 Springfield Super-X	L	220	PP(SP)	X30068	8½-120	24	2410	2130	1870	1632	1422	1246
■	30-06 Springfield Super-X	L	220	ST	X300069	8½-120	24	2410	2192	1985	1791	1611	1448

BALLES

WINCHESTER

■ = Modèles 70 XTR 70A XTR ● = Modèles 70 XTR Magnum ★ = Modèle 94
□ = Modèles 70 XTR Varmint 0 = Modèle 70A XTR Magnum

CODE
S = petit gibier O/P = tir à découvert XL = très gros gibier
D = moyen gibier L = gros gibier (plus de 1 tonne / 2000 lb)

Force vive en pieds-livres						Trajectoire constante, COURTE PORTÉE						Trajectoire constante, LONGUE PORTÉE						
Bouche	100v	150	200	250	300	50v	100	150	200	250	300	100v	150	200	250	300	400	500
778	451	245	136	94	74	0.3	0	-2.3	-7.2	-15.8	-29.4	1.5	0	-4.2	-12.0	-24.8	-71.4	-155.6
723	417	225	127	90	70	0.3	0	-2.4	-7.7	-16.9	-31.3	1.6	0	-4.5	-12.8	-26.4	-75.6	-163.4
739	426	230	130	92	72	0.3	0	-2.4	-7.7	-16.9	-31.3	1.6	0	-4.5	-12.8	-26.4	-75.5	-163.3
1699	1235	887	622	424	282	0.2	0.5	0	-1.5	-4.3	-8.4	2.2	2.6	1.9	0	-3.3	-15.4	-37.7
1094	752	500	321	202	136	0.5	0.9	0	-2.5	-6.9	-13.7	2.2	1.9	0	-3.8	-10.0	-32.3	-73.8
1114	874	677	517	388	288	0.5	0.9	0	-2.2	-6.1	-11.7	2.0	1.7	0	-3.3	-8.3	-24.9	-52.5
1282	921	648	443	295	197	0.4	0.8	0	-2.2	-6.0	-11.8	1.9	1.6	0	-3.3	-8.5	-26.7	-59.6
1282	1011	790	608	461	344	0.4	0.7	0	-1.9	-5.1	-9.9	1.7	1.4	0	-2.8	-7.1	-21.2	-44.6
1556	1148	836	595	412	280	0.2	0.6	0	-1.7	-4.6	-9.0	2.4	2.8	2.0	0	-3.5	-16.3	-39.5
1993	1551	1194	906	676	495	0.3	0.7	0	-1.8	-4.9	-9.4	2.6	2.9	2.1	0	-3.6	-16.2	-37.9
1945	1615	1332	1089	882	708	0.5	0.9	0	-2.2	-5.8	-11.0	1.9	1.6	0	-3.1	-7.8	-22.6	-46.3
2139	1667	1289	982	736	542	0.3	0.6	0	-1.6	-4.5	-8.7	2.4	2.7	1.9	0	-3.3	-14.9	-35.0
2175	1812	1501	1233	1004	811	0.4	0.7	0	-1.9	-5.1	-9.7	1.7	1.4	0	-2.7	-6.8	-20.0	-40.8
2364	1850	1435	1098	827	611	0.3	0.6	0	-1.7	-4.5	-8.8	2.4	2.7	2.0	0	-3.4	-15.0	-35.2
2414	2013	1668	1372	1117	902	0.5	0.8	0	-2.1	-5.5	-10.5	1.9	1.6	0	-2.9	-7.4	-21.6	-44.2
407	272	203	165	141	122	0	-4.1	-14.4	-31.8	-57.3	-92.0	0	-8.2	-23.5	-47.0	-79.6	-175.9	-319.4
407	272	203	165	141	122	0	-4.1	-14.4	-31.8	-57.3	-92.0	0	-8.2	-23.5	-47.0	-79.6	-175.9	-319.4
1292	904	620	427	313	252	0.6	0	-3.1	-9.2	-19.0	-33.1	2.1	0	-5.1	-13.8	-27.0	-70.1	-142.0
1773	1380	1059	801	595	437	0.5	0.9	0	-2.3	-6.1	-11.8	2.0	1.7	0	-3.3	-8.4	-25.2	-53.4
1765	1351	1017	751	547	398	0.2	0	-1.6	-4.9	-10.0	-17.4	2.4	2.0	0	-3.9	-10.1	-30.5	-65.2
1015	586	317	176	122	95	0.3	0	-2.3	-7.3	-15.9	-29.6	1.5	0	-4.2	-12.1	-25.0	-72.1	-157.2
1941	1516	1171	890	666	491	0.4	0.8	0	-2.0	-5.5	-10.6	1.8	1.5	0	-3.0	-7.5	-22.7	-48.0
1867	1433	1084	805	588	427	0.6	1.0	0	-2.5	-6.9	-13.2	2.3	1.9	0	-3.7	-9.4	-28.6	-60.9
1824	1363	999	718	512	373	0.3	0	-1.9	-5.8	-11.9	-20.7	2.9	2.4	0	-4.7	-12.0	-36.7	-79.2
2447	1901	1461	1105	821	600	0.3	0.7	0	-1.8	-5.0	-9.7	2.7	3.0	2.2	0	-3.7	-16.6	-38.9
2854	2406	2018	1682	1389	1139	0.5	0.8	0	-2.0	-5.4	-10.2	1.8	1.5	0	-2.9	-7.2	-20.8	-42.2
2689	2088	1606	12.19	9.09	664	0.3	0.6	0	-1.6	-4.5	-8.7	2.4	2.7	1.9	0	-3.3	-15.0	-35.2
2791	2343	1957	1622	1334	1087	0.4	0.7	0	-1.9	-5.1	-9.7	1.7	1.4	0	-2.7	-6.8	-19.9	-40.5
2791	2300	1883	1527	1226	974	0.4	0.8	0	-2.0	-5.3	-10.0	1.7	1.5	0	-2.8	-7.1	-20.8	-42.7
2801	2307	1886	1528	1225	973	0.6	0.9	0	-2.3	-6.1	-11.7	2.1	1.7	0	-3.3	-8.2	-24.1	-49.4
2736	2221	1788	1424	1121	871	0.4	0.8	0	-2.0	-5.3	-10.1	1.7	1.5	0	-2.8	-7.2	-21.1	-43.7
2724	2243	1830	1480	1185	940	0.6	1.0	0	-2.4	-6.3	-12.1	2.1	1.8	0	-3.4	-8.5	-24.8	-51.0
2313	1774	1340	998	742	563	0.4	0	-2.3	-6.8	-13.8	-23.7	1.5	0	-3.7	-10.0	-19.1	-48.1	-95.4
3040	2458	1972	1567	1230	952	0.3	0.6	0	-1.7	-4.7	-9.1	2.5	2.8	2.0	0	-3.4	-15.0	-34.5
3221	2667	2196	1792	1448	1160	0.4	0.8	0	-1.9	-5.2	-9.9	1.7	1.5	0	-2.8	-7.0	-20.5	-42.1
3178	2718	2313	1956	1644	1372	0.6	0.9	0	-2.3	-6.0	-11.3	2.0	1.7	0	-3.2	-7.9	-22.7	-45.8
967	600	373	262	208	173	0.9	0	-4.5	-13.5	-28.3	-49.9	0	-4.5	-13.5	-28.3	-49.9	-118.6	-228.2
967	622	399	280	221	185	0.9	0	-4.3	-13.0	-26.9	-47.4	2.9	0	-7.2	-19.7	-38.7	-100.4	-200.5
1902	1356	944	651	461	357	0.5	0	-2.6	-7.7	-16.0	-27.9	1.7	0	-4.3	-11.6	-22.7	-59.1	-120.5
1902	1356	944	651	461	357	0.5	0	-2.6	-7.7	-16.0	-27.9	1.7	0	-4.3	-11.6	-22.7	-59.1	-120.5
1902	1356	944	651	461	357	0.5	0	-2.6	-7.7	-16.0	-27.9	1.7	0	-4.3	-11.6	-22.7	-59.1	-120.5
1827	1355	989	720	535	425	0.6	0	-3.0	-8.9	-18.0	-31.1	2.0	0	-4.8	-13.0	-25.1	-63.6	-126.7
1827	1355	989	720	535	425	0.6	0	-3.0	-8.9	-18.0	-31.1	2.0	0	-4.8	-13.0	-25.1	-63.6	-126.7
1696	1253	913	666	502	405	0.7	0	-3.3	-9.7	-19.6	-33.8	2.2	0	-5.3	-14.1	-27.2	-69.0	-136.9
2790	1974	1366	915	595	388	0.4	0.7	0	-2.0	-5.6	-11.1	1.7	1.5	0	-3.1	-8.0	-25.5	-57.4
2736	2145	1662	1269	953	706	0.4	0.8	0	-2.1	-5.6	-10.7	1.8	1.5	0	-3.0	-7.7	-23.0	-48.5
2839	2217	1708	1295	967	716	0.6	1.0	0	-2.4	-6.6	-12.7	2.2	1.8	0	-3.5	-9.0	-27.0	-57.1
2820	2281	1827	1445	1131	876	0.6	0.9	0	-2.3	-6.3	-12.0	2.1	1.8	0	-3.3	-8.5	-25.0	-51.8
2913	2203	1635	1192	859	625	0.2	0	-1.8	-5.5	-11.2	-19.5	2.7	2.3	0	-4.4	-11.3	-34.4	-73.7
2913	2436	2023	1666	1362	1105	0.2	0	-1.6	-4.8	-9.7	-16.5	2.4	2.0	0	-3.7	-9.3	-27.0	-54.9
2837	2216	1708	1301	988	758	0.4	0	-2.3	-6.8	-13.8	-23.6	1.5	0	-3.7	-9.9	-19.0	-47.4	-93.1
2837	2347	1924	1567	1268	1024	0.4	0	-2.2	-6.4	-12.7	-21.6	1.5	0	-3.5	-9.1	-17.2	-41.8	-79.9

Trajectoire + = hauteur de mire au-dessus du centre du canon   0 = indique la distance la plus favorable pour régler la mire
— = hauteur de mire au dessous du centre du canon

	Winchester											

Winchester

	Cartouche	Type de gibier	Charge poids en grs.	Bouts	Symboles	Canon	Bouche	100	200	300	400	500
	30-40 Krag Super-X	D	180	PP(SP)	X30401	8½-120	24	2430	2099	1795	1525	1298	1128
	30-40 Krag Super-X	D	180	ST	X30403	8½-120	24	2430	2213	2007	1813	1632	1468
	30-40 Krag Super-X	L	220	ST	X30404	8½-120	24	2160	1956	1765	1587	1427	1287
•0	300 Winchester Mag. Super-X	D.O / P	150	PP(SP)	X30WM1	8½-120	24	3290	2951	2636	2342	2068	1813
•0	300 Winchester Mag. Super-X	O / P,L	180	PP(SP)	X30WM2	8½-120	24	2960	2745	2540	2344	2157	1979
•0	300 Winchester Mag. Super-X	L,XL	220	ST	X30WM3	8½-120	24	2680	2448	2228	2020	1823	1640
	300 H.&H. Magnum Super-X	O / P	150	ST	X300H1	8½-120	24	3130	2822	2534	2264	2011	1776
	300 H.&H. Magnum Super-X	O / P,L	180	ST	X300H2	8½-120	24	2880	2640	2412	2196	1991	1798
	300 H.&H. Magnum Super-X	L,XL	220	ST	X300H3	8½-120	24	2580	2341	2114	1901	1702	1520
	300 Savage Super-X	D.O / P	150	PP(SP)	X3001	8½-120	24	2630	2311	2015	1743	1500	1295
	300 Savage Super-X	D.O / P	150	ST	X3003	8½-120	24	2630	2354	2095	1853	1631	1434
	300 Savage Super-X	D	180	PP(SP)	X3004	8½-120	24	2350	2025	1728	1467	1252	1098
	300 Savage Super-X	D	180	ST	X3005	8½-120	24	2350	2137	1935	1745	1570	1413
	300 Savage Super-X	D	190	ST	X3032	8½-120	24	1940	1657	1410	1211	1073	982
	303 British Super-X	D	180	PP(SP)	X303B1	8½-120	24	2460	2233	2018	1816	1629	1459
■	308 Winchester Super-X	S	110	PSP	X3081	8½-120	24	3180	2666	2206	1795	1444	1178
■	308 Winchester Super-X	S	125	PSP	X3087	8½-120	24	3050	2697	2370	2067	1788	1537
■	308 Winchester Super-X	D.O / P	150	PP(SP)	X3085	8½-120	24	2820	2488	2179	1893	1633	1405
■	308 Winchester Super-X	D.O / P	150	ST	X3082	8½-120	24	2820	2533	2263	2009	1774	1560
■	308 Winchester Super-X	D.O / PL	180	PP(SP)	X3086	8½-120	24	2620	2274	1955	1666	1414	1212
	308 Winchester Super-X	D.O / PL	180	ST	X3083	8½-120	24	2620	2393	2178	1974	1782	1604
	308 Winchester Super-X	L	200	ST	X3084	8½-120	24	2450	2208	1980	1767	1572	1397
	32 Win. Special Super-X	D	170	PP(SP)	X32WS2	8½-120	24	2250	1870	1537	1267	1082	971
	32 Win. Special Super-X	D	170	ST	X32WS3	8½-120	24	2250	1870	1537	1267	1082	971
	32 Remington Super-X	D	170	ST	X32R2	8½-120	24	2140	1785	1475	1228	1064	963
	32-20 Winchester	S	100	SP	X32202	6½-116	24	1210	1021	913	834	769	712
	32-20 Winchester	S	100	L	X32201	6½-116	24	1210	1021	913	834	769	712
	8 mm Mauser (8x57) Super-X	D	170	PP(SP)	X8MM	8½-120	24	2360	1969	1622	1333	1123	997
•	338 Winchester Mag. Super-X	D.O / P	200	PP(SP)	X3381	8½-120	24	2960	2658	2375	2110	1862	1635
•	338 Winchester Mag. Super-X	L,XL	225	SP	X3383	8½-120	24	2180	2572	2374	2184	2003	1832
•	338 Winchester Mag. Super-X	L,XL	250	ST	X3382	8½-120	24	2660	2395	2145	1910	1693	1497
	348 Winchester Super-X	D,L	200	ST	X3482	8½-120	24	2520	2215	1931	1672	1443	1253
	35 Remington Super-X	D	200	PP(SP)	X35R1	8½-120	24	2020	1646	1335	1114	985	901
	35 Remington Super-X	D	200	ST	X35R3	8½-120	24	2020	1646	1335	1114	985	901
	351 Winchester S.L.	D	180	SP	X351SL2	6½-116	20	1850	1556	1310	1128	1012	933
	358 Winchester Super-X	D,L	200	ST	X3581	8½-120	24	2490	2171	1876	1610	1379	1194
	358 Winchester Super-X	L	250	ST	X3582	8½-120	24	2230	1988	1762	1557	1375	1224
★	375 Winchester	D,L	200	PP(SP)	X375W	8½-120	24	2200	1841	1526	1268	1089	980
★	375 Winchester	D,L	250	PP(SP)	X375W1	8½-120	24	1900	1647	1424	1239	1103	1011
•	375 H&H. Magnum Super-X	L,XL	270	PP(SP)	X375H1	8½-120	24	2690	2420	2166	1928	1707	1507
•	375 H&H. Magnum Super-X	L,XL	300	ST	X375H2	8½-120	24	2530	2268	2022	1793	1583	1397
•	375 H&H. Magnum Super-X	L,XL	300	FMC	X375H3	8½-120	24	2530	2171	1843	1551	1307	1126
	38-40 Winchester	D	180	SP	X3840	7-111	24	1160	999	901	827	764	710
★	38-55 Winchester	D	255	SP	X3855	8½-120	24	1320	1190	1091	1018	963	917
	44 Remington Magnum Super-X	D	240	HSP	X44MHSP	7M-111F	20	1760	1362	1094	953	861	789
	44-40 Winchester	D	200	SP	X4440	7-111	24	1190	1006	900	822	756	699
	45-70 Government	D,L	405	SP	X4570	8½-120	24	1330	1168	1055	977	918	869
•	458 Winchester Mag. Super-X	XL	500	FMC	X4580	8½-120	24	2040	1823	1623	1442	1287	1161
•	458 Winchester Mag. Super-X	L,XL	510	SP	X4581	8½-120	24	2040	1770	1527	1319	1157	1046

Table header note: ——BALLES—— / Vitesse en pieds par seconde

WINCHESTER
■ = Modèles 70 XTR   ● = Modèles 70 XTR Magnum   ★ = Modèle 94
□ = Modèles 70 XTR Varmint

CODE
S = petit gibier   O / P = tir à découvert   XL = très gros gibier
D = moyen gibier   L = gros gibier (plus de 1 tonne / 2000 lb)

Force vive en pieds-livres						Trajectoire constante, COURTE PORTÉE						Trajectoire constante, LONGUE PORTÉE						
Bouche	100v	150	200	250	300	50v	100	150	200	250	300	100v	150	200	250	300	400	500
2360	1761	1288	929	673	508	0.4	0	-2.4	-7.1	-14.5	-25.0	1.6	0	-3.9	-10.5	-20.3	-51.7	-103.9
2360	1957	1610	1314	1064	861	0.4	0	-2.1	-6.2	-12.5	-21.1	1.4	0	-3.4	-8.9	-16.8	-40.9	-78.1
2279	1869	1522	1230	995	809	0.6	0	-2.9	-8.2	-16.4	-27.6	1.9	0	-4.4	-11.6	-21.9	-53.3	-101.8
3605	2900	2314	1827	1424	1095	0.3	0.7	0	-1.8	-4.8	-9.3	2.6	2.9	2.1	0	-3.5	-15.4	-35.5
3501	3011	2578	2196	1859	1565	0.5	0.8	0	-2.2	-5.5	-10.4	1.9	1.6	0	-2.9	-7.3	-20.9	-41.9
3508	2927	2424	1993	1623	1314	0.2	0	-1.7	-4.9	-9.9	-16.9	2.5	2.0	0	-3.8	-9.5	-27.5	-51.9
3262	2652	2138	1707	1347	1050	0.4	0.8	0	-2.0	-5.3	-10.1	1.7	1.5	0	-2.8	-7.2	-21.2	-43.8
3315	2785	2325	1927	1584	1292	0.6	0.9	0	-2.3	-6.0	-11.5	2.1	1.7	0	-3.2	-8.0	-23.3	-47.4
3251	2677	2183	1765	1415	1128	0.3	0	-1.9	-5.5	-11.0	-18.7	2.7	2.2	0	-4.2	-10.5	-30.7	-63.0
2303	1779	1352	1012	749	558	0.3	0	-1.9	-5.7	-11.6	-19.9	2.8	2.3	0	-4.5	-11.5	-34.4	-73.0
2303	1845	1462	1143	886	685	0.3	0	-1.8	-5.4	-11.0	-18.8	2.7	2.2	0	-4.2	-10.7	-31.5	-65.5
2207	1639	1193	860	626	482	0.5	0	-2.6	-7.7	-15.6	-27.1	1.7	0	-4.2	-11.3	-21.9	-55.8	-112.0
2207	1825	1496	1217	985	798	0.4	0	-2.3	-6.7	-13.5	-22.8	1.5	0	-3.6	-9.6	-18.2	-44.1	-84.2
1588	1158	839	619	486	407	0.9	0	-4.1	-11.9	-24.1	-41.4	2.7	0	-6.4	-17.3	-33.2	-83.7	-164.4
2418	1993	1627	1318	1060	851	0.3	0	-2.1	-6.1	-12.2	-20.8	1.4	0	-3.3	-8.8	-16.6	-40.4	-77.4
2470	1736	1188	787	509	339	0.5	0.9	0	-2.3	-6.5	-12.8	2.0	1.8	0	-3.5	-9.3	-29.5	-66.7
2582	2019	1559	1186	887	656	0.5	0.8	0	-2.2	-6.0	-11.5	2.0	1.7	0	-3.2	-8.2	-24.6	-51.9
2648	2061	1581	1193	888	657	0.2	0	-1.6	-4.8	-9.8	-16.9	2.4	2.0	0	-3.8	-9.8	-29.3	-62.0
2648	2137	1705	1344	1048	810	0.2	0	-1.5	-4.5	-9.3	-15.9	2.3	1.9	0	-3.6	-9.1	-26.9	-55.7
2743	2066	1527	1109	799	587	0.3	0	-2.0	-5.9	-12.1	-20.9	2.9	2.4	0	-4.7	-12.1	-36.9	-79.1
2743	2288	1896	1557	1269	1028	0.2	0	-1.8	-5.2	-10.4	-17.7	2.6	2.1	0	-4.0	-9.9	-28.9	-58.8
2665	2165	1741	1386	1097	867	0.4	0	-2.1	-6.3	-12.6	-21.4	1.4	0	-3.4	-9.0	-17.2	-42.1	-81.1
1911	1320	892	606	442	356	0.6	0	-3.1	-9.2	-19.0	-33.2	2.0	0	-5.1	-13.8	-27.1	-70.9	-144.3
1911	1320	892	606	442	356	0.6	0	-3.1	-9.2	-19.0	-33.2	2.0	0	-5.1	-13.8	-27.1	-70.9	-144.3
1728	1203	821	569	427	350	0.7	0	-3.4	-10.2	-20.9	-36.5	2.3	0	-5.6	-15.2	-29.6	-76.7	-154.5
325	231	185	154	131	113	0	-6.3	-20.9	-44.9	-79.3	-125.1	0	-11.5	-32.3	-63.6	-106.3	-230.3	-413.3
325	231	185	154	131	113	0	-6.3	-20.9	-44.9	-79.3	-125.1	0	-11.5	-32.3	-63.6	-106.3	-230.3	-413.3
2102	1463	993	671	476	375	0.5	0	-2.7	-8.2	-17.1	-29.8	1.8	0	-4.5	-12.4	-24.3	-63.8	-130.7
3890	3137	2505	1977	1539	1187	0.5	0.9	0	-2.3	-6.1	-11.6	2.0	1.7	0	-3.2	-8.2	-24.3	-50.4
3862	3306	2816	2384	2005	1677	1.2	1.3	0	-2.7	-7.1	-12.9	2.7	2.1	0	-3.6	-9.4	-25.0	-49.9
3927	3184	2554	2025	1591	1244	0.2	0	-1.7	-5.2	-10.5	-18.0	2.6	2.1	0	-4.0	-10.2	-30.0	-61.9
2820	2178	1656	1241	925	697	0.3	0	-2.1	-6.2	-12.7	-21.9	1.4	0	-3.4	-9.2	-17.7	-44.4	-87.9
1812	1203	791	551	431	360	0.9	0	-4.1	-12.1	-25.1	-43.9	2.7	0	-6.7	-18.3	-35.8	-92.8	-185.5
1812	1203	791	551	431	360	0.9	0	-4.1	-12.1	-25.1	-43.9	2.7	0	-6.7	-18.3	-35.8	-92.8	-185.5
1368	968	686	508	409	348	0	-2.1	-7.8	-17.8	-32.9	-53.9	0	-4.7	-13.6	-27.6	-47.5	-108.8	-203.9
2753	2093	1563	1151	844	633	0.4	0	-2.2	-6.5	-13.3	-23.0	1.5	0	-3.6	-9.7	-18.6	-47.2	-94.1
2760	2194	1723	1346	1049	832	0.5	0	-2.7	-7.9	-16.0	-27.1	1.8	0	-4.3	-11.4	-21.7	-53.5	-103.7
2150	1506	1034	714	527	427	0.6	0	-3.2	-9.5	-19.5	-33.8	2.1	0	-5.2	-14.1	-27.4	-70.1	-138.1
2005	1506	1126	852	676	568	0.9	0	-4.1	-12.0	-24.0	-40.9	2.7	0	-6.5	-17.2	-32.7	-80.6	-154.1
4337	3510	2812	2228	1747	1361	0.2	0	-1.7	-5.1	-10.3	-17.6	2.5	2.1	0	-3.9	-10.0	-29.4	-60.0
4263	3426	2723	2141	1669	1300	0.3	0	-2.0	-5.9	-11.9	-20.3	2.9	2.4	0	-4.5	-11.5	-33.8	-70.1
4263	3139	2262	1602	1138	844	0.3	0	-2.2	-6.5	-13.5	-23.4	1.5	0	-3.6	-9.8	-19.1	-49.1	-99.5
538	399	324	273	233	201	0	-6.7	-22.2	-47.3	-83.2	-130.8	0	-12.1	-33.9	-66.4	-110.6	-238.1	-425.6
987	802	674	587	525	476	0	-4.7	-15.4	-32.7	-57.2	-89.3	0	-8.4	-23.4	-45.6	-75.2	-158.8	-277.4
1650	988	638	484	395	232	0	-2.7	-10.2	-23.6	-44.2	-73.3	0	-6.1	-18.1	-37.4	-65.1	-150.3	-282.5
629	449	360	300	254	217	0	-6.5	-21.6	-46.3	-81.8	-129.1	0	-11.8	-33.3	-65.5	-109.5	-237.4	-426.2
1590	1227	1001	858	758	679	0	-4.7	-15.8	-34.0	-60.0	-94.5	0	-8.7	-24.6	-48.2	-80.3	-172.4	-305.9
4620	3689	2924	2308	1839	1496	0.7	0	-3.3	-9.6	-19.2	-32.5	2.2	0	-5.2	-13.6	-25.8	-63.2	-121.7
4712	3547	2640	1970	1516	1239	0.8	0	-3.5	-10.3	-20.8	-35.6	2.4	0	-5.6	-14.9	-28.5	-71.5	-140.4

		Poids en grs.	BALLES / Bouts		Vitesse en pieds par seconde Bouche	100	200	300	400	500
17 REM.	R17REM	25	HPP-L	7½	4040	3284	2644	2086	1606	1235
22 HORNET	R22HN1	45	PSP	6½	2690	2042	1502	1128	948	840
	R22HN2	45	HP	6½	2690	2042	1502	1128	948	840
222 REM.	R222R1	50	PSP	7½	3140	2602	2123	1700	1350	1107
	R222R3	50	HPP-L	7½	3140	2635	2182	1777	1432	1172
	R222R4	55	MC	7½	3020	2562	2147	1773	1451	1201
222 REM. MAG.	R222M1	55	PSP	7½	3240	2748	2305	1906	1556	1272
	R222M2	55	HPP-L	7½	3240	2773	2352	1969	1627	1341
223 REM.	R223R1	55	PSP	7½	3240	2747	2304	1905	1554	1270
	R223R2	55	HPP-L	7½	3240	2773	2352	1969	1627	1341
	R223R3	55	MC	7½	3240	2759	2326	1933	1587	1301
22-250 REM.	R22501	55	PSP	9½	3730	3180	2695	2257	1863	1519
	R22502	55	HPP-L	9½	3730	3253	2826	2436	2079	1755
243 WIM.	R243W1	80	PSP	9½	3350	2955	2593	2259	1951	1670
	R243W2	80	HPP-L	9½	3350	2955	2593	2259	1951	1670
	R243W3	100	PSPC-L	9½	2960	2697	2449	2215	1993	1786
6mm REM.	R6MM1	80**	PSP	9½	3470	3064	2694	2352	2036	1747
	R6MM2	80**	HPP-L	9½	3470	3064	2694	2352	2036	1747
	R6MM4	100	PSPC-L	9½	3130	2857	2600	2357	2127	1911
25-20 WIM.	R25202	86*	SP	6½	1460	1194	1030	931	858	797
250 SAV.	R250SV	100	PSP	9½	2820	2504	2210	1936	1684	1461
257 ROBERTS	R257	117	SPC-L	9½	2650	2291	1961	1663	1404	1199
25-06 REM.	R25061	87	HPP-L	9½	3440	2995	2591	2222	1884	1583
	R25062	100	PSPC-L	9½	3230	2893	2580	2287	2014	1762
	R25063	120	PSPC-L	9½	3010	2749	2502	2269	2048	1840
6.5mm REM. MAG.	R65MM2	120	PSPC-L	9½M	3210	2905	2621	2353	2102	1867
264 WIN. MAG.	R264W2	140	PSPC-L	9½M	3030	2782	2548	2326	2114	1914
270 WIN	R270W1	100	PSP	9½	3480	3067	2690	2343	2023	1730
	R270W2	130	PSPC-L	9½	3110	2823	2554	2300	2061	1837
	R270W3	130	BP	9½	3110	2849	2604	2371	2150	1941
	R270W4	150	SPC-L	9½	2900	2550	2225	1926	1653	1415
7mm MAUSER	R7MSR1	140	PSP	9½	2660	2435	2221	2018	1827	1648
7mm-08 REM.	R7M081	140	PSP	9½	2860	2625	2402	2189	1988	1798
280 REM.**	R280R2	165	SPC-L	9½	2820	2510	2220	1950	1701	1479
7mm EXPRESS REM.**	R7M061	150	PSPC-L	9½	2970	2699	2444	2203	1975	1763
7mm REM. MAG.	R7MM2	150	PSPC-L	9½M	3110	2830	2568	2320	2085	1866
	R7MM3	175	PSPC-L	9½M	2860	2645	2440	2244	2057	1879
30 CARBINE	R30CAR	110	SP	6½	1990	1567	1236	1035	923	842
30 REM.	R30REM	170	SPC-L	9½	2120	1822	1555	1328	1153	1036
30-30 WIN. « ACCELERATOR »	R3030A	55	SP	9½	3400	2693	2085	1570	1187	986
30-30 WIN.	R30301	150	SPC-L	9½	2390	1973	1605	1303	1095	974
	R30302	170	SPC-L	9½	2200	1895	1619	1381	1191	1061
	R30303	170	HPC-L	9½	2200	1895	1619	1381	1191	1061

** remplacer par 244 REM

Force vive en pieds-livres						Trajectoire constante, COURTE PORTÉE						Trajectoire constante, LONGUE PORTÉE							Canon
Bouche	100v	150	200	250	300	50v	100	150	200	250	300	100v	150	200	250	300	400	500	
906	599	388	242	143	85	0.1	0.5	0.0	-1.5	-4.2	-8.5	2.1	2.5	1.9	0.0	-3.4	-17.0	-44.3	24"
723	417	225	127	90	70	0.3	0.0	-2.4	-7.7	-16.9	-31.3	1.6	0.0	-4.5	-12.8	-26.4	-75.6	-163.4	24"
723	417	225	127	90	70	0.3	0.0	-2.4	-7.7	-16.9	-31.3	1.6	0.0	-4.5	-12.8	-26.4	-75.6	-163.4	24"
1094	752	500	321	202	136	0.5	0.9	0.0	-2.5	-6.9	-13.7	2.2	1.9	0.0	-3.8	-10.0	-32.3	-73.8	24"
1094	771	529	351	228	152	0.5	0.9	0.0	-2.4	-6.6	-13.1	2.1	1.8	0.0	-3.6	-9.5	-30.2	-68.1	
1114	801	563	384	257	176	0.6	1.0	0.0	-2.5	-7.0	-13.7	2.2	1.9	0.0	-3.8	-9.9	-31.0	-68.7	''
1282	922	649	444	296	198	0.4	0.8	0.0	-2.2	-6.0	-11.8	1.9	1.6	0.0	-3.3	-8.5	-26.7	-59.5	24"
1282	939	675	473	323	220	0.4	0.8	0.0	-2.1	-5.8	-11.4	1.8	1.6	0.0	-3.2	-8.2	-25.5	-56.0	24"
1282	921	648	443	295	197	0.4	0.8	0.0	-2.2	-6.0	-11.8	1.9	1.6	0.0	-3.3	-8.5	-26.7	-59.6	
1282	939	675	473	323	220	0.4	0.8	0.0	-2.1	-5.8	-11.4	1.8	1.6	0.0	-3.2	-8.2	-25.5	-56.0	24"
1282	929	660	456	307	207	0.4	0.8	0.0	-2.1	-5.9	-11.6	1.9	1.6	0.0	-3.2	-8.4	-26.2	-57.9	
1699	1235	887	622	424	282	0.2	0.5	0.0	-1.5	-4.3	-8.4	2.2	2.6	1.9	0.0	-3.3	-15.4	-37.7	24"
1699	1292	975	725	528	376	0.2	0.5	0.0	-1.4	-4.0	-7.7	2.1	2.4	1.7	0.0	-3.0	-13.6	-32.4	24"
1993	1551	1194	906	676	495	0.3	0.7	0.0	-1.8	-4.9	-9.4	2.6	2.9	2.1	0.0	-3.6	-16.2	-37.9	''
1993	1551	1194	906	676	495	0.3	0.7	0.0	-1.8	-4.9	-9.4	2.6	2.9	2.1	0.0	-3.6	-16.2	-37.9	24"
1945	1615	1332	1089	882	708	0.5	0.9	0.0	-2.2	-5.8	-11.0	1.9	1.6	0.0	-3.1	-7.8	-22.6	-46.3	
2139	1667	1289	982	736	542	0.3	0.6	0.0	-1.6	-4.5	-8.7	2.4	2.7	1.9	0.0	-3.3	-14.9	-35.0	
2139	1667	1289	982	736	542	0.3	0.6	0.0	-1.6	-4.5	-8.7	2.4	2.7	1.9	0.0	-3.3	-14.9	-35.0	24"
2175	1812	1501	1233	1004	811	0.4	0.7	0.0	-1.9	-5.1	-9.7	1.7	1.4	0.0	-2.7	-6.8	-20.0	-40.8	
407	272	203	165	141	121	0.0	-4.1	-14.4	-31.8	-57.3	-92.0	0.0	-8.2	-23.5	-47.0	-79.6	-175.9	-319.4	24"
1765	1392	1084	832	630	474	0.2	0.0	-1.6	-4.7	-9.6	-16.5	2.3	2.0	0.0	-3.7	-9.5	-28.3	-59.5	24"
1824	1363	999	718	512	373	0.3	0.0	-1.9	-5.8	-11.9	-20.7	2.9	2.4	0.0	-4.7	-12.0	-36.7	-79.2	
2286	1733	1297	954	686	484	0.3	0.6	0.0	-1.7	-4.8	-9.3	2.5	2.9	2.1	0.0	-3.6	-16.4	-39.1	
2316	1858	1478	1161	901	689	0.4	0.7	0.0	-1.9	-5.0	-9.7	1.6	1.4	0.0	-2.7	-6.9	-20.5	-42.7	24"
2414	2013	1668	1372	1117	902	0.5	0.8	0.0	-2.1	-5.5	-10.5	1.9	1.6	0.0	-2.9	-7.4	-21.6	-44.2	
2745	2248	1830	1475	1177	929	0.4	0.7	0.0	-1.8	-4.9	-9.5	2.7	3.0	2.1	0.0	-3.5	-15.5	-35.3	24"
2854	2406	2018	1682	1389	1139	0.5	0.8	0.0	-2.0	-5.4	-10.2	1.8	1.5	0.0	-2.9	-7.2	-20.8	-42.2	24"
2689	2088	1606	1219	909	664	0.3	0.6	0.0	-1.6	-4.5	-8.7	2.4	2.7	1.9	0.0	-3.3	-15.0	-35.2	
2791	2300	1883	1527	1226	974	0.4	0.8	0.0	-2.0	-5.3	-10.0	1.7	1.5	0.0	-2.8	-7.1	-20.8	-42.7	24"
2791	2343	1957	1622	1334	1087	0.4	0.7	0.0	-1.9	-5.1	-9.7	1.7	1.4	0.0	-2.7	-6.8	-19.9	-40.5	24"
2801	2165	1649	1235	910	667	0.6	1.0	0.0	-2.5	-6.8	-13.1	2.2	1.9	0.0	-3.6	-9.3	-28.1	-59.7	
2199	1843	1533	1266	1037	844	0.2	0.0	-1.7	-5.0	-10.0	-17.0	2.5	2.0	0.0	-3.8	-9.6	-27.7	-56.3	24"
2542	2142	1793	1490	1228	1005	0.6	0.9	0.0	-2.3	-6.11	-11.6	2.1	1.7	0.0	-3.2	-8.1	-23.5	-47.7	24"
2913	2308	1805	1393	1060	801	0.2	0.0	-1.5	-4.6	-9.5	-16.4	2.3	1.9	0.0	-3.7	-9.4	-28.1	-58.8	24"
2937	2426	1989	1616	1299	1035	0.5	0.9	0.0	-2.2	-5.8	-11.0	1.9	1.6	0.0	-3.1	-7.8	-22.8	-46.7	24"
3221	2667	2196	1792	1448	1160	0.4	0.8	0.0	-1.9	-5.2	-9.9	1.7	1.5	0.0	-2.8	-7.0	-20.5	-42.1	24"
3178	2718	2313	1956	1644	1372	0.6	0.9	0.0	-2.3	-6.0	-11.3	2.0	1.7	0.0	-3.2	-7.9	-22.7	-45.8	24"
967	600	373	262	208	173	0.9	0.0	-4.5	-13.5	-28.3	-49.9	0.0	-4.5	-13.5	-28.3	-49.9	-118.6	-228.2	20"
1696	1253	913	666	502	405	0.7	0.0	-3.3	-9.7	-19.6	-33.8	2.2	0.0	-5.3	-14.1	-27.2	-69.0	-136.9	24"
1412	886	521	301	172	119	0.4	0.8	0.0	-2.4	-6.7	-13.8	2.0	1.8	0.0	-3.8	-10.2	-35.0	-84.4	24"
1902	1296	858	565	399	316	0.5	0.0	-2.7	-8.2	-17.0	-30.0	1.8	0.0	-4.6	-12.5	-24.6	-65.3	-134.9	24"
1827	1355	989	720	535	425	0.6	0.0	-3.0	-8.9	-18.0	-31.1	2.0	0.0	-4.8	-13.0	-25.1	-63.6	-126.7	24"
1827	1355	989	720	535	425	0.6	0.0	-3.0	-8.9	-18.0	-31.1	2.0	0.0	-4.8	-13.0	-25.1	-63.6	-126.7	24"

0,0 = la distance en plus favorable du réglage de la mire

		Poids en grs.	BALLES Bouts		Bouche	100v	200	300	400	500
300 SAVAGE	R30SV1	150	SPC-L	9½	2630	2247	1897	1585	1324	1131
	R30SV3	180	SPC-L	9½	2350	2025	1728	1467	1252	1098
	R30SV4	180	PSPC-L	9½	2350	2137	1935	1745	1570	1413
30-40 KRAG	R30402	180	PSPC-L	9½	2430	2213	2007	1813	1632	1468
308 WIN. « ACCELERATOR »	R308W5	55	PSP	9½	3770	3215	2726	2286	1888	1541
308 WIN.	R308W1	150	PSPC-L	9½	2820	2533	2263	2009	1774	1560
	R308W2	180	SPC-L	9½	2620	2274	1955	1666	1414	1212
	R308W3	180	PSPC-L	9½	2620	2393	2178	1974	1782	1604
30-06 « ACCELERATOR »	R30069	55	PSP	9½	4080	3485	2965	2502	2083	1709
30-06 SPRINGFIELD	R30061	125	PSP	9½	3140	2780	2447	2138	1853	1595
	R30062	150	PSPC-L	9½	2910	2617	2342	2083	1843	1622
	R30063	150	BP	9½	2910	2656	2416	2189	1974	1773
	R3006B	165	BPSC-L	9½	2800	2534	2283	2047	1825	1621
	R30064	180	SPC-L	9½	2700	2348	2023	1727	1466	1251
	R30065	180	PSPC-L	9½	2700	2469	2250	2042	1846	1663
	R30066	180	BP	9½	2700	2485	2280	2084	1899	1725
	R30067	220	SPC-L	9½	2410	2130	1870	1632	1422	1246
300 H & H MAG.	R300HH	180	PSPC-L	9½M	2880	2640	2412	2196	1990	1798
300 WIN. MAG.	R300W1	150	PSPC-L	9½M	3290	2951	2636	2342	2068	1813
	R300W2	180	PSPC-L	9½M	2960	2745	2540	2344	2157	1979
303 BRITISH	R303B1	180	SPCL	9½	2460	2124	1817	1542	1311	1137
32-20 WIN.	R32201	100	L	6½	1210	1021	913	834	769	712
	R32202	100	SP	6½	1210	1021	913	834	769	712
32 WIN. SPÉCIAL	R32WS2	170	SPC-L	9½	2250	1921	1626	1372	1175	1044
8MM MAUSER	R8MSR	170	SPC-L	9½	2360	1969	1622	1333	1123	997
8MM REM. MAG.	R8MM1	185	PSPC-L	9½M	3080	2761	2464	2186	1927	1688
	R8MM2	220	PSPC-L	9½M	2830	2581	2346	2123	1913	1716
35 REM.	R35R1	150	PSPC-L	9½	2300	1874	1506	1218	1039	934
	R35R2	200	SPC-L	9½	2080	1698	1376	1140	1001	911
350 REM. MAG.	R350M1	200	PSPC-L	9½M	2710	2410	2130	1870	1631	1421
375 H & H MAG.	R375M1	270	SP	9½M	2690	2420	2166	1928	1707	1507
	R375M2	300	MC	9½M	2530	2171	1843	1551	1307	1126
44-40 WIN.	R4440W	200	SP	2½	1190	1006	900	822	756	699
44 REM. MAG.	R44MG2	240	SP	2½	1760	1380	1114	970	878	806
	R44MG3	240	JHP	2½	1760	1380	1114	970	878	806
444 MAR.	R444M	240	SP	9½	2350	1815	1377	1087	941	846
	R444M2	265	SP	9½	2120	1733	1405	1160	1012	920
45-70 GOVERNMENT	R4570G	405	SP	9½	1330	1168	1055	1977	918	869
458 WIN. MAG.	R458W1	500	MC	9½M	2040	1823	1623	1442	1237	1161
	R458W2	510	SP	9½M	2040	1770	1527	1319	1157	1046

Vitesse en pieds par seconde

Force vive en pieds-livres Trajectoire constante, COURTE PORTÉE Trajectoire constante, LONGUE PORTÉE

Bouche	100v	150	200	250	300	50v	100	150	200	250	300	100v	150	200	250	300	400	500	
2303	1681	1198	837	584	426	0.3	0.0	-2.0	-6.1	-12.5	-21.9	1.3	0.0	-3.4	-9.2	-17.9	-46.3	-94.8	
2207	1639	1193	860	626	482	0.5	0.0	-2.6	-7.7	-15.6	-27.1	1.7	0.0	-4.2	-11.3	-21.9	-55.8	-112.0	24"
2207	1825	1496	1217	985	798	0.4	0.0	-2.3	-6.7	-13.5	-22.8	1.5	0.0	-3.6	-9.6	-18.2	-44.1	-84.2	
2360	1957	1610	1314	1064	861	0.4	0.0	-2.1	-6.2	-12.5	-21.1	1.4	0.0	-3.4	-8.9	-16.8	-40.9	-78.1	24"
1735	1262	907	638	435	290	0.2	0.5	0.0	-1.5	-4.2	-8.2	2.2	2.5	1.8	0.0	-3.2	-15.0	-36.7	24"
2648	2137	1705	1344	1048	810	0.2	0.0	-1.5	-4.5	-9.3	-15.9	2.3	1.9	0.0	-3.6	-9.1	-26.9	-55.7	
2743	2066	1527	1109	799	587	0.3	0.0	-2.0	-5.9	-12.1	-20.9	2.9	2.4	0.0	-4.7	-12.1	-36.9	-79.1	24"
2743	2288	1896	1557	1269	1028	0.2	0.0	-1.8	-5.2	-10.4	-17.7	2.6	2.1	0.0	-4.0	-9.9	-28.9	-58.8	
2033	1483	1074	764	530	356	0.4	1.0	0.9	0.0	-1.9	-5.0	1.8	2.1	1.5	0.0	-2.7	12.5	-30.5	24"
2736	2145	1662	1269	953	706	0.4	0.8	0.0	-2.1	-5.6	-10.7	1.8	1.5	0.0	-3.0	-7.7	-23.0	-48.5	
2820	2281	1827	1445	1131	876	0.6	0.9	0.0	-2.3	-6.3	-12.0	2.1	1.8	0.0	-3.3	-8.5	-25.0	-51.8	
2820	2349	1944	1596	1298	1047	0.6	0.9	0.0	-2.2	-6.0	-11.4	2.0	1.7	0.0	-3.2	-8.0	-23.3	-47.5	
2872	2352	1909	1534	1220	963	0.7	1.0	0.0	-2.5	-6.7	-12.7	2.3	1.9	0.0	-3.6	-9.0	-26.3	-54.1	24"
2913	2203	1635	1192	859	625	0.2	0.0	-1.8	-5.5	-11.2	-19.5	2.7	2.3	0.0	-4.4	-11.3	-34.4	-73.7	24"
2913	2436	2023	1666	1362	1105	0.2	0.0	-1.6	-4.8	-9.7	-16.5	2.4	2.0	0.0	-3.7	-9.3	-27.0	-54.9	
2913	2468	2077	1736	1441	1189	0.2	0.0	-1.6	-4.7	-9.6	-16.2	2.4	2.0	0.0	-3.6	-9.1	-26.2	-53.0	
2837	2216	1708	1301	988	758	0.4	0.0	-2.3	-6.8	-13.8	-23.6	1.5	0.0	-3.7	-9.9	-19.0	-47.4	-93.1	
3315	2785	2325	1927	1583	1292	0.6	0.9	0.0	-2.3	-6.0	-11.5	2.1	1.7	0.0	-3.2	-8.0	-23.3	-47.4	24"
3605	2900	2314	1827	1424	1095	0.3	0.7	0.0	-1.8	-4.8	-9.3	2.6	2.9	2.1	0.0	-3.5	-15.4	35.5	24"
3501	3011	2578	2196	1859	1565	0.5	0.8	0.0	-2.1	-5.5	-10.4	1.9	1.6	0.0	-2.9	-7.3	-20.9	-41.9	24"
2418	1803	1319	950	687	517	0.4	0.0	-2.3	-6.9	-14.1	-24.4	1.5	0.0	-3.8	-10.2	19.8	-50.5	-101.5	24"
325	231	185	154	131	113	0.0	-6.3	-20.9	-44.9	-79.3	-125.1	0.0	-11.5	-32.3	-63.8	-106.3	-230.1	-413.3	24"
325	231	185	154	131	113	0.0	-6.3	-20.9	-44.9	-79.3	-125.1	0.0	-11.5	-32.3	-63.6	-106.3	-230.0	-413.3	24"
1911	1393	998	710	521	411	0.6	0.0	-2.9	-8.6	-17.6	-30.5	1.9	0.0	-4.7	-12.7	-24.7	-63.2	-126.9	24"
2102	1463	993	671	476	375	0.5	0.0	-2.7	-8.2	-17.0	-29.8	1.8	0.0	-4.5	-12.4	-24.3	-63.8	-130.7	24"
3896	3131	2494	1963	1525	1170	0.5	0.8	0.0	-2.1	-5.6	-10.7	1.8	1.6	0.0	-3.0	-7.6	-22.5	-46.8	24"
3912	3254	2688	2201	1787	1438	0.6	1.0	0.0	-2.4	-6.4	-12.1	2.2	1.8	0.0	-3.4	-8.5	-24.7	-50.5	24"
1762	1169	755	494	359	291	0.6	0.0	-3.0	-9.2	-19.1	-33.9	2.0	0.0	-5.1	-14.1	-27.8	-74.0	-152.3	24"
1921	1280	841	577	445	369	0.8	0.0	-3.8	-11.3	-23.5	-41.2	2.5	0.0	-6.3	-17.1	-33.6	-87.7	-176.4	24"
3261	2579	2014	1553	1181	897	0.2	0.0	-1.7	-5.1	-10.4	-17.9	2.6	2.1	0.0	-4.4	-10.3	-30.5	-64.0	20"
4337	3510	2812	2228	1747	1361	0.2	0.0	-1.7	-5.1	-10.3	-17.6	2.5	2.1	0.0	-3.9	-10.0	-29.4	-60.7	24"
4263	3139	2262	1602	1138	844	0.3	0.0	-2.2	-6.5	-13.5	-23.4	1.5	0.0	-3.6	-9.8	-19.1	-49.1	-99.5	24"
629	449	360	300	254	217	0.0	-6.5	-21.6	-46.3	-81.8	-129.1	0.0	-11.8	-33.3	-65.5	-109.5	-237.4	-426.2	24"
1650	1015	661	501	411	346	0.0	-2.7	-10.0	-23.0	-43.0	-71.2	0.0	-5.9	-17.6	-36.3	-63.1	-145.5	-273.0	20"
1650	1015	661	501	411	346	0.0	-2.7	-10.0	-23.0	-43.0	-71.2	0.0	-5.9	-17.6	-36.3	-63.1	-145.5	-273.0	20"
2942	1755	1010	630	472	381	0.6	0.0	-3.2	-9.9	-21.3	-38.5	2.1	0.0	-5.6	-15.9	-32.1	-87.8	-182.7	24"
2644	1768	1162	791	603	498	0.7	0.0	-3.6	-11.3	-22.5	-39.5	2.4	0.0	-6.0	-16.4	-33.6	-84.3	-170.2	24"
1590	1227	1001	858	758	679	0.0	-4.7	-15.8	-34.0	-60.0	-94.5	0.0	-8.7	-24.6	-48.2	-80.3	-172.4	-305.9	24"
4620	3689	2924	2308	1839	1469	0.7	0.0	-3.3	-9.6	-19.2	-32.5	2.2	0.0	-5.2	-13.6	-25.8	-63.2	-121.7	24"
4712	3547	2640	1970	1516	1239	0.8	0.0	-3.5	-10.3	-20.8	-35.6	2.4	0.0	-5.6	-14.9	-28.5	-71.5	-140.4	24"

			BALLES poids en grs.	Type	Vitesse Bouche	50v	100	Force vive Bouche	50v	100	Trajectoire 50v	100	
22 REM. « JET » MAG.	R22JET	6½	40	SP	2100	1790	1510	390	285	200	0.3''	1.4''	8⅜''
221 REM. « FIRE BALL »	R221F	7½	50	PSP	2650	2380	2130	780	630	505	0.2''	0.8''	10½''
25 (6.35MM) AUTO. PISTOL	R25AP	1½	50	MC	810	755	700	73	63	54	1.8''	7.7''	2''
32 S. & W.	R32SW	5½	88	L	680	645	610	90	81	73	2.5''	10.5''	3''
32 S. & W. LONG	R32SWL	1½	98	L	705	670	635	115	98	88	2.3''	10.5''	4''
32 SHORT COLT	R32SC	1½	80	L	745	665	590	100	79	62	2.2''	9.9''	4''
32 LONG COLT	R32LC	1½	82	L	755	715	675	100	93	83	2.0''	8.7''	4''
32 (7.65MM) AUTO. PISTOL	R32AP	1½	71	MC	905	855	810	129	115	97	1.4''	5.8''	4''
357 MAG.	R357M7	5½	110	SJ-H.P.	1295	1094	975	410	292	232	0.8''	3.5''	4''
VENTED BARREL	R357M1	5½	125	SJ-H.P.	1450	1240	1090	583	427	330	0.6''	2.8''	4''
	R357M2	5½	158	SJ-H.P.	1235	1104	1015	535	428	361	0.8''	3.5''	4''
	R357M3	5½	158	SP	1235	1104	1015	535	428	361	0.8''	3.5''	4''
	R357M4	5½	158	MP	1235	1104	1015	535	428	361	0.8''	3.5''	4''
	R257M5	5½	158	L	1235	1104	1015	535	428	361	0.8''	3.5''	4''
	R357M6	5½	158	L (BC)	1235	1104	1015	535	428	361	0.8''	3.5''	4''
9 MM LUGER	R9MM1	1½	115	JHP	1110	1030	971	339	292	259	1.0''	4.1''	4''
AUTO. PISTOL	R9MM2	1½	124	MC	1115	1047	971	341	200	241	0.9''	3.9''	4''
380 AUTO. PISTOL	R380AP	1½	95	MC	955	865	785	190	160	130	1.4''	5.9''	4''
	R380A1	1½	88	JHP	990	920	868	191	165	146	1.2''	5.1''	4''
38 AUTO. COLT PISTOL	R38ACP	1½	130	MC	1040	980	925	310	275	245	1.0''	4.7''	4½''
38 SUPER AUTO.	R38SU1	1½	115	JHP(+)	1300	1147	1041	431	336	277	0.7''	3.3''	5''
COLT PISTOL	R38SUP	1½	130	MC(+)	1280	1140	1050	475	375	320	0.8''	3,4''	5''
38 S. & W.	R38SW	1½	146	L	685	650	620	150	135	125	2.4''	10.0''	4''
38 SPÉCIAL	R38S1	1½	95	SJ(+)	1175	1044	959	291	230	194	0.9''	3.9''	4''
VENTED BARREL	R38S10	1½	110	SJHP(+)	1020	945	887	254	218	192	1.1''	4.9''	4''
	R38S2	1½	125	SJHP(+)	945	898	858	248	224	204	1.3''	5.4''	4''
	R38S3	1½	148	TLW.C.	710	634	566	166	132	105	2.4''	10.8''	4''
	R38S4	1½	158	TL	755	723	692	200	183	168	2.0''	8.3''	4''
	R38S5	1½	158	LRN	755	723	692	200	183	168	2.0''	8.3''	4''
	R38S6	1½	158	SW	755	723	692	200	183	168	2.0''	8.3''	4''
	R38S7	1½	158	MP	755	723	692	200	183	168	2.0''	8.3''	4''
	R38S8	1½	158	L(+P)*	915	878	844	294	270	250	1.4''	5.6''	4''
	R38S12	1½	158	LHP(+)*	915	878	844	294	270	250	1.4''	5.6''	4''
	R38S9	1½	200	L	635	614	594	179	168	157	2.8''	11.5''	4''
38 SHORT COLT	R38SC	1½	125	L	730	685	645	150	130	115	2.2''	9.4''	6''
41 REM. MAG.	R41MG1	2½	210	SP	1300	1162	1062	788	630	526	0.7''	3.2''	4''
VENTED BARREL	R41MG2	2½	210	L	965	898	842	434	376	331	1.3''	5.4''	4''
44 REM. MAG.	R44MG5	2½	180	SJHP	1610	1365	1175	1036	745	551	0.5''	2.3''	6''
VENTED BARREL	R44MG1	2½	240	LGC	1350	1186	1069	971	749	608	0.7''	3.1''	4½''
	R44MG2	2½	240	SP	1180	1081	1010	741	623	543	0.9''	3.7''	4½''
	R44MG3	2½	240	SJHP	1180	1081	1010	741	623	543	0.9''	3.7''	4½''
	R44MG4	2½	240	L (Med. Vel.)	1000	947	902	533	477	433	1.1''	4.8''	4½''
44 S. & W. SPÉCIAL	R44SW	2½	246	L	755	725	695	310	285	265	2.0''	8.3''	6½''
45 COLT	R45C	2½	250	L	860	820	780	410	375	340	1.6''	6.6''	5½''
45 AUTO.	R45AP1	2½	185	MCW	770	707	650	244	205	174	2.0''	8.7''	5''
	R45AP2	2½	185	JHP	940	890	846	363	325	294	1.3''	5.5''	5''
	R45AP4	2½	230	MC	810	776	745	335	308	284	1.7''	7.2''	5''
45 AUTO. RIM	R45AR	2½	230	L	810	770	730	335	305	270	1.8''	7.4''	5½''
38 S. & W.	R38SWBL	1½	-	B	-	-	-	-	-	-	- ''	- ''	-
32 S. & W.	R32BLNK	5½	-	B	-	-	-	-	-	-	- ''	- ''	-
38 SPÉCIAL	R38BLNK	1½	-	B	-	-	-	-	-	-	- ''	- ''	-

Winchester cartouches	BALLES POIDS en grains		vitesse BOUCHE	100v.	force vive en pieds-livre BOUCHE	100v	Trajectoire moyenne 100v
22 Short Super-X	29	L	1095	902	77	52	4.5
22 Short H.P. Super-X	27	L	1120	904	75	49	4.4
22 Long Super-X	29	L	1240	961	99	59	3.9
22 Long Rifle Super-X	40	L	1255	1016	140	92	3.6
22 Long Rifle DYNAPOINT Super-X	40	L	1255	1016	140	92	3.6
22 Long Rifle H.P. Super-X	37	L	1280	1013	135	84	3.5
22 Long Rifle Shot Super-X (no 12 Shot	—	—	—	—	—	—	—
22 Long Rifle Xpediter H.P.	29	L	1680	1079	182	75	2.5
22 Winchester MAGNUM R.F. Super-X	40	JHP	1910	1326	324	156	1.7
22 Winchester MAGNUM R.F. Super-X	40	FMC	1910	1326	324	156	1.7
22 Short T22	29	L	1045	872	70	49	4.8
22 Long Rifle T22	40	L	1150	975	117	84	4.0
22 Short Blank	—	—	—	—	—	—	—
22 Short C.B.	29	L	715	—	33	—	—

Remington cartouches		BALLES POIDS en grains		vitesse BOUCHE	100v.	force vive en pieds-livre BOUCHE	100v	Trajectoire moyenne 100v
22 Long Rifle « Viper »	1922	36	TCS	1410	1056	159	89	3.1
22 Long Rifle « Yellow Jacket »	1722	33	TCHP	1500	1075	165	85	2.8
	1522	40	L	1255	1017	140	92	3.6
22 Long Rifle	1500	40	L	1255	1017	140	92	3.6
	1622	36	HP	1280	1010	131	82	3.5
	1600	36	HP	1280	1010	131	82	3.5
22 Long	1322	29	L	1240	962	99	60	3.9
22 Short	1022	29	L	1095	903	77	52	4.5
	1122	27	HP	1120	904	75	49	4.4
22 Long Rifle	6122	40	L	1150	976	117	85	4.0
	6100*	40	L	1150	976	117	85	4.0
22 Short	5522	29	L	1045	872	70	49	4.8

L'équipement du chasseur

Ce qu'il faut apporter à la chasse ?

Voici une brève liste que vous comparerez à la vôtre et ajusterez en fonction des gibiers que vous convoitez :

Équipement de chasse

Allumettes (contenant hermétique)
Cornet de bouleau, appeaux, pipeaux
Cartes, boussole
Fusil ou carabine de calibre approprié
Collier de portage, corde résistante
Couteaux
Étui à carabine ou à fusil
Fronde (pour abattre lièvres, perdrix
    pour la marmite) si légal
Galon à mesurer (mètre)
Hache
Jumelles
Munitions (ne pas oublier l'ajustement
    des mires)
Outils et matériel d'urgence pour réparer
    une arme
Permis de chasse
Sacs de coton pour emballage
    de la viande
Scie à viande et lames
Trousse de nettoyage pour carabine

Toilette et premiers soins

Aspirine
Brosse à dents et pâte dentifrice
Médicaments prescrits
Mouchoirs de papier
Papier de toilette
Peigne, savon
Rasoir et lames
Serviettes de bain, débarbouillette
Trousse de premiers soins

Matériel photographique

Caméra ou ciné-caméra
Cellule photo-électrique
Films appropriés, filtres...
Lampe-éclair, lentilles
Papier ou tissu à nettoyer les lentilles

Vêtements

Bas de laine
Casquettes de chasse (fluorescentes
    de préférence pour la sécurité)
Chandails et veste de laine
Chaussures, chemises
Cuissardes, dossard
Gants de travail
Imperméable
Lunettes (si nécessaire)
Nécessaire à couture
Pantalons, sous-vêtements

Transport

Avirons et rames
Canot ou chaloupe
Ceinture ou gilet de sauvetage
Essence
Goupilles (« pins »)
Huile à moteur
Moteur hors-bord
Outils pour réparations d'urgence

Équipement pour logement et séjour

Carburant
Lampes portatives et de poche
Nourriture pour la durée du séjour prévu
Poêle à tente et réchaud à gaz
Sac de couchage de duvet
Toile de fond et lits pliants
Tente légère, si nécessaire

Il ne faut pas oublier *que le soleil n'est pas toujours* suspendu au ciel lors des excursions de chasse. Pour les journées pluvieuses, mettez dans vos bagages quelques bons bouquins et, comme référence en tout temps, votre *Guide de la chasse Jean Pagé*.

Une dernière recommandation : n'oubliez pas la veste fluorescente, le complément essentiel à votre sécurité.

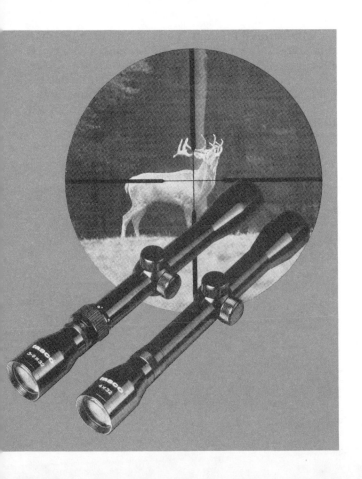

La lunette de visée

La question se pose évidemment chaque année lorsque vient la saison de la chasse : la lunette de visée est-elle nécessaire ?

Je vous répondrai qu'elle n'est pas essentielle, mais que ceux qui l'ont déjà utilisée auraient maintenant du mal à s'en passer !

En choisissant un tel accessoire de chasse, le nemrod ne devrait pas s'imaginer faire l'acquisition d'une lunette qui sert uniquement à rapprocher visuellement le gibier. C'est là l'erreur que commettent la plupart de ceux qui se procurent une lunette, ce qui incite les marchands à offrir des modèles dont le grossissement varie de 3 à 9 fois. Ceux-ci limitent, de ce fait, le champ de vision et font perdre le gibier de l'objectif au moindre soubresaut. Plus la lunette est puissante, plus elle est difficile à utiliser en chasse libre, c'est-à-dire en tirant tout en n'ayant pas de point d'appui.

On devrait plutôt se rappeler qu'une lunette augmente la visibilité, plus particulièrement tôt le matin et après le coucher du soleil, c'est-à-dire au cours des deux périodes de la journée les plus favorables à la chasse.

On devrait également retenir que cet instrument optique permet un alignement ou une visée beaucoup plus rapide de la cible du fait qu'une simple croix (réticule), centrée sur l'animal, permet de faire mouche.

Le mode de visée conventionnel nécessite pour sa part l'alignement du guidon avant et celui de la mire arrière, pour enfin tenter de rencontrer l'objectif à tirer, ce qui accroît le risque possible d'imprécision comparativement à la lunette de visée.

Comme nous le mentionnions précédemment, les modèles variables 3 x 9 sont les plus en demande, mais je ne sais pas pour quelle raison. Il devrait en être autrement, et ce à cause des boisés où nous chassons et du gibier qui s'y trouve. Dans la plupart des cas, le chevreuil est tiré à courte distance, de même que l'orignal répondant à l'appel ou approché en canot; évidemment, il y a des exceptions. Quant au caribou, un rapprochement visuel à l'aide d'une lunette peut s'avérer nécessaire, mais l'objectif 9 x dépasse la norme recommandable.

Selon l'armurier Charles Marboeuf, on devrait surtout choisir une lunette de visée 1,5 x 4,5 au Québec. À son plus petit objectif, c'est-à-dire 1,5, ce genre d'instrument permet de tirer les deux yeux ouverts plutôt qu'un seul, évitant ainsi de perdre le gibier à cause d'un champ de vision trop restreint. En cas de nécessité, si le gibier est éloigné, un rapprochement de 3, 4,5 est nettement suffisant.

À mon avis, une lunette 1 x, c'est-à-dire sans aucun rapprochement, conviendrait, mais c'est un article difficile à trouver.

Une attention toute particulière devrait aussi être apportée à l'attachement servant à retenir le tube ou instrument d'optique sur la carabine. On ne devrait pas oublier que les montures les plus basses sont les meilleures pour les raisons suivantes : elles sont beaucoup plus précises, moins fragiles, plus difficiles à déplacer à la suite d'un choc et peuvent être appuyées à la crosse.

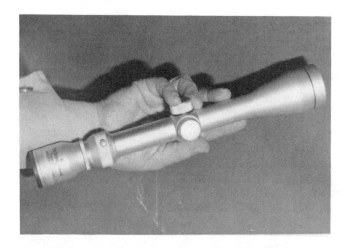

La hache, outil de survivance...

Si un homme des bois expérimenté apprend qu'il aura à passer une période indéfinie en forêt et que sa survivance dépendra d'un unique instrument qu'il pourra choisir d'avance, nous pouvons facilement présumer qu'il optera simplement pour une « hache ».

Cet outil tranchant lui permettra de bâtir un abri, de couper le bois nécessaire au chauffage, de monter un radeau, de tailler un aviron, de façonner des collets et pièges, de se fabriquer des armes : dards, arcs et flèches. Il s'en servira aussi pour couper la viande. Ce morceau de métal lui rendra la vie heureuse et sécurisante.

Comment choisir ?

Il y a autant de modèles de hache que de manufacturiers qui en fabriquent, mais une hache doit être choisie en fonction du travail à entreprendre. Elle devrait être aussi grosse que possible, sans toutefois être trop lourde pour quiconque la manie. Celui qui gagne sa vie en bûchant connaît par expérience ce qui lui convient et serait handicapé par un outil au manche trop court et à la tête trop légère. Par contre, celui qui doit transporter une hache, soit le trappeur ou le chasseur, serait insensé de se munir d'un instrument lourd avec un manche démesuré. Toutefois, il ne devrait pas non plus s'acheter une hachette tel-

lement petite qu'elle ne l'aiderait aucunement ; aussi bien traîner avec soi un bon gros couteau.

Quant à choisir un manche droit ou courbé, cela demeure une question de goût, car ce n'est pas d'un outil de travail que vous faites l'acquisition, mais plutôt d'un équipement de chasse pour agrémenter vos excursions dans la nature.

Pour bien chasser l'hiver...

Si vous avez à chasser l'hiver, ces quelques conseils vous serviront:

— Apportez une paire de gants ou de mitaines en surplus. Lorsque la première paire sera mouillée, en enfilant l'autre vous éviterez des engelures.

— Protégez les endroits de votre peau exposés aux morsures du froid en y appliquant une mince couche de vaseline. Cette fine pellicule se transformera en isolant.

— Appliquez un antisudorifique sur vos pieds; en contrôlant ainsi la transpiration, vous éliminerez l'humidité qui les fait geler. Vous obtiendrez le même effet en étendant de la fécule de maïs dans le fond de vos bottes.

— Si vos bottes sont mouillées, asséchez-les en roulant à l'intérieur de petites pierres que vous aurez au préalable fait chauffer ou, encore mieux, utili-

sez au retour l'aspirateur à tapis. Inversez les commandes, puis soufflez l'air à l'intérieur de vos bottes.

— Si la journée est ensoleillée, nous vous recommandons fortement de porter des verres polarisés afin de protéger vos yeux contre les effets nocifs des rayons de soleil se réverbérant sur la neige.

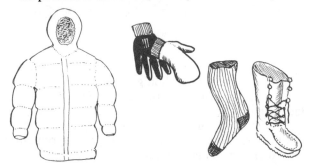

Si vous désirez vous fabriquer des mitaines de dépannage, voici comment vous y prendre: A) Placez deux morceaux d'étoffe de votre choix l'un sur l'autre, puis tracez le contour de votre main sur la partie supérieure, tout en laissant suffisamment de jeu tout autour; B) Découpez en suivant le tracé et cousez les deux parties ensemble.

Description	Chute en pouces 200 v	Croise la ligne de visée une première fois à v approx.	50 v	75 v	100 v	125 v	150 v	200 v	250 v	300 v	400 v
22 Hornet	7.0	29.0		+1.5			⊕	-4.0			
22 Savage	4.5	25.0			+2.0			⊕	-4.5		
222 Remington	3.5	30.0			+2.0			⊕	-3.5	- 3.0	-15.5
243 Winchester	2.5	30.0							⊕	- 3.5	-16.5
243 Winchester	3.0	27.5							⊕		
6.5 x 53 mm Man.-Sch.	7.5	25.5		+1.5	+3.5			-4.0		-13.0	-39.0
6.5 x 55 mm	6.5	21.0	+2.0		⊕			⊕	-5.0		
25-20 Winchester	24.0	16.0									
25-35 Winchester	7.5	23.0		+1.5				-4.5			
250 Savage	4.0	27.5			+2.0			⊕	-4.0		-14.5
270 Winchester	2.0	31.5			+2.0	+2.5			⊕	- 3.5	-16.0
270 Winchester	2.5	27.5				+3.0			⊕	- 4.0	-16.0
270 Winchester	2.5	27.5				+3.5			⊕	- 4.0	-25.0
270 Winchester	4.5	28.5			+2.0	+4.0		-4.0	-4.0	- 4.0	-18.5
7 x 57 mm Mauser	3.5	27.0						-4.5	⊕		-28.5
7 x 57 mm Mauser	4.5	29.0			+2.5	+3.5		-4.5	⊕		-18.0
7 mm Rem. Mag.	3.5	25.0						-4.0	⊕		
30-30 Winchester	7.0	27.0		+1.5			⊕		-5.5		-41.0
30-30 Winchester	8.0	23.0		+1.5	+3.0	+3.0	⊕		⊕		-19.5
30-30 Winchester	8.0	23.0		+1.5	+3.5	+3.5	⊕		⊕	- 4.0	-17.5
30-30 Winchester	8.0	23.0		+1.5	+3.0		⊕		⊕	- 4.0	-17.5
30-30 Winchester	7.0	27.0		+2.0		+4.0	⊕		-4.0	- 4.0	-32.5
30 Remington	9.0	20.0			+3.0	+4.0			⊕	- 4.5	-20.5
30-40 Krag	6.0	21.0				+3.0			-5.5		-21.0
30-06 Springfield	3.0	27.0			+2.5			⊕	-7.0		-41.0
30-06 Springfield	3.5	25.0				+3.0		⊕	⊕	- 3.5	-19.5
30-06 Springfield	3.5	25.0				+3.5		⊕	⊕	- 4.0	-17.5
30-06 Springfield	5.0	24.0			+3.0	+3.5		⊕	⊕	- 4.0	-17.5
30-06 Springfield	4.5	21.0			+3.5	+4.0		⊕	-4.0	- 4.5	-32.5
30-06 Springfield	4.5	20.0						⊕	⊕		-20.5
30-06 Springfield	6.0	21.0						⊕	⊕		-41.0
300 Winc.-Mag.	3.0	27.5			+2.5	+3.0		⊕	-3.5		-14.5
300 Savage	4.5	26.0			+3.0			-4.5	-5.5		-29.0
300 Savage	4.5	26.0			+3.0			-4.5	-5.5		-43.0
300 Savage	7.0	20.0			+3.0			-5.0	-5.5		-35.0
303 Savage	10.5	17.5									
303 British	4.5	22.0				+4.5			⊕	- 5.0	-23.0
303 British	4.5	23.0				+4.5			⊕	- 5.0	-23.0
303 British	6.0	23.0				+4.5			⊕		-41.0
303 British	5.0	19.0			+3.0	+5.0			-4.0	- 5.0	-23.0
303 British	5.1	17.5				+3.5			⊕	- 5.5	-26.5
303 British	9.0	16.0				+3.5			⊕		-54.0
308 Winchester	4.0	25.0			+4.5	+4.5		⊕	-5.0		-20.0
308 Winchester	5.5	23.0						⊕	-7.0		-20.0
308 Winchester	4.5	22.0			+3.0			⊕	⊕		-38.0
308 Winchester	6.0	22.0			+3.0	+4.5		⊕	⊕	- 5.0	-21.5
8 mm Mauser	5.5	22.5			+3.5			⊕	-5.5	-12.0	-35.0
32-20 Winchester	22.0	16.5	+2.0			-3.5	⊕	-4.5	-5.5		-33.5
32 Winchester Special	8.0	23.0		+2.0				-4.5	0.0		
32 Winchester Special	9.0	20.0		+2.0				-5.0	-5.0		
32 Remington	18.5	20.0	+1.0	+2.0					-5.5		
32-40 Winchester	10.5	21.0				-2.5	⊕	-6.0			
35 Remington	6.0	19.5	+2.5					⊕			
358 (8.8 mm) Winc.	29.0	20.5			+3.0	-4.0		⊕	-5.0	- 5.0	-38.5
38-40 Winchester	17.0	14.5	+2.0						-12.0		
38-55 Winchester	24.0	13.5	+3.0			-3.5		-8.5			
43 (11 mm) Mauser	30.0	16.0			⊕	-4.5		⊕			
44-40 Winchester	15.5	12.5		+4.5	⊕			-8.0			
44 Remington Magnum		13.0									

Table des distances

L'entretien des armes

Au retour d'une excursion de chasse ou d'une partie de tir, vous devriez vous astreindre à une discipline, soit celle de bien nettoyer l'arme utilisée. Qu'il s'agisse d'un fusil à canon lisse ou d'une carabine rayée, il ne faut jamais remettre à plus tard cette brève opération... qu'importe la fatigue!

La poudre employée dans la fabrication de nos munitions étant corrosive, elle attaque le métal intérieur du canon, même si celui-ci est de la meilleure qualité, même chromé. Quant à l'extérieur de l'arme, la pluie, la boue, la neige, l'humidité et même seulement la transpiration des mains pourront l'abîmer. Il est donc recommandé:

1— De démonter l'arme, de l'essuyer complètement à l'aide d'un chiffon doux et sec.
2— D'enlever les résidus de poudre à l'intérieur du canon en utilisant un autre chiffon retenu à une baguette, ou une ficelle conçue à cet effet.
3— De brosser ensuite l'intérieur du canon à l'aide de la brosse circulaire pour enlever l'emplombage ou les traces de bourres.
4— De passer de nouveau un chiffon propre et, par la suite, d'humecter d'un peu d'huile antirouille pour assurer une protection complète.
5— Ceci dit pour l'astiquage du canon, il faut aussi nettoyer et graisser les parties du mécanisme, sans oublier la crosse et le fût qui nécessitent également l'entretien.

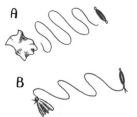

Si vous n'avez pas ce nécessaire habituellement utilisé pour nettoyer les canons d'armes à feu: A) Prenez un morceau de chiffon, un bout de ficelle et un plomb servant à la pêche. B) Réunissez les trois éléments et, en un clin d'oeil, en glissant le tout à l'intérieur, votre canon sera brillant comme un sou neuf.

Calibres et munitions

Les calibres

C'est à un armurier français du nom de Lefaucheux que reviendrait l'honneur, dit-on, d'avoir inventé la première cartouche. C'est également lui qui serait à l'origine du premier système à percussion pour cette arme à canon lisse qu'est le «fusil».

Il y a quelque 175 ans, un autre armurier, cette fois-ci un Anglais, Joe Manton, établit les normes de chargement pour ces fusils à canon lisse, ceux que nous identifions encore aujourd'hui comme «à baguette» ou «chou-creux», c'est-à-dire, comme je l'ai déjà spécifié, «ceux qui se chargent par le canon». Ces normes sont encore d'actualité puisque nous les retrouvons parfois sur les couvercles des boîtes de munitions que nous achetons. Joe Manton avait établi, après de longues expériences, que de «1 à 1¼ once» de projectiles ou plombs constituait une charge pouvant être propulsée par 3½ drachmes de poudre noire, ce qui, pour la chasse, représente l'équilibre idéal de chargement d'une cartouche ou d'un canon.

Pourquoi un .10, .12, ...et .410?

Aujourd'hui, les calibres usuels sont les suivants: .10, .12, .16, .20, .28 et .410. Mais les chasseurs ont déjà utilisé des fusils de calibre .4. Surprenant, n'est-ce pas? Imaginez le canon monstre de cette arme et les épaules de l'individu qui devait accuser le recul d'une telle pièce d'artillerie.

Les premiers fusils servaient à tirer des projectiles uniques, habituellement des sphères de plomb. Il était donc normal que les armuriers de l'époque définissent le diamètre du canon d'un fusil en terme de pesanteur d'une boule de plomb.

Pour définir ces fameux calibres, les experts des siècles suivants décidèrent que «le nombre de sphères de plomb entrant dans un canon donné, pour former un poids d'une livre, devait par leur nombre déterminer le calibre du fusil». En d'autres mots, si 12 boules de plomb exactement de même grosseur pèsent une livre, elles peuvent être introduites de justesse dans le canon d'un fusil de calibre .12. Ce calibre est donc déterminé par le diamètre d'une sphère de plomb dont la pesanteur est de $\frac{1}{12}^e$ de livre. Il en est donc encore de même de nos jours pour le .10, le .16, le .20 et le .28, mais que doit-on penser du .410?

Le .410, une exception à la règle

Dans ce mode d'identification des divers calibres expliqué précédemment, le fusil de calibre .410 fait exception à la règle parce que sa fabrication est plus récente. L'explication du calibre est beaucoup plus logique: .410 signifie tout simplement un diamètre précis de .410 po. Selon l'ancien système en vigueur pour déterminer les calibres des autres fusils, son calibre serait un «.67», ce qui nous semble aujourd'hui très loufoque.

— Si vous devez coucher à l'extérieur, sous une tente ou dans un chalet peu chauffé, le matelas pneumatique est à déconseiller. Il absorbe le froid, l'air qu'il contient devient glacé et, de ce fait, élimine la chaleur dégagée par le corps. Utilisez plutôt un matelas de 3 à 5 cm (1 ou 2 po) d'épaisseur, en caoutchouc-mousse ou autre produit synthétique du genre. Vous aurez là un bon isolant qui saura conserver la chaleur de votre organisme.

Les raquettes

Ces dernières années, plus que jamais, depuis que l'homme blanc posa le pied sur le sol de l'Amérique, autant de raquettes furent fabriquées. La plupart des mammifères sauvages se plongeront dans l'hibernation, mais les forêts résonneront des rires de joyeux raquetteurs tout au long de l'hiver. L'homme désire se rapprocher de la Nature, le silence et la solitude semblant lui imposer ce contraste. N'est-il pas le résidant des villes aux bruits infernaux, celui qui est prisonnier de cette cohue ?

Si vous désirez des raquettes pour chasser l'hiver, choisissez un produit de qualité. Les plastiques ou métaux légers ne remplaceront jamais le cerceau de frêne entrecroisé de « babiche » ou cuir d'orignal.

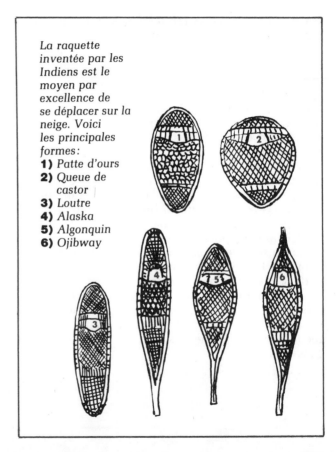

La raquette inventée par les Indiens est le moyen par excellence de se déplacer sur la neige. Voici les principales formes :

1) *Patte d'ours*
2) *Queue de castor*
3) *Loutre*
4) *Alaska*
5) *Algonquin*
6) *Ojibway*

Un substitut dans la fabrication s'imposait car si nous nous en tenons à la popularité de ce sport, nous aurions eu disette d'orignaux très rapidement. La peau de vache a maintenant succédé au cuir d'orignal et ces animaux n'on qu'à s'en réjouir.

Plusieurs formes de raquettes existent, les nombreuses tribus étant à l'origine de ces divers modèles. Les sédentaires optant pour des formes arrondies, tandis que les nomades leur préféraient les modèles allongés. Ce choix de forme par les Indiens devrait vous influencer au moment de l'achat. Celui qui n'avait qu'à trapper ou chasser à proximité des siens fabriquait la «patte d'ours», du fait qu'elle n'était pas encombrante en forêt. Celui qui avait de longues distances à parcourir se servait plutôt d'un modèle allongé pour voyager au travers des plaines ou sur la surface de lacs gelés; fort probablement ce qui incita les Ojibways à créer le modèle de raquette portant encore de nos jours leur nom.

Il ne faudrait pas oublier que l'extrémité arrière effilée d'une raquette possède sa raison d'être. C'est le complément vous permettant de maintenir la direction de droite ligne lorsque vous marchez de longues distances.

Méthodes de chasse au Québec

Les méthodes de chasse diffèrent les unes des autres selon leurs buts. Elles pourraient nécessiter des pages et des pages d'explications pour bien en développer les éléments et sous-éléments, mais nous pouvons tout de même les regrouper en 5 techniques principales.

La chasse devant soi

C'est la recherche du gibier, qu'il faut débusquer

pour le mettre sur pied ou sur l'aile, et le tirer pendant qu'il est encore à portée de fusil ou de carabine. Pour plusieurs, c'est la chasse « fine », ce qui ne pourrait être plus vrai puisque l'homme doit vraiment rivaliser de finesse avec le gibier. C'est aussi l'approche et la lecture des traces du gibier laissées au sol.

On chasse le Petit gibier devant soi, de même que le Gros, ainsi que la Sauvagine. Cette dernière de façon plus occasionnelle dans les joncs.

La chasse à l'affût

C'est l'attente du gibier en retenant souvent son souffle tout en se dissimulant et en ayant soin de prendre position à contre vent; l'animal se présentera spontanément ou à la suite d'un appel. C'est un exercice de patience que pratiquent les chasseurs de gros gibiers, mais aussi de canards et d'oies. (Quant à la Sauvagine, nous y avons consacré toute la troisième partie de ce guide.)

La chasse en battue

Le gibier est tout d'abord poussé par des rabatteurs, en direction d'autres chasseurs placés à l'affût qui, eux, tirent lorsqu'ils aperçoivent l'animal. Ce mode de chasse devrait s'appeler plus justement *rabat,* du fait qu'il comporte deux lignes, l'une postée, l'autre en marche. La véritable battue, selon les traités cynégétiques français, n'en comporte qu'une qui bat le terrain devant elle. Certains petits et gros gibiers se chassent ainsi, rarement la Sauvagine.

La chasse en battue

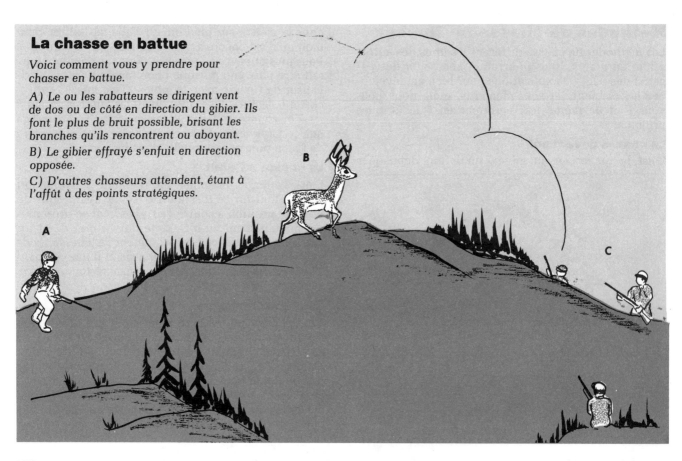

Voici comment vous y prendre pour chasser en battue.

A) Le ou les rabatteurs se dirigent vent de dos ou de côté en direction du gibier. Ils font le plus de bruit possible, brisant les branches qu'ils rencontrent ou aboyant.

B) Le gibier effrayé s'enfuit en direction opposée.

C) D'autres chasseurs attendent, étant à l'affût à des points stratégiques.

Roue du roi

1 Afin de protéger leurs yeux des branches et contre les dangers occasionnés par l'explosion de la poudre, les chasseurs devraient toujours porter des verres protecteurs.

2 En attendant le gibier, appuyez-vous sur le tronc d'un arbre. Vous dissimulerez ainsi votre silhouette et serez assis confortablement. Si vous avez la précaution de vous apporter un coussin, les longues attentes vous paraîtront beaucoup plus brèves.

3 Pour ceux qui se demandent ce qu'est une «roue du roi», voici une brève explication. Dix chasseurs prennent position autour d'un boisé du centre duquel les Faisans prennent leur envol. À tous les cinq oiseaux libérés, les chasseurs changent de position en se dirigeant vers la droite.

La chasse avec chiens

L'homme peut devenir un chasseur incomparable grâce à la collaboration du chien, puisque celui-ci peut lui prêter son instinct et son odorat.

Trois grands groupes, comportant chacun des sous-groupes, composent cette méthode de chasse avec chiens:

a) Les chiens courants, qui débusquent et font déplacer le gibier.*

b) Les chiens d'arrêt, les leveurs ou rapporteurs de gibier.*

c) Les chiens terrier.*

La chasse à courre

On cherche un animal valable en se basant sur les empreintes laissées au sol, puis, par la suite, chasseurs et chasseresses en tenue spéciale et au son des trompes se lancent à la poursuite du gibier en suivant la meute de chiens. Un cérémonial ainsi qu'un langage bien particulier s'associent à cette chasse très peu pratiquée en Amérique.

Pour nous, qui utilisons des armes et recommandons la mise à mort d'un animal en lui occasionnant le moins de souffrances possible, c'est un mode de chasse anachronique. C'est la poursuite jusqu'à épuisement total d'un noble animal, sa reddition et sa mise à mort, alors qu'il est cerné et incapable de se défendre.

* a)b)c) voir «Chiens de chasse», p. 133.

L'art de dépister le gibier

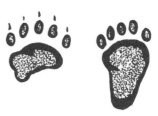

L'Ours noir

La vignette de gauche nous fait voir l'empreinte laissée par la patte avant de l'Ours noir; la vignette de droite, celle de la patte arrière du même animal.

Le poids de l'Ours noir à l'âge adulte peut excessivement varier. Certains individus pèseront aux environs de 91 kg (200 lb), tandis que d'autres du même âge pourront faire osciller l'aiguille de la balance à 204 kg environ (450 lb).

A cause de la couleur de son pelage, sa pesanteur est difficile à évaluer à distance, mais pour connaître la superficie de sa fourrure, la règle est très simple: ajoutez le chiffre «1» au nombre de pouces de sa patte avant. Ex.: si la piste illustrée ici mesurait 5 pouces de largeur et que nous ajoutions «1» à ce chiffre, nous obtiendrions 6, ce qui veut dire qu'un ours ayant une peau mesurant 6 pieds carrés serait passé par là. Superficie de la peau signifie longueur totale (étendue au sol), multipliée par la largeur et divisée par 2.

La lecture des traités de cynégétique les plus importants sera sans valeur si vous ne pouvez identifier, d'une façon positive, les empreintes laissées au sol par le gibier.

Voici quelques-unes des traces de nos animaux les plus familiers. Le dessous de la patte du Couguar est illustré dans le but de vous en faire apprécier la proportion comparativement à celle du Lynx du Canada:

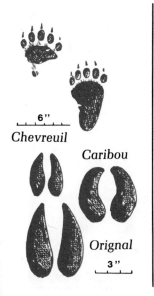

Chevreuil

Caribou

Orignal

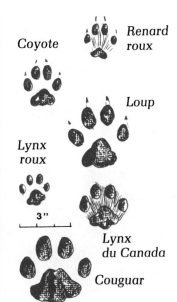

Coyote

Renard roux

Loup

Lynx roux

Lynx du Canada

Couguar

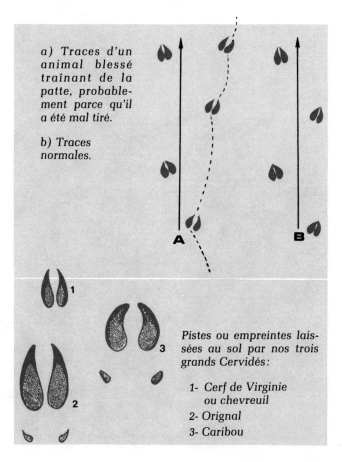

a) Traces d'un animal blessé traînant de la patte, probablement parce qu'il a été mal tiré.

b) Traces normales.

A   B

Pistes ou empreintes laissées au sol par nos trois grands Cervidés:

1- Cerf de Virginie ou chevreuil
2- Orignal
3- Caribou

131

Les chiens de chasse

Reconnu comme étant le meilleur ami de l'homme, le chien me semble, sans nul doute, le compagnon inséparable du chasseur. De toujours, les Canidés assistèrent l'homme, tantôt pour lui venir en aide sur le plan cynégétique récréatif, tantôt pour lui procurer sa nourriture. Le Terrier de Welch, le Airedale, le Fox-terrier, le Caniche, le Danois et plusieurs autres jouèrent ces divers rôles, mais sont devenus aujourd'hui des bêtes de compagnie, des chiens de garde ou les compagnons de jeux des enfants.

Voici un éventail de la race canine. Non pas un traité spécialisé sur les chiens, mais bien une brève énumération des chiens de chasse les plus populaires de nos jours.

CLASSIFICATION

Les chiens de chasse se divisent en quatre catégories distinctes: les Chiens d'arrêt, les Chiens courants, les Retrievers ou rapporteurs et les Terriers.

Les Chiens d'arrêt

Ces chiens doivent dépister le gibier à l'odorat. Une fois localisé, ils s'en approchent prudemment et l'arrêtent (d'où appellation «arrêt»). De là, ils pointent le gibier en le retenant sur place pour que le maître puisse s'approcher à son tour et le tirer. Lorsqu'il en reçoit l'ordre, ce chien fait fuir le gibier.

Les Chiens courants

Ces chiens chassent pour eux-mêmes, ce qui profite quand même à leur maître. Le plus représentatif des Chiens courants au Québec, est le «Beagle», le préféré de tous les chasseurs de lièvres. Ces chiens font lever le gibier lors de chasse en battue, permettant ainsi au chasseur d'apercevoir le gibier et de tirer.

Les Retrievers ou rapporteurs

Comme leur nom l'indique, ces bêtes recherchent, trouvent, et rapportent le gibier à leur maître. Ils jouent un rôle primordial dans la chasse à la sauvagine parce qu'ils récupèrent d'innombrables canards ou oies blessés.

Les Terriers

On les utilise pour poursuivre des animaux sauvages qui se terrent, ou, si vous préférez, qui se dissimulent dans un terrier. Chez nous, il existe plusieurs variétés de chiens dans cette catégorie, même si cette méthode de chasse n'est pas pratiquée.

Beagle

Poids: variable
Taille: 24 à 32 cm

Braque allemand

Poids: 25 à 32 kg
Taille: 50 à 65 cm

Nul concert ne peut remplacer, à l'oreille du chasseur, les aboiements d'une meute de Beagles lancée sur la piste d'un lièvre ou autres gibiers. Cette race canine serait l'une des plus anciennes de chiens de chasse européens, dits «Chiens courants». C'est un joyeux compagnon qui sait mettre en valeur ses qualités de chasseur le moment venu. Sa carrure est puissante, ses pattes fortes. Il est bien musclé et endurant. Poursuivant son gibier grâce à son flair, le Beagle peut chasser durant une journée entière, même si sa rapidité ne lui permet que de poursuivre le Lièvre ou le Lapin à queue blanche.

Parmi les Chiens d'arrêt, le Braque allemand est la race d'origine la plus ancienne, c'est pourquoi il est renommé pour la chasse. Il possède un odorat des plus subtils, de l'initiative et une volonté acharnée pour chercher et trouver le gibier. Ses formes sont parfaites et son style de travail sur le terrain recommande l'attention. On l'apprécie autant à l'eau qu'à la piste. C'est un animal docile, facile à diriger et, en outre, de comportement agréable à la maison. Le Braque allemand pointérisé, qui détecte et rapporte avec succès le gibier, est de plus en plus apprécié comme chien de chasse.

Chesapeake retriever

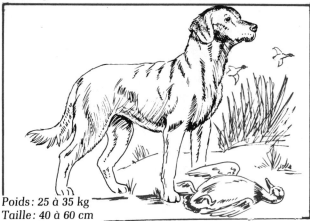

Poids: 25 à 35 kg
Taille: 40 à 60 cm

Ce chien proviendrait de l'accouplement de chiens des États-Unis et de Terre-Neuve rescapés lors du naufrage d'un vaisseau anglais échoué sur les côtes du Maryland, en 1870. On le nomme «Chesapeake», de la baie du même nom, où il est devenu le complément du chasseur aux canards en s'acclimatant, et ce malgré les courants excessivement froids de cette baie de l'Atlantique. On prétend qu'un bon Chesapeake peut rapporter jusqu'à cent canards quotidiennement. Les poils huileux et rugueux de sa fourrure la rendent imperméable. Sa livrée est brun foncé ou roux clair.

Épagneul breton

Poids: variable
Taille: 36 à 40 cm

Encore inconnu il y a 75 ans, cet animal est le dernier-né des Épagneuls français. Rapporteur aussi bien que Chien d'arrêt, complément parfait pour la chasse au bois autant qu'en marais, c'est aujourd'hui le chien de chasse le plus répandu au monde. Trapu, d'une hauteur médiane se situant entre celle du Setter et du Cocker, il naît avec une queue très réduite. Sa livrée est blanche tachetée de marron ou d'orange et son poil fin et soyeux. De la même race, mais de plus grande taille, l'Épagneul français a plus d'endurance. C'est également un excellent rapporteur et Chien d'arrêt.

Épagneul (Cocker américain)

Poids : 10 à 12 kg
Taille : variable

On le nomme Cocker, car il servait autrefois à lever la « bécasse » ou « wood cocker ». Aujourd'hui, par son tempérament joyeux et pacifique, ce chien est devenu un fidèle compagnon des enfants et il ajoute à l'ambiance de tout foyer. Robuste, ses poils sont longs et souples, plus particulièrement aux oreilles, sous la poitrine, les pattes et l'abdomen. Sa livrée noire, rousse ou beige peut même combiner l'une de ces couleurs au blanc. On l'admire souvent lors de ses participations aux expositions canines. Ce sont surtout ses yeux qui attirent l'attention par le reflet d'intelligence et de la grande douceur qu'on y découvre. Sa grande popularité relève de son tempérament affectueux, de son caractère enjoué et de sa docilité au dressage.

Épagneul (Cocker anglais)

Poids : 12 kg
Taille : 25 à 35 cm

Plein de vie, ce chien aime tout autant jouer que chasser pour la plus grande joie de son maître. On ignore au juste ses origines, mais on pense, en remontant au temps des Croisades, qu'il serait issu d'un croisement de chiens français et de lévriers d'Orient. Sa robe est unie et soyeuse, jamais raide, garnie de franges pas trop abondantes et jamais bouclées. Toutes les couleurs de livrée se rencontrent, allant du noir en passant par le multicolore jusqu'au blond doré. En général, il semble être un bon chien de chasse, alerte et gai. Ses yeux éveillés, brillants, joyeux marquent son intelligence et sa gentillesse.

Golden retriever

Poids: 25 à 32 kg
Taille: 50 à 55 cm

De tous les Retrievers, ce chien est le plus habile pour retrouver et récupérer le gibier tué et perdu. Même s'il porte le nom de «Golden», il descend du Terre-Neuve. Son poil serré, parfois noir, lui permet d'aller à l'eau pour rapporter les oiseaux abattus. Animal sage et équilibré, ces qualités seraient à l'origine du fait qu'il possède à la fois du sang de Setter irlandais et de Bloodhound. C'est un chien harmonieusement bâti, vivant et puissant. Ses mouvements sont solides, aisés, même au plus fort de l'action.

Labrador

Poids: 25 à 40 kg
Taille: 44 à 50 cm

De la race des Retrievers, c'est un chien bien connu de tous. Contrairement à ce que l'on croit, il n'est pas originaire du Labrador mais bien de Terre-Neuve. Importé en Angleterre par des pêcheurs, c'est à ces derniers qu'il doit son nom. Musclé, endurant et très actif, il est aussi pourvu d'un pelage noir de jais ou fauve tellement fourni que l'eau glisse en surface sans y pénétrer d'aucune façon. Chien-nageur, rapporteur fidèle, le Labrador fait l'envie, l'orgueil de tout maître-chasseur.

Pointer

Poids : 25 à 35 kg
Taille : 44 à 47 cm

Si vous vous imaginez une chasse avec un Chien d'arrêt, inévitablement vous pensez à la silhouette d'un Pointer. On a tellement illustré cet animal en pose caractéristique qu'invariablement il représente « le » chien de chasse. Cette opinion est discutable, mais nous laisserons aux propriétaires de chenils le soin de juger. On le dit le plus beau, le plus musclé, le plus élégant des Chiens d'arrêt. Chasseur au galop, son odorat subtil pourrait éventer un gibier à 290 mètres. Il est intelligent, doux et timide, spectaculaire et attendrissant au possible lorsqu'il se fige pour indiquer le gibier à son maître. On lui connaît toutes les couleurs de pelage.

Setter Gordon

Poids : 20 à 35 kg
Taille : 55 à 70 cm

Ce chien doit son nom au duc de Gordon, spécialiste de l'élevage de cette belle race écossaise. Pour l'aristocratie de l'époque, on élevait des Setters noirs et couleur de feu. C'est un animal puissant dont la robe est noire tachetée de marron ou d'acajou. Ses oreilles, ses pattes et son poitrail sont recouverts d'un poil long et souple.

Le Setter Gordon est reconnu pour son endurance. Sans être rapide, il peut chasser sans fatigue pendant toute une journée. Cet élégant chien supporte mal la vie en chenil. Si son maître lui prodigue de l'affection, il lui témoignera de la reconnaissance et apportera son entière collaboration.

Setter irlandais

Poids : 20 à 30 kg
Taille : 55 à 65 cm

On le distingue facilement des autres Épagneuls à son pelage mi-long et à ses poils soyeux plus longs sur les oreilles, l'arrière des pattes, le ventre et la queue. Sa couleur est généralement d'un bel acajou. Son corps possède des lignes harmonieuses. Malgré cette caractéristique qui le métamorphosa graduellement en chien de compagnie, il se révèle un très bon chien de chasse. Parmi ses qualités, il faut souligner son activité et sa vigueur, même si quelquefois il se montre têtu... C'est un chien qui répond bien au dressage à cause de l'affection qu'il témoigne à son maître et de sa grande intelligence. Plusieurs se plaisent à dire que c'est le « pur-sang » des Setters.

Springer Spaniel

Poids : 20 à 25 kg
Taille : 36 à 40 cm

Le mot anglais « spring », signifiant bondir, est à l'origine du nom de ce chien principalement utilisé pour faire lever le gibier des endroits où ce dernier se dissimule. En plus d'être un bon compagnon de chasse, c'est un animal aimable et gai pour la maisonnée. Son pelage ondulé est suffisamment épais pour le protéger du froid et des ronces tout en étant à l'épreuve de l'eau. Sa livrée est généralement noire et blanche, brune et blanche, noire et rousse ou blanche et rousse.

Le tir à l'arc

Ce fut à la fin de l'âge de bronze que se définirent les dimensions de l'arc, arme de chasse utilisée depuis longtemps déjà. Égyptiens, Grecs, Romains, Babyloniens et autres peuples furent de très bons archers. Si les Perses et les Assyriens furent d'excellents tireurs, la plus grande perfection dans la fabrication de cette arme revient aux Anglais. Vers l'an 1200, les flèches de l'arc de chasse anglais atteignaient 2 m 20; elles étaient garnies de plumes à l'arrière pour en assurer la direction, et à l'avant, d'une pointe en « V » aiguisée.

L'archer anglais pouvait tirer une flèche à 546 mètres et à 350 mètres et viser la branche d'un noyer. La pénétration de la flèche était aussi très efficace. Geraldo Gambreusis mentionne entre autres que « certains archers gaulois réussissaient à faire traverser par leurs flèches, de part en part, une porte de chêne épaisse de quatre doigts ».

Il va sans dire qu'à la suite des améliorations modernes apportées à cet accessoire cynégétique, l'arc est devenu d'une très grande précision pour la pratique de la chasse sportive.

Au Québec, les Amérindiens chassaient à l'arc avant nous, mais la véritable reprise de cette technique pour la chasse se produisit en 1959 dans la région de l'Outaouais, alors que pour un secteur désigné on autorisa la chasse du Cerf de Virginie, mais ce en période exclusive, donc en dehors des journées consacrées à la chasse avec armes à feu.

En 1965, la réserve de Rimouski devenait le second territoire où il était permis de chasser à l'arc. En 1972, c'était en Abitibi qu'une chasse à l'arc à l'orignal était permise et mentionnée au résumé des règlements de la chasse. Les groupes d'archers de la Rive-Sud de Montréal (Longueuil) et de la région de l'Outaouais auraient été à l'origine de ces développements.

Grâce au travail incessant de la Fédération de tir à l'arc du Québec et à l'essor que MM. Roland Grandmaison, Normand Bernier et Daniel St-Hilaire donnèrent à cette technique, les archers du Québec ont maintenant leur place dans le monde de la chasse.

Des cours de tir à l'arc sont maintenant offerts à tous ceux qui s'intéressent à ce sport, où l'adresse et la connaissance des moeurs du gibier sont les impératifs.

Toutes ces raisons militant en faveur d'une meilleure connaissance de la pratique sportive du tir à l'arc, nous avons cru bon d'encourager les lecteurs de ce livre à s'intéresser à cette technique de chasse pour certains gibiers, après avoir réussi à maîtriser les éléments de base essentiels au tir avec cette arme. Vous obtiendrez une foule de renseignements à ce sujet en vous adressant à la Fédération de tir à l'arc du Québec, au 1415 rue Jarry est, Montréal H2E 1A7.

Pour éviter le bruit de flèches qui s'entrechoquent dans le carquois, mettez de la ouate à l'intérieur.

Le tir

Bien tirer!

Ce n'est pas en lisant ce texte que vous vous transformerez en John Primrose ou Paul Laporte ou, si vous préférez, en Harry Willsie ou Suzanne Natrass, tireurs canadiens qui ont su démontrer leur adresse sur le terrain olympique de l'Acadie ou ailleurs. Mais voici un petit truc qui vous permettra d'augmenter de cinquante pour cent votre efficacité au tir.

Allongez le bras de support...

Si quelqu'un vous demande de lui indiquer l'emplacement d'un monument, d'un immeuble ou simplement la direction qu'il doit prendre, instinctivement vous élevez le bras, vous l'allongez et pointez l'index en direction de l'endroit dont il est question. Vous n'avez pas l'intention de devenir guide touristique me direz-vous et, de plus, il n'est pas poli de pointer du doigt! Toutefois, ce geste familier, que vous répétez plusieurs fois par jour sans vous en rendre compte, pourrait vous aider énormément à tirer au fusil. D'instinct vous pointez toujours dans la bonne direction, pourquoi ne pas associer cette pratique à celle de votre tir?

Lors d'un exercice de tir, un bras ne vous sert qu'à presser la détente et à retenir, appuyé à l'épaule et à la joue, la crosse de l'arme.

Le second procède à l'exécution de la plus importante opération: en plus de supporter la pesanteur du canon, il suit la cible en mouvement, s'arrête et repart lorsque votre matière grise lui en donne l'ordre.

Lorsque vous avez à pointer un objet, vous ne pliez pas le coude pour que votre index soit à une trentaine de centimètres de votre figure, n'est-ce pas? Alors, procédez de la même manière lorsque vous tirez au fusil. Allongez ce bras de support le plus loin possible sur le fût de l'arme. Même votre

index pourrait être tendu, déployé un peu comme si vous indiquiez une direction. C'est la position de visée idéale.

Pointez...

Videz complètement votre fusil, laissez l'action bien ouverte et pointez comme je viens de vous le décrire en direction d'une cible. Essayez maintenant de glisser votre main vers l'arrière — position fréquemment employée par les novices — et vous constaterez alors que votre arme est devenue beaucoup plus lourde et qu'elle semble mal balancée. Pour éviter ceci, prenez la bonne habitude de pointer comme je vous l'ai indiqué précédemment et exercez-vous un peu au tir aux pigeons d'argile. Vous remarquerez vous-même l'amélioration de votre tir. N'oubliez pas, allongez votre bras de support.

Le plus de recul... fusil ou carabine?

Vous avez fréquemment entendu un chasseur dire à son compagnon: «Tu l'as manqué en tirant parce que tu as *flinché!*» Nulle traduction ne saurait rendre exactement ce que ce nemrod voulait dire francisant un passé du verbe anglais «to flinch», signifiant reculer, fléchir ou défaillir. Ce qu'il voulait sans doute signaler c'est qu'au moment de presser la détente d'un fusil, le chasseur, craignant le recul de son arme, se crispe, ferme fréquemment les yeux, laissant partir le coup à peu près en direction de la cible.

Appuyée solidement au creux de l'épaule, l'arme, bien retenue par le bras de support, permet de contrôler ce défaut. Il faut s'y exercer. Un fusil de calibre .12, d'une pesanteur de 7,5 livres offre un recul de 27,9 livres, en utilisant des munitions chargées de 3¼ dragmes de poudre et de 1⅛ once de plomb. Sur le plan des douleurs ressenties à l'épaule... le «chou creux» rend ridicule la poussée arrière de la carabine. En voici quelques exemples: le calibre .30-.06 offre un recul de seulement 17,5 livres; la carabine .270 produit 14,3 livres de poussée arrière; la .300 Savage, 11 livres; la .30-.30, 9 livres; la .250-.3000, 6,9 livres; la .257, 6,9 livres; la .220 Swift, 4,6 livres; la .22 Hornet, 0,7 livre.

Si vous êtes un nemrod qui préfère le gros gibier mais craint la carabine, songez à ces pauvres chasseurs de canards et à ces fervents de pigeons d'argile qui n'utilisent que le fusil. Ils se servent d'au moins une boîte de munitions par session, alors qu'une boîte de balles pour le tireur à la carabine peut durer plusieurs saisons.

Comment tirer le gibier en mouvement?

« Il ne faut pas tirer où est l'animal, mais bien... où il sera. » Ce principe élémentaire de tir vient du fait que les plombs, dont la vitesse est plutôt lente, doivent intercepter un oiseau en vol ou un gibier rapide : un peu comme le lanceur de balle qui veut atteindre son receveur à la course. Comparativement à la position du chasseur, le canard à la partie supérieure de la vignette semble voler à angle droit. Par consé-quent, le chasseur, pour l'atteindre, doit viser à l'avant.

Quant au second oiseau, sa position de vol est ascendante, en direction opposée à celle du tireur. Pour l'atteindre, le tir doit se faire à l'avant et en dessus.

Le troisième canard veut se poser parmi les appeaux : le chasseur le tirera en avant et au-dessous.

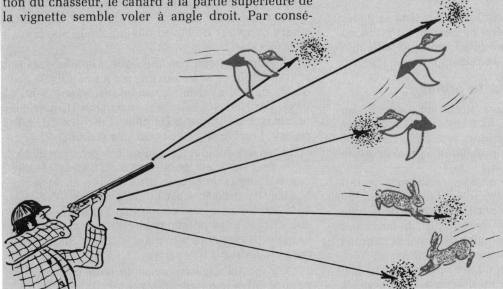

Le lièvre fuyant le nemrod doit être visé à l'avant pour que la volée de plombs l'intercepte dans sa course. De même pour l'animal qui fonce droit vers le tireur, les projectiles doivent le précéder.

Les Français disent: «Queue, tête... pan.» Les Anglais: «Swing, lead, follow through.» Nous vous disons: «Pointez du canon l'arrière du gibier, suivez-le par la suite à sa vitesse, puis dépassez-le et tirez tout en continuant votre mouvement.» Simple n'est-ce pas?

Il existe une autre technique pour tirer le gibier en mouvement qui est celle de choisir un point où passera le gibier pour faire feu. C'est le «spot shooting», une méthode de tir beaucoup moins efficace.

Effets de la balle sur le gibier

Lorsque certains chasseurs tirent un Orignal, un Chevreuil ou un Caribou, ils ne peuvent déterminer exactement où la balle atteindra leur cible. Sans voir la blessure, il leur est impossible de préciser où le projectile a touché le gibier.

Lors d'un périple de chasse, remarquez le fait suivant. Si la balle atteint le gibier dans la région du coeur, c'est-à-dire dans la partie inférieure de la cage thoracique, la réaction de l'animal est la suivante: dès que le projectile fait mouche, l'animal se cabre et ses pattes avant semblent presser sa blessure. Tout ceci est très bref... trois ou quatre secondes... et l'animal s'écroule. Au cours des années, à l'occasion de nombreuses chasses au gros gibier, il me fut donné d'observer les réactions des Cervidés aux effets de la balle. J'ai constaté qu'elles étaient similaires pour l'une et l'autre des espèces.

Généralement, la *balle au coeur*, c'est-à-dire si vous touchez le coeur ou les gros vaisseaux sanguins qui l'entourent, vous pourrez voir l'animal sauter sur place et relever très haut les pattes avant, les repliant sur la poitrine. Mais attention! Un Chevreuil atteint de cette façon peut tout aussi bien s'enfuir à la course comme si de rien n'était. Il vous laissera croire que vous ne l'avez pas touché et soudain... il s'écroulera.

L'animal atteint par une *balle à la tête* perd tout sens d'équilibre, ses mouvements n'ont plus de coordination, et il s'écroule presque instantanément. Ce tir est l'un des plus efficaces, mais vous risquez d'endommager un trophée. De plus, il est très difficile à réussir, la cible de visée étant très réduite.

Une des meilleures balles est probablement la *balle au cou*. C'est aussi un tir difficile à réussir à cause d'une cible encore plus réduite et de surface limitée. Pour viser, c'est la cible par excellence, recommandée pour son efficacité. L'animal atteint au cou s'écroule instantanément et bouge rarement par la suite. Il demeure sur place dans la majorité des cas et la mort est très rapide.

Tir mortel par excellence, la *balle à la cage thoracique* offre une cible très grande, plus facile à toucher. Due à une hémorragie aux poumons, la mort sera rapide et par conséquent l'animal se couche promptement. Si l'animal n'est pas mortellement atteint, visez une balle au cou pour l'achever. Le sang maculant le sol ou le feuillage, à la suite de ce tir, sera d'un rouge vif et retiendra des bulles d'air.

Signe d'incompétence ou d'erreur du tireur, la *balle aux intestins* est un tir, hélas, beaucoup trop fréquent. Cette balle provoque la plupart des pertes de gibier. Atteint par cette balle à mauvais tir ou une avance mal évaluée, l'animal sursaute et parfois mord sa blessure. Il faut lui administrer le coup de grâce le plus vite possible, car la bête ainsi blessée peut disparaître à tout jamais dans la forêt... ce qui se produit fréquemment. À ce moment, le sang visible sur le sol sera noirâtre, autre indice de l'effet de la balle.

Souvenez-vous toujours qu'un animal blessé ne doit jamais être poursuivi. Il faut d'abord lui laisser reprendre de l'assurance pour qu'enfin il se couche. Alors, il saignera à mort et vous pourrez le récupérer par la suite. Ne le poursuivez pas immédiatement. Attendez.

BIEN TIRER
Parmi les éléments de conservation les plus importants, le tir efficace du gibier occupe une place prépondérante. Que vous chassiez l'Orignal, le Chevreuil ou le Caribou, assurez-vous que votre première balle est mortelle. Pour l'animal qui se présente de face, la balle au cou ou à la cage thoracique est des plus efficaces.

L'animal se présentant de côté, le tir au cou, aux poumons ou au coeur est infaillible. La balle à la tête possède aussi cette qualité, mais elle risque d'endommager le trophée à conserver.

1 Évitez de tirer le gibier à courte distance, lorsqu'il est trop près de vous, et ce afin de ne pas abîmer inutilement la chair. Laissez-le vous distancer quelque peu, attendez qu'il ait parcouru une vingtaine de mètres avant de tirer. Vous épargnerez ainsi de la tendre chair, en plus d'accentuer vos chances de faire mouche. La gerbe de vos plombs est beaucoup plus dense à courte qu'à grande distance.

2 Généralement, lorsque des oiseaux se déplacent en groupe, comme le font les Canards, les Oies, les Bécassines et autres, il ne faut pas tirer dans la bande, mais bien un seul oiseau à la fois. Ceci est d'autant plus vrai dans le cas de la Bécassine, dont le vol en zigzag est illustré ici.

3 Pour pratiquer votre tir, placez un morceau de carton ou de coton à l'intérieur d'un vieux pneu, et demandez à un compagnon de laisser descendre cette cible mobile du sommet d'une colline. Le pneu, en sautillant, simule quelque peu les sauts du Cerf, excellente façon donc d'exercer votre précision avant de chasser.

Le tir aux pigeons d'argile et ses techniques

Pour le néophyte, le tir aux pigeons d'argile permet de s'entraîner, pour le bon chasseur de se dérouiller et pour le maître tireur, de s'adonner à la pratique d'une grande discipline sportive.

Cette forme de tir permet de recréer des conditions semblables à celles de la chasse, devenant un sport à part entière, même accepté du monde olympique.

On ne devient pas bon tireur en se contentant de lire des ouvrages spécialisés, en assistant aux pratiques ou concours sur les terrains. Il faut s'entraîner à toutes les formes de tir au fusil à canon lisse; il faut en maîtriser toutes les positions, le contrôle et l'ajustement de l'arme étant aussi essentiels.

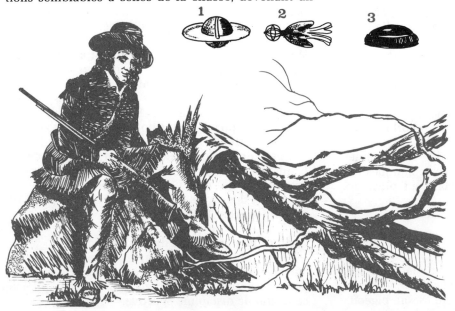

A la fin du siècle dernier, on pratiquait le tir avec des pigeons vivants.
1) *En 1884, la cible «Globe Fight» fut brevetée, mais obtint peu de succès.*
2) *On inventa par la suite le «Pigeon de plomb» qui n'acquit pas une très grande popularité.*
3) *«L'oiseau noir du Niagara» est le véritable ancêtre des pigeons d'argile que nous tirons de nos jours.*

Le sport du tir aux pigeons d'argile renferme tous les éléments majeurs permettant de devenir bon tireur. Malheureusement, trop peu d'intérêt est manifesté pour ce sport, même si nos tireurs québécois sont parmi les meilleurs au monde.

Nous avons cru bon d'inclure dans ce guide les deux modes de tir aux pigeons d'argile les plus pratiqués chez nous: la « trap » américaine et le « skeet ».

Nous pourrions définir cette discipline par *tir à la volée* pour respecter la langue dans laquelle nous écrivons, mais cette définition imagée nous semble trop générale. Les traductions pour « trap » et « skeet » n'existent pas.

Les Français diront « ball-trap », ou encore « trap » olympique pour fosse moderne. D'autre part, ils identifieront par « parcours de chasse », cette forme de « skeet » que nous nommons « horloge » ou « round the clock ».

Nous nous contenterons donc de vous donner des informations relatives à nos deux techniques populaires, les autres leur ressemblant en plusieurs points.

« Trap » américaine

De cinq positions, simulant des conditions de chasse, sur des oiseaux fuyant devant vous, à une vitesse similaire à celle du gibier, ces cibles ou pigeons d'argile sont projetées mécaniquement dans un angle imprévisible, compris dans un rayon de 90 degrés. Ces « pigeons » sont en réalité de petits disques fragiles.

Pour compléter une ronde, il faut tirer 25 pigeons de 5 positions différentes, les tireurs se déplaçant vers la droite à toutes les 5 cibles tirées.

C'est de l'intérieur d'un abri dissimulant l'appareil, un engin à ressort propulseur et plate-forme mobile, que sont projetées les cibles. Au cri de « pull », le mécanisme déclenche, donc aucun contrôle possible de la part du tireur quant à la trajectoire du pigeon, celui-ci pouvant sortir tout aussi bien à gauche, à droite, qu'au centre. On peut aussi tirer des doubles, c'est-à-dire deux cibles lancées à la fois.

C'est le fusil de calibre .12, à canon « full choke » ou modifié, qui est le plus populaire pour ce genre de tir. Par contre, de plus petits calibres sont utilisés en compétition. Tout comme au golf, on accorde des handicaps en faisant tirer les meilleurs fusils plus à l'arrière, c'est-à-dire jusqu'à 27 verges (25 mètres) du départ des cibles, alors que le normal est de 16,5 verges (approx. 14,6 mètres).

Tout comme pour le véritable gibier, c'est de l'avance bien jugée que dépend le succès.

C'est notre tir de pratique le plus populaire au Québec. De nombreux clubs sont à votre disposition pour vous apprendre à mieux connaître et apprécier cette grande discipline sportive.

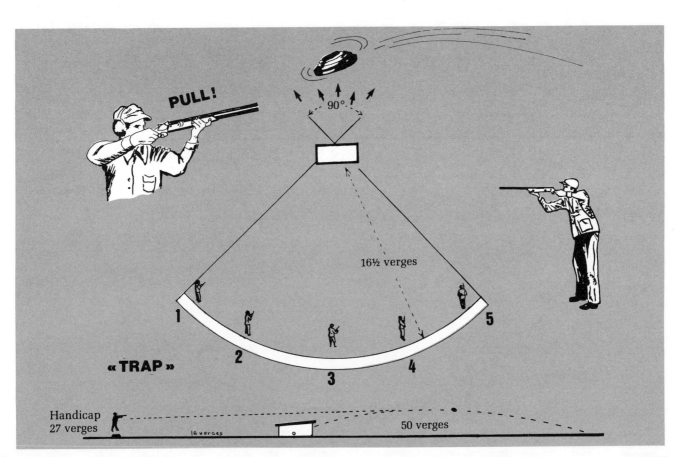

PULL!

90°

16½ verges

1

2

«TRAP»

3

4

5

Handicap
27 verges

18 verges

50 verges

151

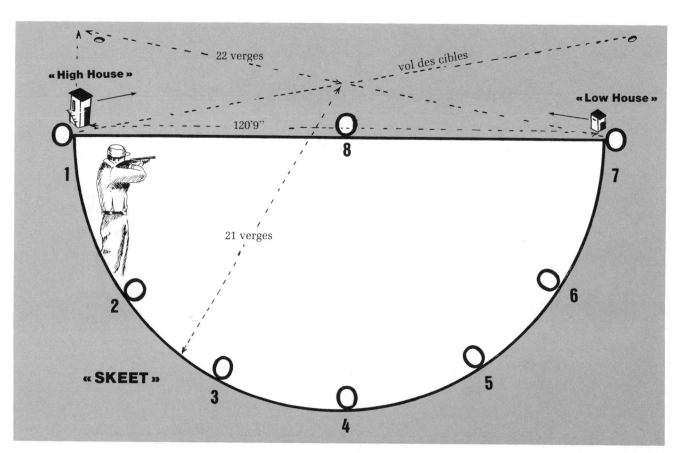

22 verges

vol des cibles

« High House »

« Low House »

120'9"

8

1

7

21 verges

2

6

« SKEET »

3

5

4

Le « skeet »

Nous pourrions résumer le tir au « skeet » à ceci : huit positions semi-circulaires de tir et deux appareils lanceurs de cibles.

À l'opposée de la « trap », où la trajectoire des « pigeons » est imprévisible, dans le « skeet », les cibles effectuent toujours le même vol, d'une même distance et exactement au même angle. Que vous tiriez n'importe où au monde, c'est toujours le même tracé.

La rotation des tireurs s'effectue des positions 1 à 8, des cibles uniques et doubles sont tirées selon la règle du jeu. Une ronde complète comporte 25 tirs.

Les appareils lanceurs mécaniques sont à l'intérieur d'abris désignés comme « High house » ou « Pull house » et « Low house » ou « Mark house ». Les cibles sont projetées aux appels de « pull » et « mark ».

À cause de la similarité des divers terrains de « skeet », nous pouvons vous indiquer quelle avance il faut prendre sur le pigeon avant de le tirer. Cette façon de s'adonner au tir peut vous sembler mécanique, ce qui est en fait vrai, mais on doit tenter l'expérience pour comprendre qu'il faut énormément de pratique avant de réaliser son premier 25 / 25.

AVANCE

Station	« High house »	« Low house »
1	Directement dessus ou un peu en dessous	Un pied*
2	Un pied	Un pied, un pied et demi
3	Trois pieds	Trois pieds, trois pieds et demi
4	Deux pieds et demi à trois pieds	Deux pieds et demi à trois pieds
5	Trois pieds et demi	Deux pieds
6	Un pied et demi	Un pied
7	Un pied	Couvrir la cible
8	Couvrir la cible et poursuivre le mouvement	Couvrir la cible et poursuivre le mouvement

*1 pi = approx. 30 cm

TROISIÈME PARTIE

La sauvagine

Sommaire

COMMENT IDENTIFIER LES
CANARDS?

Bec-scie commun
Bec-scie à poitrine rousse
Bec-scie couronné
Canard chipeau
Canard noir
Canard malard
Canard huppé
Canard pilet
Canard roux
Canard siffleur
Canard souchet
Foulque américaine
Petit garrot
Garrot commun
Kakawi
Macreuse à ailes blanches
Sarcelle à ailes bleues
Sarcelle à ailes vertes
Morillon à collier
Morillon à dos blanc
Morillon à tête rouge

Grand morillon
Eider commun
Canard Arlequin

GRANDEUR COMPARÉE DES
CANARDS ET DES OIES

CHOIX ET ENTRETIEN D'UN
FUSIL DE CHASSE À LA
SAUVAGINE

Calibres
Mécanisme
«Choke», étranglement ou retreint
Évaluation de la portée
Avance

MÉTHODES DE CHASSE À LA
SAUVAGINE

Affût et ses exigences
Embarcations
Vêtements du chasseur
Canards de bois, leurres, appelants,
appeaux

CONSEILS DE CHASSE A LA
SAUVAGINE

Comment identifier les canards

*Sarcelle
aux ailes bleues*

Il n'est pas étonnant que certains sportifs en perdent leur latin: il y a plus de 60 espèces de canards et d'oies en Amérique du Nord. Il est donc utile d'apprendre à les identifier, car la chasse de certaines espèces peut parfois être prohibée en divers endroits, et d'autres ne sont même pas comestibles.

Habituellement, les canards sont classés en deux catégories: plongeurs ou Canards d'eau profonde et Canards de marais ou barboteurs.

Il existe divers moyens de les différencier, ce dont il est question ailleurs dans ce guide, mais ces deux groupes se distinguent aussi à leurs pattes. Celles du plongeur ont à l'arrière un large lobe servant de gouvernail, caractéristique différant chez l'autre groupe.

Plongeur

De marais

Apprendre à identifier ces oiseaux en vol permet d'éviter d'abattre du gibier indésirable. Surveillez leur façon de voler, le mouvement des ailes, la position du corps, les formations en vol. Observez-les lorsqu'ils se posent, mangent ou nagent. Un bon chasseur de sauvagine doit être tout yeux, tout oreilles — ce n'est pas du temps perdu, vous verrez — c'est non seulement amusant, mais aussi enrichissant.

Canard de marais

Canard plongeur

Pour bien identifier vos canards, écoutez attentivement les propos des chasseurs d'expérience, ou encore du guide qui vous accompagnera. Il vous indiquera les caractéristiques de chacune des espèces. Il n'existe rien de mieux que l'expérience comme conseillère.

Bec-scie commun

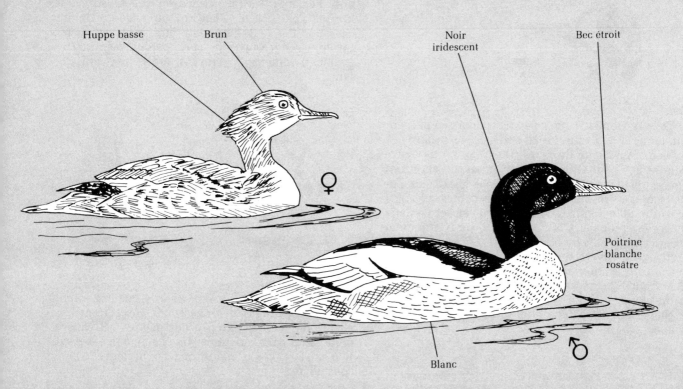

Huppe basse

Brun

Noir iridescent

Bec étroit

♀

Poitrine blanche rosâtre

Blanc

♂

NOM SCIENTIFIQUE	Mergus merganser
DIMENSION	65 cm (25,5 po)
FAMILLE	Anatidae
VARIÉTÉ	Canard plongeur
POIDS	1 135 g (2,5 lb)
SOUS-FAMILLE	Merginae

Le Bec-scie commun est l'un de nos plus gros canards mais aussi l'un des derniers à émigrer vers le Sud. Il vole à la queue leu leu et à ras de l'eau. On ne lui connaît pas d'autre cri qu'un croassement d'alarme.

Le bec de cet oiseau est effilé, crochu au bout, nanti de lamelles pointues, dirigées vers l'arrière pour retenir les poissons. Son nom régional est Grand Bec-scie. La tête et le haut du cou chez le mâle sont foncés avec des reflets verts. La région antérieure de l'aile est surtout blanche, les grandes tectrices rayées de foncé. Le cou, le ventre, les côtés et les sous-caudales sont blancs lavés de rosâtre. Les yeux varient du rouge au brun, les pattes et les pieds sont rouges, de même que le bec.

La femelle porte une huppe; la tête et le haut du cou sont brun fauve, le dessous de la tête et la gorge blancs; la queue et les côtés sont gris, les spéculums blancs, de même que les sous-caudales et les tectrices; les yeux sont rougeâtres ou jaunâtres; le bec est rougeâtre terne, l'arête et le bout brun foncé.

C'est un canard d'eau douce qui, durant l'été, fréquente nos lacs et rivières. Il préfère l'eau claire et plusieurs lui reprochent de s'en prendre aux truites.

Friand de poissons, il l'est aussi de mollusques, d'écrevisses et autres créatures aquatiques, d'où une chair dont la valeur laisse à désirer. Il peut tout aussi bien nicher dans un arbre creux que dans une cavité, un escarpement, un amoncellement de cailloux, au sol dans un bosquet ou sur la berge. La cane pond de 6 à 15 oeufs d'un crème beige très pâle.

Bec-scie à poitrine rousse

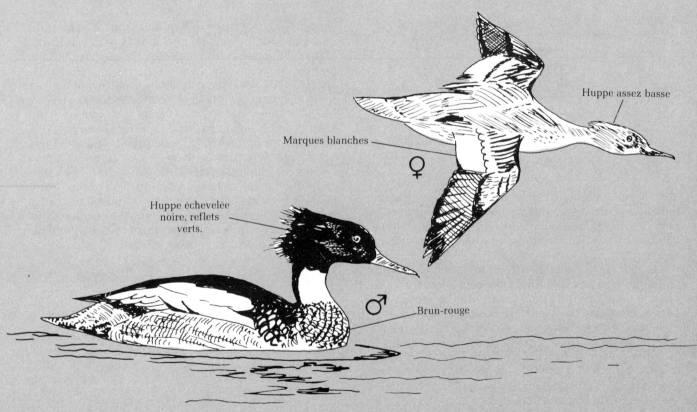

Huppe assez basse

Marques blanches

♀

Huppe échevelée noire, reflets verts.

♂

Brun-rouge

NOM SCIENTIFIQUE	Mergus serrator
DIMENSION	58 cm (22 à 23 po)
FAMILLE	Anatidae
VARIÉTÉ	Canard plongeur
POIDS	1 135 g (2,5 lb)
SOUS-FAMILLE	Merginae

Le Bec-scie à poitrine rousse est un oiseau au vol rapide et rectiligne, qui très souvent rase l'eau. La tête porte une huppe et les narines sont plus près de la base du bec que chez le Bec-scie commun. La tête du mâle est noire avec reflets verdâtres; les ailes sont blanches et noires; la poitrine est d'un brun roux, marbrée de noir; l'abdomen et le bas du cou sont blancs. Les yeux, les pattes et le bec sont rouges.

La tête de la cane est brun foncé, le cou d'un brun moins prononcé se dégradant jusqu'à se fondre au blanc de la gorge; les parties supérieures du corps sont grises et le spéculum de l'aile est blanc traversé d'un trait noir; l'oeil, les pattes et le bec sont rougeâtres.

On rencontre cette espèce plus fréquemment en eau salée que le Bec-scie commun. Même s'il est le plus souvent muet, cet oiseau émet parfois un genre de grognement bas et guttural. Il consomme surtout des poissons et des animaux aquatiques, même si, à l'occasion, les matières végétales l'intéressent. Le Bec-scie fait son nid à peu de distance de l'eau, habituellement dans un arbre creux, dans la cavité d'une souche, à la base d'un escarpement de la berge, parfois au sol dans un bosquet permettant de bien dissimuler la ponte. Les oeufs, dont le nombre peut varier entre 6 et 12, sont chamois olivâtre. On peut rencontrer cet oiseau n'importe où au Québec, plus au nord que le Bec-scie commun.

Le Bec-scie à poitrine rousse est de grosseur moyenne comparativement aux deux autres Becs-scie mentionnés dans ce guide. Ces oiseaux ont peu de valeur sportive à cause de leur chair au goût prononcé de poisson.

Bec-scie couronné

NOM SCIENTIFIQUE	Lophodytes cucullatus
DIMENSION	45 cm (17 à 18 po)
FAMILLE	Anatidae
VARIÉTÉ	Canard plongeur
POIDS	680 g (1,5 lb)
SOUS-FAMILLE	Merginae

Canard plongeur volant souvent par couples ou petites bandes, le Bec-scie couronné donne l'impression d'être très rapide à cause de son coup d'aile saccadé.

Chez les deux sexes, la tête est surmontée d'une huppe. Chez le mâle le cou est noir, de même que la tête à l'exception d'un triangle blanc, sur le côté de celle-ci, qui s'étend du coin de l'oeil vers l'arrière, où il est bordé de noir. De façon générale le dos est foncé et deux arcs noirs se prolongent de chaque côté de la poitrine; le spéculum est blanc divisé par une bande noire; les côtés sont brun rougeâtre strié de lignes noires; la poitrine et le ventre sont blancs; les yeux sont jaunes; les pattes jaunâtres et le bec noirâtre.

gorge plus pâle, la huppe brunâtre et moins prononcée que chez le mâle; le dos est brun foncé et les ailes tachetées de blanc; la poitrine et les côtés sont gris brunâtre, le ventre blanc; l'oeil est brun, le bec noir brunâtre et jaunâtre en dessous; les pattes sont brunes.

Cet oiseau se nourrit surtout de poissons, de grenouilles, de têtards et autres créatures vivant dans l'eau, de même que de plantes aquatiques.

C'est surtout un canard d'eau douce des étangs, lacs ou rivières en forêt. En migration et en hiver, il recherche des eaux similaires. Il s'aventure parfois sur les baies d'eau salée, mais moins souvent que le Bec-scie commun ou à poitrine rousse.

Nichant dans les cavités d'arbres, il pond habituellement de 6 à 12 oeufs blancs. Comme il fréquente des étangs d'eau douce où grenouilles et petits crustacés composent une partie importante de son menu, sa chair a meilleur goût que celle des autres Becs-scie, mangeurs de poissons.

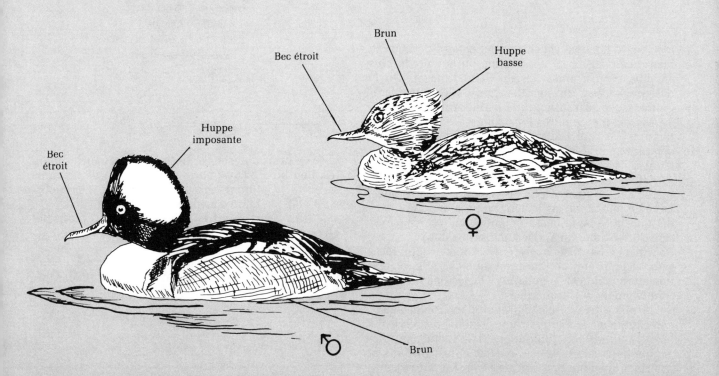

Brun

Bec étroit

Huppe
basse

Huppe
imposante

Bec
étroit

♂

Brun

♀

163

Canard chipeau

NOM SCIENTIFIQUE	Anas strepera
DIMENSION	53 cm (20 po)
FAMILLE	Anatidae
VARIÉTÉ	Canard de surface
POIDS	910 g (2 lb)
SOUS-FAMILLE	Anatinae

Le Canard chipeau est surtout un canard de l'Ouest, bien qu'en saison de nidification on le voie de plus en plus sur certaines îles du Saint-Laurent. On le désigne souvent du nom de «gris». C'est un migrateur précoce, affrontant rarement le froid.

Caractéristique très importante à retenir, le Chipeau est le seul Canard de surface dont le miroir comprenne des plumes blanches, ce spéculum est d'ailleurs visible chez le mâle et la femelle. Son vol est vif, en petites bandes serrées, se déplaçant habituellement en ligne droite et à coups d'ailes rapides. Le mâle pousse un sifflement ou un «câc, câc», tandis que la femelle laisse entendre un «couac» ressemblant à celui du Malard, mais plus doux.

En été, cet oiseau préfère les terrains marécageux et le littoral peu profond de lacs où la végétation marginale est abondante. On le rencontre peu fréquemment sur l'eau salée.

Il niche très souvent près de l'eau, mais aussi, contrairement à d'autres canards, dans des endroits beaucoup plus secs. Son nid est habituellement dissimulé dans la végétation, parfois construit dans la prairie, à quelque distance de l'eau. Ce nid se compose de brins d'herbe, de tiges de jonc et autres plantes. Son intérieur est garni de duvet, un peu comme ceux de la plupart des autres canards. Les oeufs, d'un blanc crémeux, sont au nombre de 10 à 12.

Selon Earl Godfrey, le Québec ne possédait qu'une seule donnée de nidification provenant de l'île d'Anticosti, en 1972.

Le même auteur prétendait que ce canard était un rare migrateur dans la partie sud-ouest du Québec.

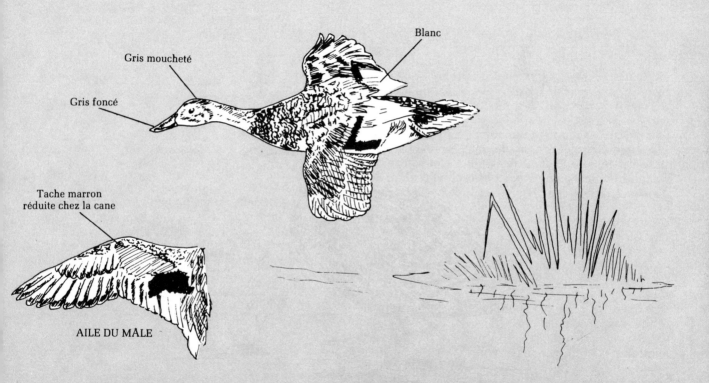

Gris moucheté

Gris foncé

Blanc

Tache marron
réduite chez la cane

AILE DU MÂLE

165

Canard noir

Intérieur
de l'aile
blanche

Raies
brunes

Spéculum bleu

NOM SCIENTIFIQUE	Anas rubripes
DIMENSION	53 à 60 cm (21 à 24 po)
FAMILLE	Anatidae
VARIÉTÉ	Canard de surface
POIDS	1 250 g (2,75 lb)
SOUS-FAMILLE	Anatinae

De nos gros Canards de surface, le noir était le plus répandu au Québec. Craintif et très méfiant, on le dit le plus farouche de tous les canards.

Le dessus du crâne de l'oiseau adulte, tout comme la nuque, sont brun foncé, et une ligne de même couleur est distincte à la hauteur de l'oeil. Le reste de la tête est plus pâle, rayé de foncé. Le corps est en partie brun foncé, les plumes lisérées de beige; le spéculum violet est bordé de noir, et parfois une mince ligne blanche suit la ligne noire de la partie postérieure de cette tache de couleur sur l'aile, le dessous desdites ailes est blanc et très visible; le bec est jaune verdâtre chez le mâle, plus olivâtre chez la femelle; les pattes sont rougeâtres, orangées ou verdâtres. Selon plusieurs chasseurs, il existerait une espèce de Canard noir, de forte taille, qui nous viendrait du Nord, et ce serait les « pattes rouges ». Le baguage a prouvé que cette théorie était erronée.

Le Canard noir se déplace souvent en compagnie du Canard malard, mais il fréquente la mer et les marais d'eau salée beaucoup plus que ce dernier. Il vole par petites bandes et son cri est le même que celui du Malard.

Il se nourrit de végétation aquatique, de baies, graines, racines, insectes, mollusques, poissons, batraciens, etc.

Cet oiseau niche au sol dans une région boisée, parfois à distance de l'eau. La ponte varie entre 6 et 12 oeufs qui sont beiges, verdâtres, ou blancs sans tache.

A cause de la nourriture qu'il consomme, responsable de la saveur de sa chair et aussi parce qu'il est craintif et plus difficile à chasser, le Canard noir crée un intérêt tout à fait particulier chez les chasseurs!

Dans les milieux cynégétiques, plusieurs s'inquiètent de la diminution des populations de cette espèce.

Canard malard

NOM SCIENTIFIQUE	Anas platyrhynchos
DIMENSION	48 à 63 cm (19 à 25 po)
FAMILLE	Anatidae
VARIÉTÉ	Canard de surface
POIDS	1 250 g (2,75 lb)
SOUS-FAMILLE	Anatinae

De tous les canards, le Malard est probablement le mieux connu au monde. Même si certains prétendent que son nom véritable serait Canard français et d'autres Colvert.

La tête et le cou du mâle sont verts. Un mince collier blanc le caractérise; le Malard est d'ailleurs le seul canard à le posséder. Le corps est gris, le croupion noir et le spéculum de l'aile bleu violacé, bordé de noir et de blanc; l'aspect général de la cane est brunâtre; les côtés et le dessus de la tête sont beiges avec rayures brun foncé; le bec est jaunâtre ou verdâtre, les pattes orangées ou rougeâtres.

À l'aube ou au crépuscule, les Malards quittent en bandes plans d'eau, rivières, mares ou étangs pour emprunter la direction des champs. Lorsque rassasiés, ils reviennent sur l'eau.

Le vol de cet oiseau n'est pas particulièrement rapide. Quant à son cri, c'est un couac ressemblant à celui de l'oiseau domestique: plus aigu chez la femelle, on l'entend dans un registre plus grave chez le mâle.

Son régime alimentaire est varié: plantes aquatiques, graines, matières végétales, insectes, batraciens, riz sauvage, maïs et autres.

Le nid est généralement au sol et quelquefois éloigné de l'eau. Les oeufs, pondus au nombre de 5 à 15, sont bleuâtre ou verdâtre terne, parfois beige grisâtre ou blancs.

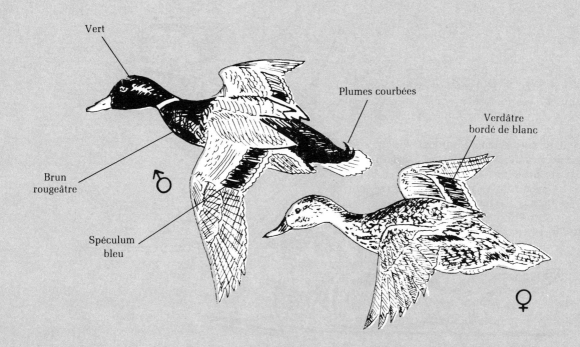

Vert

Plumes courbées

Verdâtre
bordé de blanc

Brun
rougeâtre

Spéculum
bleu

Canard huppé

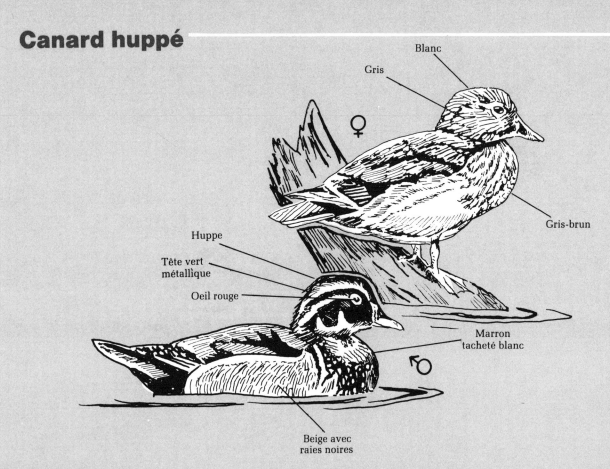

Blanc

Gris

♀

Gris-brun

Huppe

Tête vert
métallìque

Oeil rouge

♂

Marron
tacheté blanc

Beige avec
raies noires

NOM SCIENTIFIQUE	Aix sponsa
DIMENSION	47 cm (18,5 po)
FAMILLE	Anatidae
VARIÉTÉ	Canard de surface
POIDS	680 g (1,5 lb)
SOUS-FAMILLE	Anatinae

Le Canard huppé porte une huppe et son coloris est magnifique. Il niche surtout en territoire américain, mais se manifeste tout de même en assez grand nombre chez nous.

Il quitte le sud de notre province tôt en automne, pour se diriger vers les endroits où il hivernera. À la mi-octobre, le «branchu», comme plusieurs le désignent, a quitté la partie sud du Canada. Il se perche dans les arbres, d'où ce surnom, et fréquente les cours d'eau et les étangs aux rives boisées. Grâce à la facilité et à la vitesse avec lesquelles il peut voler entre les arbres, même dans les forêts denses, il en profite pour manger des glands, des baies et des raisins ; lorsqu'il est sur l'eau, les insectes aquatiques et les crustacés complètent son régime. Il est très rapide en vol et les bandes se déplacent en droite ligne.

La tête du mâle est d'un beau bleu-vert métallique ; une mince ligne blanche est visible au-dessus de l'oeil et une autre se dirige vers l'arrière ; des marques blanches, bien caractéristiques, partent d'en dessous de la tête et se prolongent chaque côté de celle-ci ; le haut de la poitrine est marron avec petites taches blanches ; les côtés sont beige rayé de fines lignes noires ; une tache marron violacé est visible sur chaque côté, près de la base de la queue ; les yeux sont rouges ou vermillon, les pattes jaunes ou orangées. La cane, elle, est brune ou gris assez foncé et son oeil est entouré de blanc. Quant au cri de cet oiseau, le mâle fait entendre un sifflement plaintif : « we-e-eek » ! Lorsque la cane est effrayée son cri, « cr-r-êque » devient aigu et se répète.

Nichée dans un arbre creux, la femelle pond de 8 à 15 oeufs chamois ou blanchâtres.

Canard pilet

Blanc

Longue queue

Gris

♂

♀

NOM SCIENTIFIQUE	Anas acuta
DIMENSION	66 cm (25 à 26 po)
FAMILLE	Anatidae
VARIÉTÉ	Canard de surface
POIDS	795 g (1,75 lb)
SOUS-FAMILLE	Anatinae

Le Canard pilet est très gracieux et son vol est rapide. Il aime effectuer des descentes en zigzags pour se poser par la suite. Son long cou et sa queue effilée le font paraître plus gros que le Noir ou le Malard, mais il leur est inférieur en poids.

Très agile sur la terre ferme, il n'hésite pas à se rendre aux champs pour se gaver de céréales. Plusieurs chasseurs québécois l'identifient comme étant le Canard gris.

Le mâle se distingue facilement à sa tête brune et à la ligne blanche s'étendant de chaque côté du cou, jusqu'à la région des oreilles. Son dos est finement vermiculé de noirâtre et de blanc, ce qui produit une teinte grise à distance. Le spéculum va du vert métal-lique au violet bronzé. D'aspect général, la cane est brun-beige fortement rayé de noir.

Le Pilet se nourrit de végétation et petits animaux aquatiques, de même que d'insectes et de poissons. Le mâle siffle, tandis que la cane émet un couac plutôt rauque.

Le nid est au sol, habituellement près de l'eau, bien qu'il en soit parfois assez éloigné. La ponte varie de 7 à 10 oeufs verdâtres, beiges ou blanchâtres sans taches.

C'est un de nos gros canards, gracieux, ayant quelque peu l'allure d'un cygne, et ce sans doute à cause de la bande blanche qui se prolonge jusqu'à l'arrière de l'oeil, semblant accentuer la longueur du cou. Il est parmi les premiers canards à nous arriver au printemps. A l'occasion, des couples demeureront aux endroits libres de glace durant tout l'hiver.

Canard roux

♀

Tache blanche

Tache blanche

Brun foncé

Queue élevée

♂

NOM SCIENTIFIQUE	Oxyura jamaicensis
DIMENSION	40 cm (16 po)
FAMILLE	Anatidae
VARIÉTÉ	Canard plongeur
POIDS	600 g (1,3 lb)
SOUS-FAMILLE	Oxyurinae

Le Canard roux préfère fuir le danger en plongeant ou en s'éloignant rapidement à la nage en surface de l'eau. En vol, ses ailes courtes battent tellement vite qu'elles bourdonnent.

Il émigre au plus tard à la mi-automne. La caractéristique particulière du mâle est de relever souvent la queue en forme d'éventail.

Le bec est large, avec un petit onglet courbé vers le dessous; la tête est noire jusqu'au bas de l'oeil, la nuque de même couleur; une grande tache blanche est visible à distance sur les joues et le dessous de la tête; le cou, les côtés de la poitrine, toute la partie supérieure du corps sauf les ailes, le croupion et la queue sont marron; l'abdomen est blanc, l'oeil brun rougeâtre, les pattes gris bleuâtre et le bec bleu; le dessus de la tête de la cane est brun foncé et on distingue une raie mal définie au travers des joues; l'oeil est brun, de même que le bec, et les pattes sont gris bleuâtre.

Le Canard roux se nourrit de végétations marécageuses, ainsi que d'insectes et de petits animaux aquatiques.

Essentiellement un canard d'eau douce il niche chez nous dans le sud-est du Québec, mais on le rencontre surtout dans l'ouest du Canada.

Silencieux de nature, il n'émet un « chuck, chuck, chuck » que lorsqu'il fait la cour à une femelle.

Le nid est bien dissimulé près de l'eau et l'on y trouve de 5 à 10 oeufs d'un blanc terne, fort gros pour la taille de l'oiseau.

Canard siffleur d'Amérique

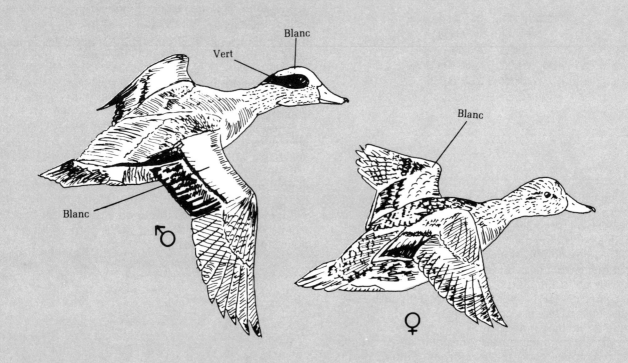

Vert

Blanc

Blanc

Blanc

NOM SCIENTIFIQUE	Mareca americana
DIMENSION	53 cm (20 à 21 po.)
FAMILLE	Anatidae
VARIÉTÉ	Canard de surface
POIDS	795 g (1,75 lb)
SOUS-FAMILLE	Anatidae

Le Canard siffleur d'Amérique est un oiseau au vol rapide et erratique. Il est aussi méfiant et s'effarouche facilement. Il appartient à cette famille de canards qui se groupent loin des rivages, où ils attendent le crépuscule pour aller se nourrir dans les marais et les étangs. Le Canard siffleur est facile à reconnaître: le front et le dessus de la tête sont blancs et une large tache verte s'étend de l'avant de l'oeil jusqu'à l'arrière de la nuque. On le distingue aussi aisément en vol par le blanc du ventre et de la partie antérieure de l'aile, celle-ci tranchant avec le reste du corps. Le blanc des épaules ou couverture, chez les deux sexes, est visible à distance. Quant au cri de cet oiseau, celui du mâle est un sifflement, d'où son nom, tandis que la femelle fait entendre un «caou» sonore ou un «couac» plutôt grave. Il se nourrit surtout de matières végétales aquatiques et de petites créatures qui vivent dans l'eau. Lorsqu'il s'aventure sur terre, il aime se repaître d'insectes. Le nid, composé de brins d'herbes, est tapissé de duvet à l'intérieur. Il est placé dans un endroit sec, pas nécessairement à proximité de l'eau. La ponte est de 6 à 12 oeufs blanchâtres ou beiges, sans taches. Cet oiseau présente une caractéristique bien singulière, soit celle de dérober à de plus gros canards la nourriture qu'ils ont dans le bec au retour d'une plongée. Il a même l'habitude de se tenir aux aguets pour exercer ce genre de méfait. Par contre, les victimes ne semblent point s'offusquer plus qu'il ne faut de ces vols, replongeant immédiatement pour aller chercher d'autre nourriture.

Canard souchet

Bleue ♀

Bec large

Vert métallique foncé ♂

Tache bleue

NOM SCIENTIFIQUE	Spatula clypeata
DIMENSION	50 cm (19 à 20 po)
FAMILLE	Anatidea
VARIÉTÉ	Canard de surface
POIDS	680 g (1,5 lb)
SOUS-FAMILLE	Anatinae

Oiseau au vol régulier et droit, le Canard souchet se tient en petite bande et s'envole un peu comme la Sarcelle. C'est une espèce qui émigre tôt vers le Sud. Une grande partie de sa nourriture étant constituée de petits animaux aquatiques, ce gibier ne présente pas grand intérêt pour les chasseurs.

Le bec du Canard souchet est plus large au bout qu'à la base et plus long que la tête. Chez le mâle, le plumage de la tête et du cou est vert métallique; le milieu du dos est gris ardoise; les côtés arrière sont blancs; la partie antérieure de l'aile est bleue et le spéculum vert; l'abdomen, les côtés et les flancs sont marron; l'oeil est orangé ou jaune; les pattes sont rouges. Quant à la cane, la tête et le cou sont beige grisâtre, rayé de foncé, et plus noirâtre sur le dessus de la tête; les ailes sont semblables à celles du mâle, bien que plus ternes; la poitrine et l'abdomen sont brunâtre marbré plus foncé; le bec est identique à celui du mâle, sauf qu'il est de couleur ardoise pâle sur le dessus et brun en dessous, ce qui permet d'identifier facilement les deux sexes.

Cet oiseau se nourrit de minuscules animaux aquatiques, ainsi que de matières végétales recueillies au fond des étangs.

Le mâle émet un grave «ouâu» et la femelle de faibles «couacs».

Le nid, composé d'herbes, est tapissé de duvet. On le trouve habituellement au sol et près de l'eau. On y trouve entre 6 et 14 oeufs, variant du chamois olivâtre au gris verdâtre très pâle ou gris-bleu décoloré.

Foulque américaine

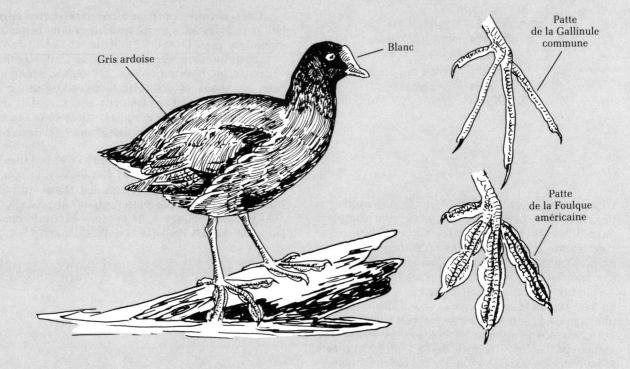

Gris ardoise

Blanc

Patte
de la Gallinule
commune

Patte
de la Foulque
américaine

NOM SCIENTIFIQUE	Fulica americana
DIMENSION	38 cm (15 po)
FAMILLE	Rallidae
ORDRE	Gruiforme
POIDS	550 g (1 à 1¼ lb)
VARIÉTÉ	Gallinule

Il arrive fréquemment à certains chasseurs de revenir à la maison avec quelques «poules d'eau» dans la gibecière, après une partie de chasse aux canards. C'est la raison pour laquelle nous avons jugé bon d'ajouter quelques détails sur la Foulque américaine et la Gallinule commune.

La Foulque se distingue à ses demi-lunes membraneuses aux doigts. Le corps est de couleur ardoise uniforme, passant au noir au cou et à la tête; les ailes sont très finement lisérées de blanc; le bec est blanchâtre avec un point marron à l'extrémité et, caractéristique importante, une plaque frontale bien apparente.

Cet oiseau se nourrit surtout de matières végétales: graines, racines, mais aussi de petits insectes et de mollusques.

La Gallinule commune est un peu plus petite et ses doigts ne sont pas lobés. La tête et le cou sont noirs, tournant au gris ardoisé sur les côtés; le dos varie du brun à l'olive brunâtre; le centre de l'abdomen est blanchâtre; la plaque frontale et le bec sont rouges, mais le bout du bec est jaunâtre et ressemble à celui des poules domestiques; le même phénomène se présente chez les Foulques.

En nageant, Foulques ou Gallinules donnent de la tête vers l'avant, au rythme des coups de pattes sous l'eau qui leur permettent de se déplacer. Lorsqu'elles sont effrayées, elles disparaissent comme par enchantement entre joncs et roseaux.

Petit garrot

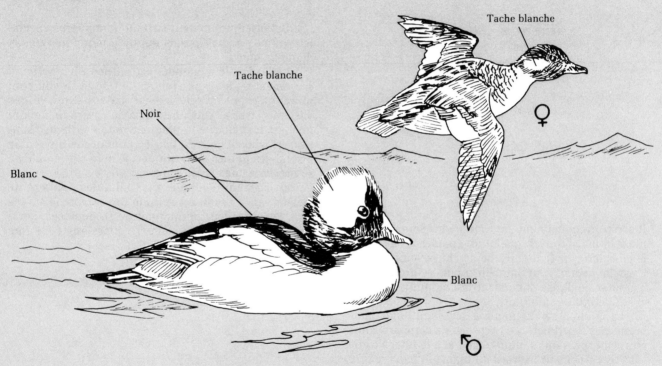

Tache blanche

Tache blanche

Noir

Blanc

Blanc

♀

♂

NOM SCIENTIFIQUE	Bucephala albeola
DIMENSION	37 cm (14,5 po)
FAMILLE	Anatidae
VARIÉTÉ	Canard plongeur
POIDS	455 g (1 lb)
SOUS-FAMILLE	Aythynae

Si certains de ces canards nous quittent à la mi-automne, la plupart d'entre eux ne partent qu'avec l'arrivée des glaces. Où qu'ils se nourrissent, ils se déplacent par petites bandes.

La petite taille, le plumage noir et blanc et le vol bas et rapide du Petit garrot permettent de le distinguer des autres espèces. Caractéristique très particulière, contrairement aux autres Canards plongeurs, il peut décoller à la verticale. Dans plusieurs régions on le nomme «Marionnette».

Habituellement silencieux, le mâle émet un faible «couic» et des sons gutturaux, la femelle un faible «couac».

La tête du mâle est foncée avec reflets verts, pourpres et bronze; un triangle blanc débute au bas de l'oeil et se prolonge vers l'arrière en élargissant; le cou est blanc; le dos et le croupion sont noirs; les ailes sont noires avec de larges taches blanches; la queue est grise et légèrement pointée; l'oeil est brun; le bec est bleu grisâtre mais généralement jaunâtre le long des tomies; les pattes sont rosâtres. A distance, l'aspect général de la femelle est gris foncé et blanc.

Les poissons, les mollusques et les insectes font partie du régime alimentaire de ce canard plongeur.

Il niche quelquefois dans une souche creuse, dans la cavité d'un arbre, ou encore dans un trou de la berge d'une rivière. Les oeufs, au nombre de 6 à 12, sont beiges ou crème teinté de gris olive. En migration, il est assez commun dans la partie sud-ouest du Québec.

Garrot commun

Garrot de Barrow

Tête brune

♀

Oeil jaune

Tête noire à reflets verdâtres

Tache blanche

♂

NOM SCIENTIFIQUE	Bucephala clangula
DIMENSION	48 cm (18 à 19 po)
FAMILLE	Anatidae
VARIÉTÉ	Canard plongeur
POIDS	1020 g (2,25 lb)
SOUS-FAMILLE	Aythynae

Les chasseurs connaissent bien ce canard qu'ils désignent du nom de « Siffleur » ou « Whistler ». Il vole seul ou en petite bande, souvent haut dans les airs. C'est au sifflement produit par ses ailes qu'il doit son surnom. Le Garrot commun, aussi appelé « Caille », que l'on rencontre dans les eaux tumultueuses, les rapides et l'estuaire du Saint-Laurent, part très tard l'automne, à l'arrivée des glaces.

La tête et le haut du cou sont noirs avec des reflets métalliques verts et pourpres; une tache blanche ronde, à l'arrière de la base du bec, permet de l'identifier facilement (chez le Garrot de Barrow, rencontré surtout dans l'Ouest même s'il niche dans le nord du Québec, cette caractéristique est en forme de croissant); les flancs, dont les plumes sont bordées de noir, sont blancs, de même que le bas du cou et la poitrine; l'oeil est jaune et le bec noirâtre; les pattes sont jaunes ou orangées.

La tête de la cane est brune et un collier blanc ouvert sur l'arrière orne son cou; la partie blanche des ailes est moins prononcée que chez le mâle; l'abdomen est blanc; les côtés et les flancs sont gris, mais le bout des plumes est blanchâtre; le bec est noirâtre et l'oeil jaune pâle; les pattes sont jaunâtres ou orangées.

Cet oiseau se nourrit d'insectes, de larves et de végétations aquatiques. Il fait habituellement son nid dans la cavité d'un arbre, mais il sait aussi faire usage des maisonnettes, cheminées et fissures dans le roc, où la ponte varie entre 6 et 15 oeufs d'un vert bleuâtre pâle.

Kakawi

NOM SCIENTIFIQUE	Clangula Hyemalis
DIMENSION	52 cm (20 po)
FAMILLE	Anatidae
VARIÉTÉ	Canard plongeur
POIDS	907 g (2 lb)
SOUS-FAMILLE	Merginae

Le Kakawi est un canard marin, d'une plus petite taille que les Eiders et Macreuses. Son vol est rapide et bas et les formations se transforment constamment. Son plumage est brillant.

Chez le mâle, la tête et le cou sont surtout blancs, les joues grises, et une grande surface brune couvre la partie arrière du cou ainsi que la partie postérieure des joues; le dos, le croupion et la poitrine sont bruns; du bas du ventre à la queue, le blanc domine; les plumes rectrices de la queue sont longues et effilées et d'un beau brun foncé bordé de blanc; l'oeil est d'un brun rougeâtre; le bec est noir mais l'onglet est rosâtre vers le bout; les pattes sont d'un gris bleuâtre.

La cane a la tête et le cou blancs, le dessus du crâne, la gorge et l'arrière du cou noir brunâtre; le dos est brun foncé; la queue, légèrement allongée, est grisâtre; la poitrine est mêlée de gris et de brun; l'abdomen est blanc; les pattes et le bec sont plus ternes que chez le mâle.

Cet oiseau fréquente les eaux douces des lacs, étangs, rivières et vastes plans lacustres lors des migrations.

Le mâle fait entendre un «calou-calou» harmonieux à longueur d'année. Le nid est placé dans une dépression du sol, souvent dans les herbes ou près des arbres rabougris à proximité de l'eau.

La femelle pond de 6 à 10 oeufs allant du gris-vert au gris olive ou au beige, sans taches.

C'est un oiseau qui niche dans la partie septentrionale de notre province, dans les zones littorales du Labrador, mais aussi de la baie d'Hudson. Il hiverne sur les eaux libres de glace de la côte atlantique et des Grands Lacs.

NOM SCIENTIFIQUE	Anas discors
DIMENSION	41 cm (16 po)
FAMILLE	Anatidae
VARIÉTÉ	Canard de surface
POIDS	425 g (14-15 oz)
SOUS-FAMILLE	Anatinae

...etite taille et au vol erratique, la Sarcelle ...s donne l'illusion d'être beaucoup plus ...le ne l'est en réalité. Les petites bandes ...à ras des marais prennent souvent les ...ar surprise. C'est un oiseau bruyant dont ...» aigus et les «couacs» sont familiers. ...'un des premiers canards à nous quitter ...e l'automne et l'un des derniers à nous ...rintemps.

...et le haut du cou sont gris, légèrement ...: le mâle; un large croissant blanc à ...eil le caractérise tout particulièrement; ...érieure de l'aile est bleue et séparée du ...ert brillant par une mince bande blan- ...ux sont bruns; le bec est noir ou gris

...t le cou de la cane sont blanc grisâtre ...foncé; le dessus de la tête est plus som- ...ne brun foncé passe de l'avant à l'arriè-

...le à ailes bleues fréquente les étangs et ...u douce, les terrains marécageux et le ...ux des rivières lentes, même des plus

petits cours d'eau. Elle se nourrit surtout de matières végétales, c'est pourquoi sa chair est excellente. Elle consomme aussi des insectes terrestres et aquatiques.

Son nid est aménagé sur le sol, la plupart du temps près de l'eau, et bien dissimulé dans les herbes, quoique parfois à découvert. Il est tissé de brins d'herbe et autres plantes flexibles, et l'intérieur est tapissé de duvet. La cane pond de 9 à 12 oeufs chamois ou blanchâtres.

Queue effilée

Blanc

Blanc

Queue courte

Blanc

♀

Noir brunâtre

♂

Macreuse à ailes blanches

NOM SCIENTIFIQUE	Melanitta deglandi
LONGUEUR	55 cm (21 à 22 po)
FAMILLE	Anatidae
VARIÉTÉ	Canard plongeur
POIDS	1 590 g (3,5 lb)
SOUS-FAMILLE	Aythynae

Les Macreuses sont des canards marins passant l'hiver dans les eaux côtières libres de glace. La Macreuse à ailes blanches est parmi les plus lourds et les plus grands de nos canards.

Nous avons trois Macreuses au Québec; l'espèce à «ailes blanches», une seconde dite à «front blanc» et enfin une troisième à «bec jaune.»

Les Macreuses sont des oiseaux robustes, avec un cou épais supportant une tête massive. D'aspect général, exception faite de quelques caractéristiques illustrées ici, les mâles sont noirs, les femelles d'un brun foncé.

On aperçoit très souvent des Macreuses se laissant flotter en troupe dont l'importance peut varier, ou encore en vol à basse altitude près de la surface de l'eau.

Suivant les espèces, ces oiseaux pondent entre 5 et 14 oeufs. Ils se nourrissent de mollusques, de crustacés, de poissons et de plantes, qu'ils atteignent en plongeant.

Les chasseurs qui s'adonnent au tir du canard dit «sourd» s'en prennent à la Macreuse à front blanc.

Probablement à cause de leur plumage sombre, de leur caractère silencieux et de leur stupidité apparente, ces canards semblent avoir suscité peu d'intérêt chez les ornithologistes. Un auteur soulignait d'ailleurs: «...Nous sommes plus ou moins bien renseignés sur la nidification des Macreuses au Canada.»

Macreuse à bec jaune

Blanc terne

Gros bec

♀

Tache blanche

Gros bec

♂

Corps no[ir]

Bleu ♀

Croissant
blanc

♂

191

Sarcelle à ailes vertes

Vert

♀

Brun

Vert

Vert

Blanc

♂

NOM SCIENTIFIQUE	Anas carolinensis
DIMENSION	38 cm (14,9 po)
FAMILLE	Anatidae
VARIÉTÉ	Canard de surface
POIDS	400 g (14 oz)
SOUS-FAMILLE	Anatinae

Voilà le plus petit et l'un des plus communs de tous nos canards, ce qui ne l'empêche pas d'être tout de même robuste, puisqu'il se rend au nord, jusqu'aux dernières étendues libres de glace.

À cause de sa petite taille, la Sarcelle à ailes vertes semble voler très rapidement, mais elle ne peut rivaliser avec la vitesse du Malard. C'est un oiseau qui souvent vole très bas et, de façon imprévisible, toute une volée peut changer de direction simultanément.

Étant notre plus petit canard, il est très facile à identifier. De plus, cette espèce affiche un spéculum vert brillant sur le dessus et une absence totale de bleu sur la partie antérieure de l'aile.

Ce canard se nourrit surtout de végétation, mais aussi de petits crustacés, de mollusques, d'insectes et de nymphes aquatiques. Il niche jusque dans la toundra, au nord, et émigre dans toutes les régions. Habituellement, les mâles qui émigrent très tôt l'automne possèdent encore un plumage en éclipse. Ces derniers sifflent et gazouillent, tandis que les canes font entendre un faible «couac».

Le nid est généralement placé au sol, près de l'eau douce, mais, à l'occasion, il peut en être éloigné. Il est habituellement dissimulé dans les herbes ou les buissons. On y trouve de 6 à 8 oeufs, parfois jusqu'à 10, de couleur vert olive pâle ou beige pâle.

La Sarcelle à ailes vertes fréquente les étangs, les marais, les bords peu profonds des lacs. Durant les migrations d'hiver, on peut l'observer dans les eaux salées peu profondes, ou dans les eaux saumâtres.

Morillon à collier

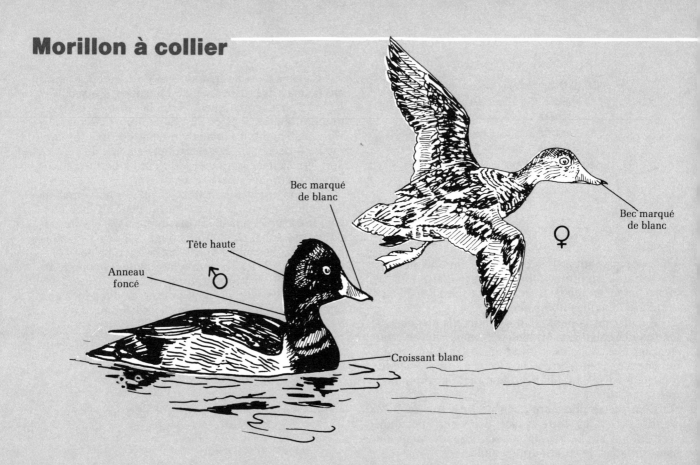

Bec marqué de blanc

Bec marqué de blanc

Tête haute

Anneau foncé

Croissant blanc

NOM SCIENTIFIQUE	Aythya collaris
DIMENSION	43 cm (17 po)
FAMILLE	Anatidae
VARIÉTÉ	Canard plongeur
POIDS	1135 g (2,5 lb)
SOUS-FAMILLE	Aythynae

Le Morillon à collier ressemble au Petit et au Grand Morillon, mais on le rencontre plus fréquemment dans les marais d'eau douce et les étangs aux rives boisées. En vol, ses ailes foncées diffèrent des ailes bordées de blanc des autres Morillons. Le mince collier brunâtre du mâle est invisible à distance, mais ce canard s'identifie facilement aux deux bandes pâles de son bec, l'une près du bout, l'autre à la base.

Il se déplace par petites bandes peu serrées et se pose habituellement sans tournoyer. Le mâle fait entendre une sorte de ronronnement. Quant à la femelle, elle serait muette pour certains; d'autres prétendent qu'elle fait entendre des cris ressemblant à ceux des autres Morillons.

Ce canard se nourrit d'innombrables animaux aquatiques, mais aussi de plantes d'eau. Il fréquente surtout les eaux douces peu profondes, parfois les estuaires et les baies où les marées se manifestent. Contrairement aux autres plongeurs, il se trouve plus souvent au large des grands plans d'eau. Par contre, en migration, on le rencontre aussi sur les rivières et les grands lacs, notamment ceux dont les rivages sont marécageux.

On le retrouve rarement en eau salée, quelle que soit la saison. Le nid est construit dans la végétation basse, au bord des étangs et des terrains marécageux. Il est constitué d'un assemblement de plantes et il est tapissé de duvet à l'intérieur. La cane pond entre 6 et 12 oeufs dont la couleur peut être gris vert, brun olivâtre ou chamois. Ce canard est un plongeur accompli. Partant du nord de l'île d'Anticosti et de la baie de James, il se retrouve jusqu'aux frontières sud de notre province.

Morillon à dos blanc

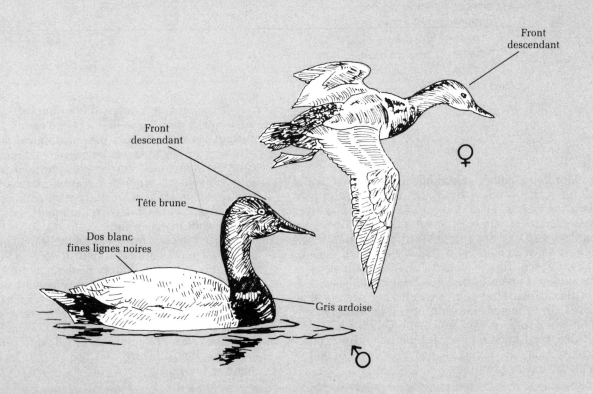

Front
descendant

Front
descendant

Tête brune

Dos blanc
fines lignes noires

Gris ardoise

♀

♂

NOM SCIENTIFIQUE	Aythia valisineria
DIMENSION	56 cm (22 po)
FAMILLE	Anatidae
VARIÉTÉ	Canard plongeur
POIDS	1360 g (3 lb)
SOUS-FAMILLE	Aythynae

Voilà le plus rapide de tous les canards; les auteurs du *New Hunter's Encyclopedia* affirment avoir suivi, d'un avion, un Morillon à dos blanc filant à une vitesse de plus de 116 km (72 mi) à l'heure.

Il s'envole très tard vers le Sud, émigrant par groupes dont les déplacements se font à la queue leu leu ou en V irrégulier. Par contre, lorsqu'il se nourrit, il vole par bandes serrées, aux formations imprécises.

Chez le mâle, la tête et le cou sont d'un brun rougeâtre, devenant très foncé sur le dessus du crâne: une large tache noire bien définie couvre l'arrière-train; le dos de l'oiseau est blanc, marqué de fines lignes noires; l'oeil est rouge, le bec noirâtre, les pattes bleu grisâtre. La femelle présente un aspect général variant entre le brun rougeâtre foncé et le brun chamois, presque blanc sous la tête, sur la gorge et autour des yeux qui, eux, sont bruns.

Cet oiseau se nourrit surtout de végétations aquatiques, ce qui rend sa chair si délicieuse et explique pourquoi elle est recherchée des gourmets. Il fréquente les vastes plans d'eau, même herbeux. En migration d'automne ou l'hiver, il se posera sur l'eau salée ou saumâtre des baies, ainsi que sur les lacs de grande étendue.

Le mâle «grogne» de façon rauque et gutturale; la cane fait entendre un «couac» qui ressemble à celui du Malard. Le nid, construit au sol et habituellement dissimulé dans les hautes herbes, est composé d'herbages et le fond est recouvert de plumes et de duvet. Au printemps, de 6 à 10 oeufs d'un beige verdâtre assez pâle seront pondus.

Morillon à tête rouge

NOM SCIENTIFIQUE	Aythia americana
DIMENSION	51 cm (20 po)
FAMILLE	Anatidae
VARIÉTÉ	Canard plongeur
POIDS	1135 g (2,5 lb)
SOUS-FAMILLE	Aythynae

Le Morillon à tête rouge fréquente surtout l'ouest du Canada. Cependant, durant la période migratoire, on le retrouve plus à l'est. Il niche dans le sud-ouest du Québec, mais à certains endroits seulement. Au cours des migrations, il est plutôt rare dans cette partie de notre province.

Lors des vols migratoires, les groupes formés en V sont irréguliers lorsque l'oiseau se nourrit. Il est aussi très rapide, puisqu'il accompagne souvent le Morillon à dos blanc. Sa journée se passe habituellement en eau profonde, mais il vient chercher de la nourriture à l'aube et au crépuscule en eau basse.

Le mâle fait entendre un « meeiow », la cane un « squac » rauque plus aigu que celui du Malard.

Chez le mâle, la tête et le haut du cou sont d'un brun rougeâtre teinté violacé; la poitrine, le haut du cou et du dos ainsi que le croupion sont noirs; le spéculum est gris plus pâle liséré de blanc; l'oeil est jaune; les pattes sont gris bleuâtre.

La tête et le cou de la cane sont bruns, quoique plus foncés sur le sommet de la tête et la partie postérieure du cou, puis tournant au beige pâle à la base du bec et sous le cou; l'aile est semblable à celle du mâle; l'oeil est brun; le bec est plus terne que celui du mâle, de même que les pattes.

Le nid est un amas de plantes, disposées en forme de coupe et dont l'intérieur est garni de plumes et duvet. On le trouve parfois en eau peu profonde, mais aussi sur terrain sec. Il est à noter que la cane du Morillon à tête rouge pond souvent ses oeufs dans les nids d'autres canards. Ces oeufs, de 6 à 20, sont luisants et d'un beige-olive pâle.

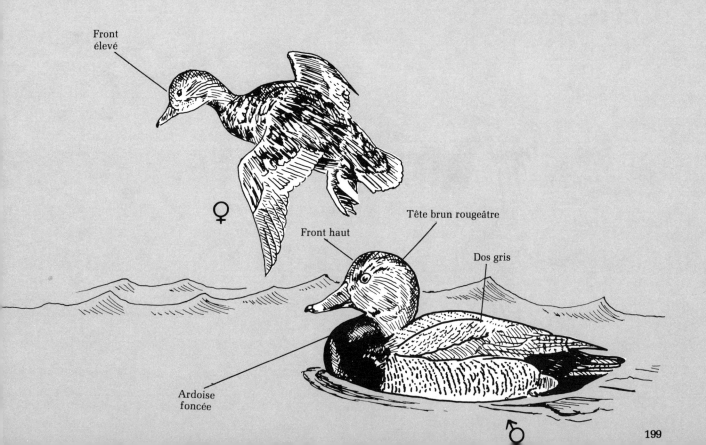

Front
élevé

♀

Tête brun rougeâtre

Front haut

Dos gris

Ardoise
foncée

♂

199

Grand Morillon et Petit Morillon

Bleu pâle

Blanc

Noir

Large tache blanche

Large marque blanche

NOM SCIENTIFIQUE	Aythia marila et Aythya affinis
DIMENSION	47 cm (18,5 po) et 43 cm (17 po)
FAMILLE	Anatidae
VARIÉTÉ	Canard plongeur
POIDS	910 g (2 lb) et 950 g (1,8 lb)
SOUS-FAMILLE	Aythynae

Vus de loin, si ce n'étaient de leurs ailes, le Petit et le Grand Morillon seraient à peu près semblables. C'est pourquoi ils sont ici réunis. Une bande pâle, près du bord postérieur de l'aile, va presque jusqu'à l'extrémité de cette dernière chez le Grand Morillon, mais seulement jusqu'à la moitié chez le Petit. Les chasseurs donnent le nom de «cendré» à cet oiseau.

Le Grand Morillon préfère les vastes étendues d'eau, tandis que le Petit préfère souvent les étangs et les marais.

Ce sont deux de nos canards dont la chasse se poursuit tard dans la saison, et ce du fait qu'ils de-meurent avec nous jusqu'à la prise des glaces. Ils se déplacent à coups d'ailes rapides et en bandes serrées; les formations en vol sont plutôt irrégulières.

Chez le mâle, la tête et le cou sont noirs avec des reflets verdâtres; la poitrine, le haut du dos, le croupion et une partie de l'abdomen sont également noirs; le centre du dos et les scapulaires sont blancs, mais les plumes rayées de lignes noires; le spéculum est blanc liséré de noir; les flancs sont blanc légèrement vermiculé de noirâtre; l'oeil est jaune, le bec gris bleu, mais l'onglet est noir; les pattes sont bleuâtres. La tête de la cane est brun foncé; les spéculums sont identiques à ceux du mâle; une partie blanchâtre est bien définie à la base du bec et sous la tête. La femelle est muette, mais le mâle du Petit Morillon fait entendre un genre de ronronnement; le Grand Morillon se reconnaît à son «scaup — scaup» criard, d'où son nom anglais «greater scaup».

Certains auteurs prétendent que cet oiseau peut pondre de 8 à 10 oeufs, d'autres de 6 à 20. Ils peuvent varier du brun olive au gris-vert.

Eider commun

NOM SCIENTIFIQUE	Somateria mollissima
DIMENSION	60 cm (23 à 24 po)
FAMILLE	Anatidae
VARIÉTÉ	Canard plongeur
POIDS	2270 g (5 lb)
SOUS-FAMILLE	Aythynae

L'Eider commun est un oiseau trapu, au cou fort, qui se déplace en planant et en battant des ailes alternativement. Il se joint à des bandes qui volent en formant une ligne au ras de l'eau. On le rencontre surtout le long de la côte atlantique.

L'Eider à lunette, l'Eider remarquable et l'Eider de Steller se retrouvent surtout en Alaska, c'est pourquoi nous ne les incluons pas dans ce guide.

N.B. Les canards non illustrés mais simplement mentionnés dans cette partie du guide traitant des oiseaux migrateurs sont présentés dans le tableau Grandeur comparée des oiseaux aquatiques, page 204.

Quant aux divers coloris des canards concernés, seul l'aspect

Canard arlequin

NOM SCIENTIFIQUE	Histrionicus histrionicus
DIMENSION	52 cm (17 po)
FAMILLE	Anatidae
VARIÉTÉ	Canard plongeur
POIDS	907 g (2 lb)
SOUS-FAMILLE	Aythynae

Le Canard arlequin est un très bel oiseau au plumage bleu ardoise brillant, accentué de rayures et de taches blanches; la base du bec est aussi marquée d'un croissant blanc.

La cane ressemble à la Macreuse femelle. C'est un oiseau plutôt rare au Québec, son aire de dispersion se restreignant aux côtes de l'Atlantique et du Pacifique.

général a été pris en considération. Les plumages saisonniers, en éclipse ou nuptiaux, peuvent occasionner des variations aux couleurs définies dans ce que nous considérons être un résumé.

Pour l'Oie bleue, l'Oie blanche, les Bernaches, voir p. 80 à 85.

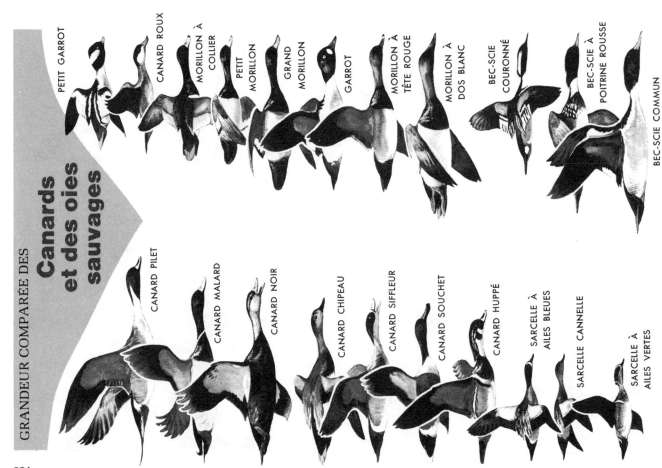

GRANDEUR COMPARÉE DES

Canards et des oies sauvages

PETIT GARROT

CANARD ROUX

MORILLON À COLLIER

PETIT MORILLON

GRAND MORILLON

GARROT

MORILLON À TÊTE ROUGE

MORILLON À DOS BLANC

BEC-SCIE COURONNÉ

BEC-SCIE À POITRINE ROUSSE

BEC-SCIE COMMUN

CANARD PILET

CANARD MALARD

CANARD NOIR

CANARD CHIPEAU

CANARD SIFFLEUR

CANARD SOUCHET

CANARD HUPPÉ

SARCELLE À AILES BLEUES

SARCELLE CANNELLE

SARCELLE À AILES VERTES

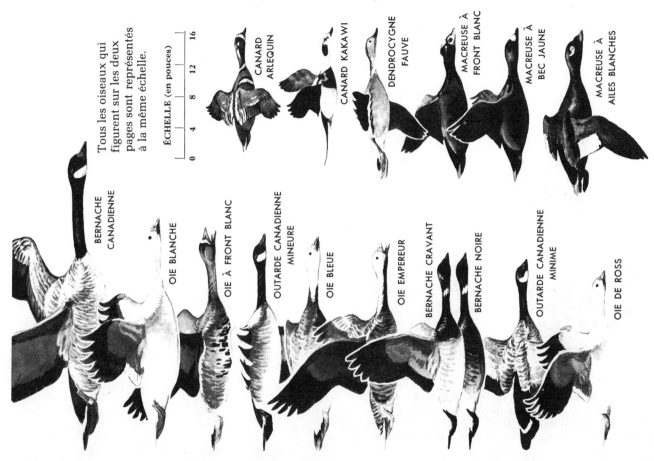

Tous les oiseaux qui figurent sur les deux pages sont représentés à la même échelle.

ÉCHELLE (en pouces)

0 4 8 12 16

CANARD ARLEQUIN

CANARD KAKAWI

DENDROCYGNE FAUVE

MACREUSE À FRONT BLANC

MACREUSE À BEC JAUNE

MACREUSE À AILES BLANCHES

BERNACHE CANADIENNE

OIE BLANCHE

OIE À FRONT BLANC

OUTARDE CANADIENNE MINEURE

OIE BLEUE

OIE EMPEREUR

BERNACHE CRAVANT

BERNACHE NOIRE

OUTARDE CANADIENNE MINIME

OIE DE ROSS

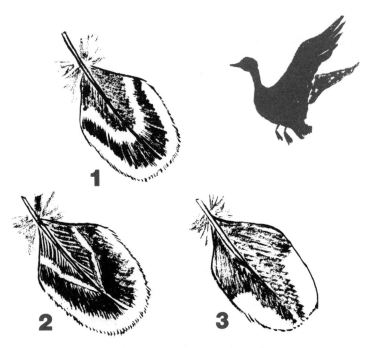

A ses plumes, vous pourrez facilement identifier le sexe d'un canard noir. 1) Plume de la poitrine du mâle. 2) Plume de la poitrine de la femelle. 3) Plume de caneton, les marques en «U» ou «V» ne sont pas encore définies.

Choix et entretien d'un fusil de chasse à la sauvagine

Votre fusil doit devenir une partie de vous-même, que vous devez bien connaître pour obtenir les meilleurs résultats. Soyez judicieux dans votre choix. Voici les principaux facteurs dont vous aurez à tenir compte.

Calibres

Pour la chasse aux canards, les calibres .12 et .16 bien que ce dernier perde de sa popularité. Par contre, le .20 magnum intéresse maintenant certains chasseurs. Il faut une charge à la fois grosse quant au diamètre des projectiles, et puissante si nous tenons compte de la poudre.

Mécanisme

Un fusil pouvant être chargé de deux cartouches ou plus est essentiel. Certains chasseurs opteront pour un canon pourvu d'un dispositif réglable de l'étranglement ou «choke». Cet adaptateur permet de déterminer facilement la longue ou la courte portée et la densité de la gerbe, suivant les circonstances.

«Choke», étranglement ou retreint

On ne pourrait parler de chasse à la sauvagine sans qu'il soit question du rétrécissement du canon d'un fusil à son extrémité. Ce facteur détermine l'intensité du patron des plombs, ainsi que la distance que ces derniers pourront atteindre.

Ce rétrécissement à la bouche va de 1,3 à 0,1 mm dans le calibre .12. Le maximum est désigné du nom de «full choke», sa moitié, «demi-choke», son quart, «quart de choke» et son minimum, «cylindre amélioré».

Si vous faites l'acquisition d'une arme d'occasion, assurez-vous de la réputation du vendeur. Renseignez-vous auprès d'un armurier compétent afin de connaître les qualités du fusil, son origine, l'état du mécanisme et la possibilité d'en remplacer les pièces.

Prenez garde d'acheter un fusil au canon damassé, c'est-à-dire une arme ancienne dont le canon est fait d'acier enroulé. Une telle arme ne peut que servir à décorer le haut d'une cheminée ou tout simplement s'inclure dans une collection. Ces fusils damassés ne résisteront pas aux pressions des nouvelles poudres.

Faites l'acquisition d'un fusil neuf en vous adressant à un marchand ou armurier vraiment spécialisé. Il faut que l'arme vous convienne par son poids, sa longueur, son mécanisme ou son maniement.

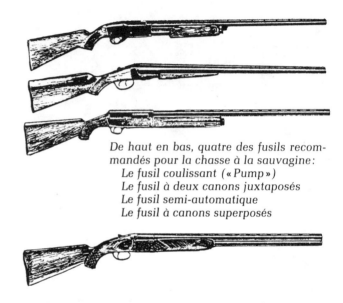

De haut en bas, quatre des fusils recommandés pour la chasse à la sauvagine:
 Le fusil coulissant («Pump»)
 Le fusil à deux canons juxtaposés
 Le fusil semi-automatique
 Le fusil à canons superposés

Évaluation de la portée

Que de munitions gaspillées inutilement et que de canards blessés, parce que certains chasseurs peu renseignés déchargent leur arme vers des canards hors de portée, même alors que le gibier est encore au-dessus du canton voisin. Ne les imitez pas!

Habituez-vous plutôt à bien juger vos distances,

c'est une affaire de pratique, mais quelques conseils ne nuiront pas.

Comparez les canards vivants aux appeaux disposés. Si les premiers vous paraissent de la même taille que vos leurres, c'est le moment de faire feu.

Ne tirez pas avant de pouvoir distinguer les couleurs de l'oiseau; lorsque vous aurez fait la différence entre le brun et le blanc, ce sera le moment de tirer. Jos Lachance me disait souvent: «Jean, si tu ne veux pas manquer une oie, attends de lui voir l'oeil avant de presser la détente!»

Plantez un piquet à 40 verges (environ 36 mètres) de l'endroit où vous êtes. Ou encore, placez un appeau à la même distance — ou guidez-vous sur un arbre, un rocher, une souche vous paraissant aussi éloigné. Ces points de repère vous serviront à bien calculer vos distances.

Le chasseur de canards digne de ce nom doit s'enorgueillir de tirer à portée de fusil. Pour lui, pas de milieu ni de canards blessés, le gibier est tué!

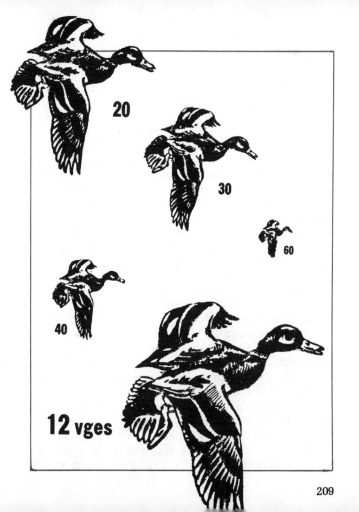

Prenez un papier transparent et calquez soigneusement la page illustrant des canards placés à différentes distances, placez-le au mur ou posez-le par terre, puis braquez la bouche de votre fusil sous le canard choisi. Le long du canon, le canard paraîtra de la même grosseur que si vous le visiez à la distance marquée. Pratiquez ce petit jeu pour apprendre à mieux juger vos distances.

L'avance

On ne tire pas où est le canard, mais bien où il sera! Cette introduction résume très bien tout ce que peut signifier l'avance à la chasse. C'est un élément difficile à saisir, et encore plus à calculer. En réalité, qu'entend-on par avance et comment l'évaluer?

Lorsqu'on tire un canard en vol, il faut viser à l'avant, c'est-à-dire au point de rencontre des plombs et de l'oiseau. Durant le trajet des plombs, qui sont lents (dans le domaine de la balistique), l'oiseau s'est déplacé. Il a pu franchir 13,7 m à 18,3 m (15 à 20 pi), et il faut en tenir compte.

Il serait possible d'établir des tables de calcul précises si les conditions étaient toujours les mêmes, mais tel n'est pas le cas, malheureusement, car l'avance est conditionnée par de trop nombreux facteurs dont la vitesse et l'angle du gibier, la distance du chasseur, le vent et les réflexes du tireur.

La vitesse de vol des canards varie selon la vélocité ou la direction du vent; l'angle en rapport avec l'horizon est aussi un facteur, et à cela peuvent s'ajouter la différence de vitesse entre le jeune oiseau et l'oiseau adulte, et le degré d'intensité de la crainte qui l'incite à fuir.

Les tables de vitesse existantes sont donc décevantes, puisque la vitesse des canards est d'environ 45,7 à 91,4 m (100 à 450 pi) à la seconde.

Il existe trois façons reconnues de pratiquer l'avance. Avant de vous les expliquer, retenez bien ceci: si vous tirez trop à l'arrière du gibier, vous le raterez. Si vous tirez trop à l'avant, vous l'atteindrez probablement quand même à cause de l'étendue de la gerbe de plombs, mais habituez-vous à prendre un peu plus que pas suffisamment d'avance.

Le tir à bout portant

Le chasseur fait feu à l'avant de la cible, au point où il estime que se rencontreront cible et projectile. Il ne balance pas son fusil pour suivre le gibier. C'est une méthode rapide qui manque d'efficacité. Le bon chasseur n'y aura recours que dans une situation sans autre issue.

Avance soutenue

Le tireur repère le gibier et calcule l'avance d'après la distance qui lui paraît juste. Il maintient son avance jusqu'à ce qu'il soit sûr que le canon de son fusil se déplace à la vitesse de l'oiseau. Il presse la détente, sans cesser de balancer son fusil. Autrement dit, il précède le gibier à une vitesse égale.

Avance à rebours

C'est la méthode que les anglophones résument en ces quelques mots, «swing, lead, follow through», et en voici les diverses étapes: le chasseur dirige la bouche du fusil à l'arrière du gibier en vol, déplace son arme à une vitesse plus grande que celle de l'oiseau convoité. Il tire lorsque la bouche du fusil

paraît précéder suffisamment la cible. La bouche du fusil se déplace plus vite que le gibier visé et le mouvement se poursuit après la pression sur la détente, afin de bien étendre la gerbe de plombs.

La pratique du tir aux pigeons d'argile lors des saisons mortes devrait vous permettre de juger de l'avance dont le mauvais calcul est la principale cause d'échec. Augmentez-la si vous ratez au premier coup!

Les données du tableau en page suivante n'ont pour but que de vous faire comprendre l'importance de la distance à l'avant lors du tir d'une cible mobile et de vous en donner tout de même une idée assez précise. Ce ne sont pas des suggestions, bien au contraire, car jamais dans votre vie vous ne serez en présence d'un oiseau volant exactement à angle droit de votre position, à une vitesse précise de 104 km (65 mi) à l'heure, et dans un ciel où aucun vent ne souffle; la moindre variation dans l'une de ces trois conditions viendrait automatiquement annuler et détruire ce rêve!

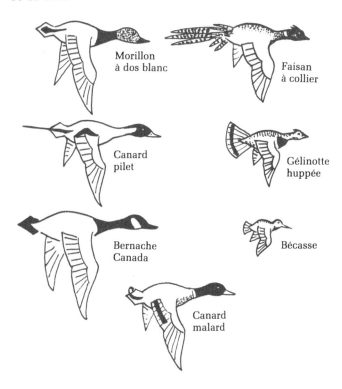

Morillon
à dos blanc

Faisan
à collier

Canard
pilet

Gélinotte
huppée

Bernache
Canada

Bécasse

Canard
malard

	Tir à l'avance	
Espèce	*Vitesse (approx.)*	*Avance à 30 verges*
Morillon à dos blanc	104-112 km/h (65-70 mi)	**3,35 m (11 pi)**
Canard pilet	96 km/h (60 mi)	**3,04 m (10 pi)**
Bernache Canada	88 km/h (55 mi)	**2,74 m (9 pi)**
Canard malard	88 km/h (55 mi)	**2,74 m (9 pi)**
Faisan à collier	80 km/h (50 mi)	**2,43 m (8 pi)**
Gélinotte huppée	48 km/h (30 mi)	**1,02 m (4 pi)**
Bécasse	40 km/h (25 mi)	**91 cm (3 pi)**

Méthodes de chasse à la sauvagine

C'est le milieu qui dicte les diverses façons de chasser la sauvagine. Voici les méthodes les plus répandues au Québec.

Tir à l'approche

Ce mode de chasse se pratique à travers tout le pays. S'il est à pied, le chasseur rampe le long des mares et bourbiers, ou marche au travers des herbiers qui entourent généralement les plans d'eau fréquentés par la sauvagine. Il tire le canard lorsqu'il le fait prendre vol. Cette chasse se pratique aussi d'une petite embarcation poussée dans les joncs.

Pour décoller, l'oiseau fait normalement face au vent; le chasseur doit donc se déplacer vent dans le dos. S'il est sur l'eau, la tactique contraire peut aussi réussir. Le chasseur avance contre le vent et tire des oiseaux qui s'envolent en direction contraire à celle du vent.

Tir à l'affût

Pour ce genre de chasse, un endroit élevé est indiqué, celui que croisent les canards pour se rendre à leur lieu d'alimentation et de repos et en revenir. Ils suivent régulièrement le même trajet une journée, une semaine même, s'ils ne sont pas dérangés. Lorsque vous découvrirez un tel endroit, vous atteindrez probablement très facilement la limite légale permise.

Disposez l'affût ou « cache » dans la ligne de vol, puis abattez les canards lorsqu'ils vous passent au-dessus de la tête. Cette façon de chasser est très populaire dans les prairies de l'ouest du Canada.

Chasse avec appeaux

Voilà certainement la façon la plus populaire de chasser les canards. Aménagez une « cache » à l'endroit où les canards viennent prendre leur nourriture, disposez vos appeaux comme nous le suggérons et attendez l'apparition des canards. (Voir p. 221.)

Chasse au champ

Cette méthode se pratique surtout dans les champs de grain lorsque la sauvagine, incluant Bernaches et Oies évidemment, vient y chercher sa pitance. Elle gagne de plus en plus en popularité au Québec.

Comment définir les déplacements du gibier

D'un endroit élevé, ou encore en se déplaçant en automobile, on surveille la ligne de vol du gibier jusqu'à ce qu'on ait découvert où il vient prendre sa nourriture. On vérifie s'il s'y rend en grand nombre. Sans l'effrayer, on le laisse s'envoler à son gré. Après quoi on tire profit d'un affût naturel, on monte une « cache » ou on creuse une fosse dans le sol pour s'y dissimuler.

On retourne sur les lieux avant la seconde période d'alimentation, puis on dispose les appeaux. La sauvagine s'alimente deux fois quotidiennement, au petit jour et à compter de 4 heures l'après-midi (16 heures).

Par temps d'orage, tout comme en fin de saison, la sauvagine se nourrit à toute heure, se déplaçant continuellement entre les champs et les plans d'eau.

Cette façon de procéder est d'ailleurs indiquée pour le début de la saison, lorsque la chasse se pratique d'un affût placé en bordure ou sur un plan d'eau. Les lignes des vols vous indiqueront où vos chances seront les meilleures.

CONSEIL IMPORTANT: Quelle que soit votre méthode de chasse, NE BOUGEZ PAS À L'APPROCHE DU GIBIER. Ces oiseaux possèdent une acuité visuelle incroyable et ce sont vos mouvements qui les effraieront.

L'affût et ses exigences

L'affût ou « cache » doit très bien s'intégrer au paysage, en terrain découvert imiter le plus possible la nature. Il doit assurer au chasseur une grande liberté de mouvement, tout en le dissimulant très bien.

Il nous est impossible de vous faire une énumération de tous les genres d'affûts. Leurs formes sont dictées par le milieu, puisqu'ils peuvent être de pierres, joncs, bois, cèdres, maïs (tiges), etc.

Outre les espèces chassées, dont il importe de tenir compte, il y a aussi le moment de la saison, c'est-à-dire le début ou la fin. Aux premières journées, une « cache » rudimentaire n'effraiera pas les canards, mais au fur et à mesure que progresse la période cynégétique certains changements pourront être apportés. Mais de façon générale, les Canards noirs craignent toujours l'affût.

Fosse

Là où les canards prennent leur nourriture dans les champs, creusez un trou assez profond pour qu'une ou deux personnes puissent y prendre place, tout en ayant pleine liberté de mouvement. Dissimulez les bords de l'ouverture. S'il est question de propriété privée, demandez la permission avant d'entreprendre une telle modification du terrain.

Pour ce qui est des Grandes oies blanches, ce genre de cache se creuse dans la vase s'il est ques-

La fosse

tion de la région du cap Tourmente ou de l'Île-aux-Grues.

Affût flottant mobile

C'est un genre de rideau, fait de branches ou de tiges de roseaux ou de quenouilles, quelquefois de joncs, qui entoure une embarcation. Il est très pratique puisqu'il permet de se déplacer vers les endroits où est le gibier.

Affût sur la berge

Cet affût permet un tir plus précis du fait que le chasseur n'est pas ballotté par les vagues. C'est plus confortable, certains y apportent même un poêle, un réchaud et des sièges. Habituellement, on se contente d'utiliser les matériaux trouvés sur place. La tâche est toutefois simplifiée lorsque les chasseurs ont eu soin de tresser dans de la broche à poulets les tiges de joncs, les quenouilles ou les broussailles.

Affût sur la berge

« Steppes »

On rencontre surtout ce genre d'affût ou cache le long des rives du Saint-Laurent. Peu pratique pour la

« Steppes »

chasse aux Canards de marais, il convient bien à ceux qui préfèrent les plongeurs.

Ce sont en réalité des plates-formes élevées sur piquets en eau peu profonde. On peut glisser l'embarcation en dessous et prendre position pour chasser sur le dessus. Un rideau de joncs ou de branches de cèdre dissimule les chasseurs.

Plusieurs chasseurs oublient que leur passage à travers des joncs a laissé un sentier battu indiquant une présence humaine aux yeux avertis des canards. Assurez-vous de bien relever la végétation aquatique pour faire disparaître vos traces. Prenez soin de bien dissimuler votre bateau dans les joncs: n'en laissez pas dépasser une extrémité qui trahirait votre présence.

Vêtements du chasseur

Assurez-vous que vos vêtements s'harmonisent avec le décor, car le canard possède une vue excellente et, bien que ce soit le mouvement plutôt que la couleur qui l'alarme, des vêtements peu voyants rendront vos gestes beaucoup moins apparents.

« Un maximum de chaleur, pour un minimum de poids » serait un bon slogan, auquel nous pourrions ajouter « sans encombrement ». La liberté des mouvements est d'extrême importance à la chasse, du fait qu'il faut suivre le gibier du canon et même pivoter pour atteindre la cible mobile.

Une casquette dont la palette permettra de dissimuler une bonne partie de la figure est recommandée — encore mieux si elle est pourvue d'un bord qui se rabat tout autour pour protéger contre l'infiltration de la pluie ou de la neige dans le cou.

Un grand visage pâle qui scrute le ciel, voilà un signe que le canard aperçoit de très loin, et qui lui indique que tout ne va pas dans cette direction. Plusieurs vétérans se laissent pousser barbes, moustaches et favoris en prévision de la saison, d'autres utiliseront du maquillage noir pour éliminer l'éclat de la peau.

Des bottes de caoutchouc à la hauteur de la hanche ou des cuissardes vous aideront grandement à récupérer vos canards si vous n'avez pas de chien. N'oubliez pas que ce genre de chaussure manque de confort lorsque la randonnée est longue. De plus il provoque la transpiration. Si vous chassez d'une embarcation et que vous n'avez pas à en descendre, choisissez plutôt des bottes courtes.

Outre les lunettes d'approche, n'oubliez pas les vêtements supplémentaires faits de caoutchouc, de couleur verdâtre, fabriqués spécifiquement par Tasco pour la chasse à la sauvagine.

NE PORTEZ RIEN DE MIROITANT, SI VOUS DÉSIREZ FAIRE APPROCHER LES CANARDS!

Les embarcations

Plusieurs genres de bateaux sont utilisés pour la chasse aux canards. Votre choix sera déterminé par le genre de chasse que vous pratiquerez et l'étendue d'eau sur laquelle vous vous adonnerez à votre sport... Voici quelques conseils sur le choix du bateau approprié.

Assurez-vous que le bateau choisi est bon, solide et surtout stable, afin de ne pas tomber lorsque deux chasseurs debout tirent à la fois d'un même côté.

Selon votre besoin, le bateau devrait être suffisamment léger pour être transporté sur la toiture de l'automobile, ou aussi lourd qu'une Verchères ancrée au lac Saint-Pierre.

Un bateau à faible tirant d'eau facilitera les dé-

valeur. Aux yeux des canards, elle se transforme en véritable réflecteur indiquant une présence humaine.

Il ne faut pas surcharger l'embarcation de chasse. La charge doit être répartie également. À la chasse comme ailleurs, la sécurité prime toujours!

Lorsque vous êtes trois tirant d'une même embarcation, surveillez le chasseur du centre. En s'avançant ou en se levant au moment du tir, il peut devenir une cible pour les plombs des autres tireurs placés aux extrémités de la chaloupe.

placements à travers les joncs, ou encore pour pratiquer la chasse à cul levé.

Si vous chassez sur un vaste plan d'eau, ayez un bateau à toute épreuve, une embarcation pouvant résister aux pires intempéries.

Peinturez l'embarcation de la même couleur que le décor dans lequel elle sera dissimulée. Souvenez-vous que l'embarcation d'aluminium est de peu de

Les affûts

1

2

3

1 Tard en saison, lorsque vous pourrez chasser les canards plongeurs d'un affût posé sur la glace: quatre piquets et une pièce de coton blanc vous feront un excellent abri, vous protégeant tant du vent que de la vue du gibier.

2 Pour les chasseurs placés à l'intérieur, cet affût mobile semble bien les dissimuler des canards. Mais pour le gibier venant dans leur direction, les côtés de l'embarcation, parfois aux couleurs les plus baroques, sont visibles à distance. Ayez la précaution de bien couvrir les côtés, l'arrière et le hors-bord de la chaloupe.

3 Pour chasser dans un champ de maïs fréquenté par la sauvagine, vous pouvez vous fabriquer un affût portatif des plus pratiques avec de la broche à clôture que vous recouvrez de tiges de maïs, tel que l'indique la vignette.

1

3

2

1 Plus il est naturel, meilleur est l'affût pour la chasse à la sauvagine. Pourquoi ne choisiriez-vous pas une belle pointe, à proximité de laquelle passent les canards. Dissimulez-vous parmi les hautes quenouilles et le gibier ne craindra nullement de s'approcher à portée de fusil.

2 Le tir d'un canard venant directement vers vous est parfois difficile. Imaginez que vous êtes en position no 8 au «skeet». Vous couvrez la cible en remontant le canon... vous faites feu, et vous continuez votre mouvement pour bien distribuer la gerbe de plombs.

3 Ce n'est pas sur le coup de midi que se chasse la sauvagine en début de saison. Les chasseurs doivent partir dans l'obscurité pour se trouver dans l'affût bien avant le lever du soleil. Mon père disait d'ailleurs: «C'est à l'oiseau le plus matinal que reviennent les vers du matin!» Comme la chasse débute avant le lever du jour, soyez prêts pour ces précieux moments.

Canards de bois, leurres, appelants ou appeaux?

Du temps de nos grands-pères, on appelait tout simplement « canards de bois » les blocs de bois sculptés qui étaient utilisés pour la chasse aux canards.

Depuis plusieurs années, à cause de la diversité des matériaux entrant dans leur fabrication: liège, plastique, nylon, caoutchouc et autres, on chercha un substantif pour les désigner, puisque les authentiques canards de bois étaient devenus très rares.

Dans certains volumes apparut le mot *leurre,* appellation peut-être acceptable en littérature, mais qui, en langage cynégétique, désigne en fait un morceau de cuir rouge garni d'un appât, représentant grossièrement un oiseau dont on se sert pour exercer les faucons.

D'autres optèrent pour le mot *appelant*; il est accepté dans le langage populaire, mais ce terme n'est guère plus juste puisqu'il désigne dans de nombreux traités de chasse un oiseau qui sert à attirer les autres dans un filet.

Seul le mot *appeau* me semble approprié, puisque Quillet le définit comme suit: « oiseau qu'on emploie pour appeler ou attirer des oiseaux de même espèce ». À la rigueur, nous pourrions le faire suivre du mot artificiel ou factice.

Parlant de chasse à la sauvagine, le mot «call» est un anglicisme qui convient nullement. À ce sujet, Quillet nous suggère le mot *pipeau* qu'il définit ainsi: «chasse ou l'on contrefait les cris des oiseaux pour les attirer».

Dans ce livre, nous adopterons les mots *appeau* et *pipeau*, même si le mot leurre me semble acceptable à l'occasion.

A propos de l'affût ou «cache», les mots postes, hutteau, hutte et gabion apparaissent régulièrement dans les traités de cynégétique.

Les appeaux, bien les utiliser

Il existe sur le marché plusieurs sortes d'appeaux; ils possèdent leurs avantages et leurs inconvénients, en voici quelques-uns:

Canards de bois

Certains sont très beaux mais coûteux, étant devenus de véritables pièces artisanales. Bien que lourds et encombrants, ils flottent très bien et ne sont pas affectés par les perforations causées par les plombs. Ils peuvent donc durer très longtemps.

Canards de caoutchouc

Compacts et légers, on les suggère pour le tir aux champs. Ils ont, par contre, l'inconvénient d'être de mauvaises imitations des oiseaux: leur fini est trop souvent luisant. De plus, les plombs les perforent facilement.

Canards de papier mâché

Ils sont légers mais coûteux pour le matériau utilisé dans leur fabrication. L'eau les décompose facilement, tout comme les plombs qui les atteignent. Très peu durables.

Canards de liège

Ils flottent très bien, sont durables et de poids moyen. Ils donnent d'excellents résultats, et certaines imitations sont très fidèles à l'original. Par contre ils sont fort coûteux

Canards silhouettes

Faits de bois ou de métal, ils sont utilisés pour la chasse aux canards et aux oies dans les champs.

Canards de nylon et plastique

Maintenant les plus populaires à cause de leurs nombreuses qualités, dont les principales demeurent leur coût et leur durabilité. Moulés pour obtenir d'excellentes formes, plusieurs ont toutefois des coloris laissant à désirer, que le chasseur peut tout de même améliorer.

Choisissez des appeaux ressemblant le plus à l'oiseau que vous avez l'intention de chasser. Réparez, passez un coup de pinceau, ou jetez tout simplement ceux que vous jugerez inutiles. Assurez-vous qu'ils ont un fini mat — les canards vivants ne reluisent pas!

Nous avons mentionné qu'il y a deux sortes de canards, les plongeurs et ceux des marais. Les appeaux les attirent de différentes façons. Le Plongeur les survole habituellement avant de se poser, tandis que le Canard de marais pointe directement vers eux ou se pose plus au large pour s'approcher par la suite.

Tous les canards se posent et s'envolent contre le vent. Le plongeur rase la surface pour prendre vol, tandis que celui des marais monte droit en l'air.

On doit donc tenir compte de ces habitudes dans la disposition des appeaux. Voici deux des meilleures manières de disposer les canards artificiels; il en existe d'autres, mais celles-ci sont simples, faciles à retenir et efficaces. (Voir les illustrations.)

Ajoutons quelques conseils pour ceux qui chassent sur l'eau.

Pour la chasse au canard de marais,

n'employez pas trop de pièces, 6 à 18 suffisent.

Le plongeur est attiré par des groupes compacts de deux douzaines au moins, ou parfois plus.

Les Canards noirs sont très méfiants, il suffit souvent de quelques Bernaches Canada pour dissiper leurs craintes. Disposez ces bernaches dans le sens du vent, à proximité de vos appeaux de Canards noirs.

Parfois quelques appeaux posés parmi les joncs

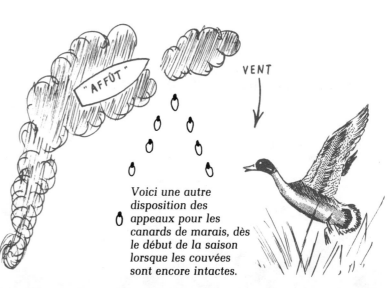

Voici une autre disposition des appeaux pour les canards de marais, dès le début de la saison lorsque les couvées sont encore intactes.

ajoutent au réalisme, donc diminuent la crainte du gibier.

Il ne faut pas mêler canards de marais artificiels et canards plongeurs artificiels.

Plusieurs chasseurs emploient leurs loisirs à fabriquer eux-mêmes leurs propres canards de bois — c'est le moyen par excellence d'obtenir exactement ce que l'on désire.

Ne disposez jamais vos appeaux à moins de 20 verges de votre « cache ». Celle-ci perdrait de son efficacité, plus particulièrement pour la chasse aux canards plongeurs.

Pour la chasse aux canards de marais, la disposition des appeaux en forme d'hameçon est très efficace.

VENT

Disposition des appeaux

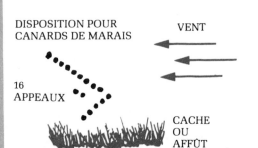

DISPOSITION POUR
CANARDS DE MARAIS

VENT

16
APPEAUX

CACHE
OU
AFFÛT

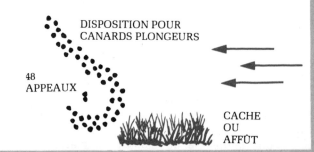

DISPOSITION POUR
CANARDS PLONGEURS

48
APPEAUX

CACHE
OU
AFFÛT

Fabrication des appeaux

1

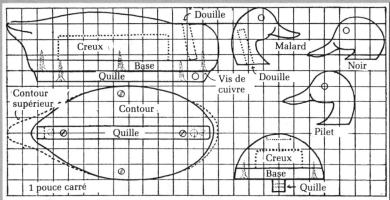

Douille · Creux · Base · Quille · Malard · Noir · Vis de cuivre · Douille · Contour supérieur · Contour · Quille · Pilet · Creux · Base · Quille

1 pouce carré

2

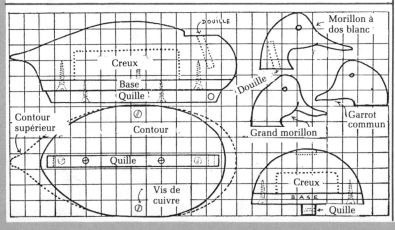

DOUILLE · Creux · Base · Quille · Morillon à dos blanc · Douille · Contour supérieur · Contour · Quille · Vis de cuivre · Grand morillon · Garrot commun · Creux · BASE · Quille

1) *Pour fabriquer vos canards de bois, de liège ou de balsa, ce plan détaillé, à 1 pouce par carré (échelle), vous facilitera le travail. Les canards de marais les plus populaires sont ici illustrés.*

2) *Si ce sont les canards plongeurs qui sont vos favoris, cet autre plan à l'échelle, 1 pouce par carré, vous permettra de fabriquer des appeaux du Morillon à dos blanc, du Garrot commun et du Grand Morillon.*

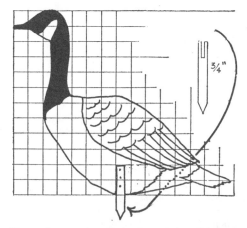

Pour chasser les Outardes et les Oies, des silhouettes de masonite, contreplaqué ou métal sont très efficaces. Ce plan vous permettra de fabriquer les vôtres.

225

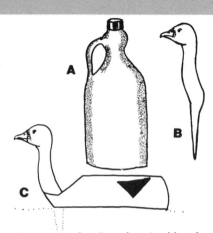

Pour attirer les Grandes oies blanches à portée de tir, voici des appeaux légers et très efficaces. A) Utilisez les contenants de matière plastique pour l'eau de Javel, ou autres produits de lessive. Ces derniers sont habituellement blancs. B) Découpez des têtes dans du contreplaqué, leur donnant par la suite le coloris de l'oiseau. La pointe sera aiguë pour que vous puissiez l'enfoncer dans le sol. C) Les contenants coupés en deux, auxquels vous ajouterez un peu de couleur noire, semblable aux ailes de l'oiseau véritable, deviendront des leurres légers et d'une grande efficacité. On peut reproduire la Bernache Canada de la même façon.

Lorsque vous avez une quinzaine d'appeaux à transporter vers l'affût et que vous chassez dans un marais, prenez un sac de plastique, placez-y vos appeaux et fermez-le bien. À votre grande satisfaction, la tâche deviendra des plus agréables; le sac à traîner flottera en surface!

Le tir

1

2

3

1 Plusieurs chasseurs d'Abitibi, lorsqu'ils désirent approcher les Bernaches posées dans le champ, coupent un sapin. D'une main ils le tiennent, de l'autre le fusil. Ils avancent lentement vers les oiseaux en se dissimulant derrière le conifère. Lorsqu'ils sont à portée de fusil, ils laissent tomber l'arbre et tirent.

2 Si vous tirez un oiseau en vol, et qu'il vous tombe sur la tête, vous avez réalisé le «coup du roi». Selon la tradition, vous devez payer le champagne à tous ceux qui vous accompagnent.

3 Si vous aimez chasser les canards tardivement dans la saison, les Garrots vous en offrent l'occasion, puisqu'ils demeurent avec nous jusqu'à ce que les glaces les obligent à partir. Par une journée de décembre, rien de tel que d'entendre «siffler» leurs ailes. C'est d'ailleurs à ce bruit qu'ils doivent leur surnom de «siffleurs».

1

2

3

1 Si vous êtes parmi les chanceux qui reviennent de la chasse avec du gibier, n'oubliez pas qu'en l'éviscérant le plus rapidement possible, vous obtiendrez une meilleure qualité de chair. Lors des premières journées de chasse aux canards, vous risquez fort de perdre vos oiseaux s'ils demeurent exposés au soleil.

2 Lorsque vous chasserez les Grandes oies blanches dans la région Montmagny-Cap Tourmente, vous vous enfoncerez très souvent dans la vase, au point d'en perdre vos bottes. Apportez de la corde solide afin d'attacher vos cuissardes comme il faut, c'est-à-dire autour des chevilles et sur le devant des pieds.

3 Jos Lachance, personnage légendaire dans la région de Montmagny où se chassent les Grandes oies blanches, disait: «Lorsque tu vois très bien son oeil, c'est le temps de tirer. Tu suis l'oiseau pour diriger les plombs juste à l'avant du bec.»

QUATRIÈME PARTIE

Conseils

Sommaire

SUIVEZ VOTRE CHEVREUIL

SI VOUS CHASSEZ L'ORIGNAL

LA CHASSE AU CARIBOU

MONTER UN TROPHÉE DE CHASSE À
    L'EUROPÉENNE

LA CHASSE LA PLUS POPULAIRE
    Chasseurs de Lièvres, souvenez-vous que...

COMMENT CHASSER LA CORNEILLE

COMMENT TANNER UNE PEAU

UNE CHASSE À LA MARMOTTE
    Quelques caractéristiques

CAPRICES DE PERDRIX
    La Perdrix blanche

BIEN CHOISIR SON PARTENAIRE DE CHASSE

LE CIVISME

LA SURVIE

LES 10 COMMANDEMENTS DE LA
    SÉCURITÉ

Suivez votre Chevreuil

Il m'est arrivé de tirer plusieurs Chevreuils en plein coeur qui me laissèrent croire que je ne les avais pas touchés! Ces cerfs, dont la résistance était inexplicable, démarrèrent comme si de rien n'était, et à grands sauts disparurent dans la forêt. Par contre, d'autres baissèrent la queue, signe évident qu'ils étaient atteints d'une balle. Il y a aussi ceux qui passèrent à grande vitesse et qui, au moment du tir, modifièrent leur allure. Pour le novice, ce préambule pose de nombreux points d'interrogation. Que doit-on faire dans ces cas? Doit-on poursuivre le gibier immédiatement ou attendre?

En premier lieu, rendez-vous à l'endroit où vous croyez que le gibier a été atteint. Examinez soigneusement le sol pour tenter d'y repérer du sang ou un « bouchon » de poils. Si vous décelez quelque indice du genre, vos chances sont très bonnes, car le chevreuil blessé qui n'est pas effrayé outre-mesure ira se coucher fort probablement à quelques centaines de mètres de là, s'il découvre un endroit pouvant bien le dissimuler.

Pour récupérer votre gibier si vous croyez l'avoir atteint, il vous faut donc de la patience. Une fois que vous aurez repéré l'endroit où il a été blessé, attendez une bonne demi-heure avant de vous lancer à sa poursuite. En suivant ce conseil, vous retrouverez la bête fort probablement morte ou encore immobile, ce qui vous permettra de lui administrer le coup de grâce. Si, d'autre part, vous partez immédiatement à sa poursuite, ses derniers efforts pourront le faire courir sans arrêt deux ou trois kilomètres et vous le perdrez.

Un chasseur de Chevreuil digne de ce nom ne devrait jamais laisser un animal blessé dans la forêt. Son esprit sportif lui commande de suivre son gibier, peu importe les heures que cela lui prendra. Si l'obscurité devait mettre fin à ses recherches, il devra les poursuivre à l'aube.

Lorsque vous suivez un chevreuil, il est toujours facile de demeurer sur la piste si vous êtes accompagné d'un autre chasseur. Vous laissez votre compagnon où vous avez aperçu la dernière goutte de sang et vous tentez de découvrir une autre trace du passage de la bête. Lorsque vous en avez repéré une, vous demeurez sur place et votre compagnon à son tour tente de trouver un autre indice. Déplacez-vous lentement, en faisant le moins de bruit possible, et examinez à distance les feuilles et les boisés pouvant abriter l'animal blessé.

N'oubliez pas que le Chevreuil est un animal qui ne parcourra pas plus d'une couple de milles (1,6 km); il préfère demeurer dans son territoire pour se couvrir.

De plus...

● Évitez les mouvements brusques. La vue du Chevreuil est peut-être très faible, mais ses yeux lui permettent tout de même d'apercevoir les mouvements brusques.

● Si vous chassez à l'affût, dissimulez-vous derrière un rocher ou appuyez-vous à un arbre; encore mieux, blottissez-vous derrière celui-ci.

● Évitez l'usage de la lotion à barbe, des crèmes à cheveux ou autres produits parfumés. L'odorat de l'animal est très subtil.

● Le Cerf de Virginie adore l'odeur des pommes. Utilisez-les pour frotter vos vêtements. Certains produits sont d'ailleurs en vente sur le marché, vous y retrouverez l'odeur de ces fruits bien frais.

● Débutez votre chasse très tôt le matin: vous rencontrerez le gibier alors qu'il est en mouvement.

● S'il neige, pleut ou vente, vous trouverez le Chevreuil dans les baissières, les boisés de cèdres, ou d'épinettes.

● S'il fait beau soleil, le Chevreuil pourra se coucher sur le sommet d'une colline de bois franc pour digérer son repas, tout en surveillant l'imposteur qui tenterait de lui rendre visite.

● Un Chevreuil en mouvement se déplace le nez dans le vent. Si vous êtes à l'affût, prenez position en conséquence.

● Chassant à l'affût, le début de l'avant-midi voit le gibier remontant les montagnes pour se rendre sur les sommets au midi.

● S'il y a du frimas dans une piste après une nuit de gel, l'animal passa à cet endroit la veille, c'est-à-dire avant que le thermomètre ne descende sous le point de congélation.

● Si vous croyez que l'animal est mort, prenez une branche et touchez à son oeil. S'il ne réagit pas en le fermant, il est bien mort. Dans le cas contraire vous feriez mieux de lui administrer le coup de grâce.

1 Plusieurs chasseurs prétendent qu'à cause de la rapidité des balles de modèles récents, il n'est pas nécessaire de prendre une avance en tirant le gibier en course. C'est faux! Le Chevreuil peut courir à des vitesses variant entre 16 et 64 km (10 et 40 mi) à l'heure. Assumant qu'il passe à 91 mètres (100 verges) à une vitesse de 38 km (24 mi) à l'heure, il couvre une distance de 1 mètre (3,6 pi) à la seconde. Pour l'atteindre, vous devrez prendre 1,22 mètre (4 pi) d'avance, assumant que vous avez une carabine tirant des balles dont la vitesse est de 2 468 mètres (2 700 pi) à la seconde.

2 Pour transporter un Chevreuil à deux hommes, l'un prend l'animal par l'avant, tandis que le second le porte par une poignée formée d'une corde passée à travers des incisions pratiquées dans les pattes arrière, entre le nerf et l'os.

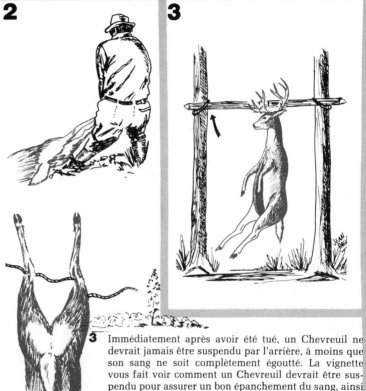

3 Immédiatement après avoir été tué, un Chevreuil ne devrait jamais être suspendu par l'arrière, à moins que son sang ne soit complètement égoutté. La vignette vous fait voir comment un Chevreuil devrait être suspendu pour assurer un bon épanchement du sang, ainsi qu'un sain refroidissement de la viande, immédiatement après l'éviscération.

1

2

1 Lorsqu'on est seul, suspendre une pièce de gros gibier n'est pas chose facile. A) Prenez trois perches et attachez-les solidement aux bois de l'animal. B) Graduellement, remontez-les une à une. Vous serez surpris de l'aisance avec laquelle vous aurez réussi ce qui dès le début semblait un tour de force.

2 Grâce au principe du levier d'Archimède, voici une autre façon de suspendre facilement son gibier, même si l'on est seul. 1) Coupez une longue perche, appuyez-la dans une fourche d'arbre, en ayant préalablement attaché l'animal par les bois à ce levier. 2) Un petit effort et le tour est joué.

1 En chassant le Chevreuil en battue, la prudence est de rigueur. Avant de tirer en direction du gibier, assurez-vous que les rabatteurs ne sont pas dans votre champ de tir.

2 Avant de tirer sur un Chevreuil, soyez certain de votre cible, tel qu'illustré ici. Un mouchoir blanc peut, à distance, ressembler étrangement à la queue d'un chevreuil en fuite. Des accidents mortels sont souvent arrivés à la suite d'une telle méprise: le chasseur avait laissé un mouchoir blanc dépasser de sa poche arrière. La tête du Chevreuil constitue une excellente cible, mais peut-être trop petite. Le tir à la cage thoracique est le plus populaire, surtout lorsque l'animal est un trophée.

3 Lorsque la biche du Cerf de Virginie et ses faons sont interdits à la chasse, il en va de même des jeunes mâles porteurs de daguets de moins de 7 cm (3 po). Pour chasser ce gibier en de telles périodes, il est donc recommandé de faire usage d'une bonne paire de jumelles.

1 Pour le chasseur, rien n'est plus beau que ses trophées. Voici comment vous y prendre pour apporter une tête valable chez votre taxidermiste. Coupez sur le dessus du dos, dirigeant la lame du couteau jusqu'à l'arrière des bois, pour les atteindre en forme de «Y», tel qu'indiqué. Dégagez la peau après l'avoir coupée à la hauteur de la poitrine. N'oubliez pas qu'il est préférable de détacher plus de peau, que pas suffisamment. Décollez la peau de la chair et sectionnez le cou, juste à l'arrière du crâne.

2 Plusieurs chasseurs croient qu'en suivant les traces du Chevreuil, dans le but de l'apercevoir, il faut hâter le pas. Bien au contraire, vous devez marcher très lentement ayant bon vent, tout en évitant de faire le moindre bruit. Le Cerf de Virginie est notre cerf le plus doué. Il est rapide et possède une ouïe incomparable et un odorat des plus subtils.

Si vous chassez l'Orignal...

Souvenez-vous que ce gibier, le roi de nos forêts comme nous le prétendons, est le plus imposant des cerfs, que son poids peut dépasser un millier de livres. Il faut donc le tirer en utilisant un calibre suffisamment puissant, une arme qui pourra facilement faire crouler cette masse et non le blesser maladroitement. Il faut immédiatement appliquer le coup de grâce à l'animal tombé au sol mais toujours vivant à la suite d'une première balle. La balle au cou ou à la tête n'endommage pas la chair, la première n'affecte que le trophée.

De plus...

Comme la vue de l'Orignal est faible mais que son ouïe et son odorat sont des plus subtils, c'est un conseil des plus élémentaires à suivre, mais il ne faut pas l'oublier: le vent demeure le plus grand facteur dans ce genre de chasse, donc attention de l'avoir dans le dos, ce qui permettrait au gibier de vous sentir.

— Si vous n'avez pas l'habitude, et surtout la certitude, de pouvoir faire sortir un Orignal à l'appel, optez pour les autres façons de l'attirer. Je vous assure qu'elles m'ont permis d'obtenir autant de succès que les longues plaintes langoureuses ou les grognements dans le cornet de bouleau.

— Marchez sur les branches sèches qui jonchent la berge; promenez-vous dans l'eau et, avec vos bottes, simulez les pas de l'orignal; imitez la bête qui urine, soit à l'aide d'un cornet ou d'un récipient rempli d'eau que vous déversez dans le lac; l'aviron peut aussi vous permettre d'imiter divers bruits que la bête pourrait faire dans l'eau; de vos mains brisez des branches, en d'innombrables occasions ce truc m'a permis de faire apparaître un Orignal à l'intérieur de mon champ de mire.

— Un tel animal abattu à l'eau peut vous créer des problèmes, plus particulièrement si vous avez à le remorquer vers la berge: débiter ce mastodonte à l'eau n'est pas une sinécure! L'animal peut s'écrouler dans des marais bourbeux. Nombre d'orignaux abattus par des chasseurs dans ces endroits y sont restés. Avant de presser la détente, il est important de savoir où tombera la bête. Dans bien des cas, vous feriez mieux d'attendre qu'elle sorte de la fange. Les quartiers sont assez lourds à transporter, sans que vous ayez à vous enfoncer dans la boue jusqu'à mi-cuisse pour les en sortir.

— Après avoir abattu un Orignal, si vous décidez de le sortir de la forêt le lendemain, prenez la précaution de le poser sur des rondins. Ceci permet un meilleur refroidissement de la viande, ainsi qu'une bonne aération de la carcasse. Une pièce de bois placée en travers devrait maintenir la cage thoracique ouverte.

1 Plusieurs chasseurs croient que l'Orignal est un animal inoffensif. Pourtant, le 8 octobre 1968, aux Rapides-des-Joachims, M. Gaston Durand était encorné et piétiné par un Orignal, qui le laissa pour mort (Montréal-Matin). Sept jours d'hospitalisation et plusieurs plâtres réussirent à remettre ce chasseur sur pieds. Voilà certainement un animal auquel nous devons accorder tout notre respect. Plus particulièrement lorsqu'il est blessé, il est imprévisible.

2 Habituellement, lorsque vous apercevez des rhizomes ou «carottes» de nénuphars flottant à la surface de l'eau, l'ombre d'un Orignal plane dans les environs. Ces énormes mammifères en raffolent. Ce sont certes eux qui, en fouillant le fond de l'eau, les ont déracinés. Ce pourrait être un coin valable pour la chasse...

3 Ceux qui appellent l'Orignal devraient se rendre compte qu'une imitation des bruits de la bête à toutes les vingt minutes suffit. L'exagération n'a de place nulle part, même pas à la chasse.

1

2

3

1 Lorsque vous êtes seul pour chasser en canot, ayez la précaution de bien distribuer votre charge. Si vous n'en avez pas, placer des pierres à l'avant pour balancer votre poids.

2 Lorsque vous chassez l'Orignal en canot et que le gibier apparaît, l'aviron occasionne toujours des problèmes, puisque vous devez vous saisir de la carabine. Attachez votre aviron à un banc du canot à l'aide d'une corde assez longue. Vous pourrez la laisser glisser sur l'eau sans craindre de faire du bruit, et faire feu en direction de la bête.

3 Pour appeler l'Orignal avec succès, il faut savoir attendre les accalmies, ces périodes matinales ou crépusculaires de la journée où le vent cessera de souffler et où le gibier sera bien mobile.

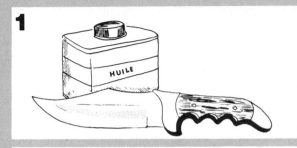

1 En chassant le gros gibier, il est essentiel d'apporter un bon couteau, de l'huile et une pierre. À titre d'exemple, en éviscérant un Caribou on doit souvent passer la lame sur la pierre deux ou trois fois, pour faire un bon travail.

2 Lorsqu'un Cerf est abattu, la question qui se pose est: doit-on lui trancher la gorge pour le saigner? Selon plusieurs spécialistes, cette opération est inutile. Au temps de la poudre noire, c'était différent, mais de nos jours avec la puissance des munitions utilisées, les épanchements sanguins nécessaires sont provoqués par l'impact de la balle. De plus, le coeur, qui pourrait provoquer l'expulsion du sang, a cessé de battre. Par contre, il faut éviscérer le gibier le plus rapidement possible.

La chasse au Caribou

Au début de sa course, qui est régulière comme celle du Cheval et non sautillante comme celle du Chevreuil, le Caribou exécute habituellement un bond de départ. Il est donc préférable d'attendre que se termine cet élan en longueur avant de tirer, autrement la balle pourrait atteindre l'arrière-train de l'animal ou tout simplement rater complètement le gibier.

Le meilleur endroit pour tirer le Caribou demeure la cage thoracique, cible qui vous offre la possibilité de toucher plusieurs organes vitaux: coeur, poumons, foie, gros vaisseaux sanguins et colonne vertébrale.

Un Caribou blessé ne pose habituellement pas de problèmes lorsque vient le temps de le récupérer. Dans la plupart des cas, il se couche dans un endroit à découvert, car les boisés sont très rares dans la toundra. Il suffit de l'approcher pour lui administrer le coup de grâce.

Comme tous les gibiers possédant des bois, l'animal abattu doit être approché de l'arrière lorsqu'il est blessé, et ce dans le but d'éviter de se faire encorner par un Caribou partant soudainement à la course, qu'il exécute ce mouvement volontairement ou non.

Comme l'animal est normalement chassé en terrain complètement découvert, un projectile dont la trajectoire s'approche le plus de l'horizontale est recommandé, sans oublier une balle légère pouvant couvrir la longue distance sans trop baisser. Invariablement, nous avons affaire à une balle excessivement rapide.

Le poids de la balle choisie devrait se situer entre 130 et 150 grains, ceci dépendant du calibre qui sera utilisé.

Ne pas oublier d'apporter du coton à fromage pour couvrir les quartiers de venaison lorsque le gibier aura été abattu. Au mois d'août, même dans le Grand Nord, vous pourrez vous attendre à des montées de température. Cette précaution vous permettra d'éviter la contamination par les mouches d'un si coûteux et tendre gibier.

Apporter un sac de coton pour y déposer le coeur et le foie de l'animal que vous transporterez au camp. N'oubliez pas que ces deux abats peuvent aussi être mangés «au bout du fusil», c'est-à-dire immédiatement après que l'animal est abattu. Quant à la viande elle-même, il est préférable de lui accorder une période de vieillissement variant entre 10 et 15 jours à une température de 2 degrés Celsius, à moins que le Caribou abattu ne soit très jeune. Ce faisandage peut s'effectuer plus rapidement à une température un peu plus élevée, mais elle ne doit jamais dépasser 10 degrés Celsius ou, si vous préférez, 50 degrés Farenheit.

Monter un trophée de chasse à l'européenne

Les souvenirs de chasse partagés entre amis font revivre les joies passées tout en rompant la monotonie des longues soirées d'hiver. Et, sujet de conversation entre tous, celui des trophées rapportés : ces bois luisants qui firent la joie d'un beau coup de fusil.

Pour le chasseur disposant de l'espace et des moyens nécessaires, une tête complète serait l'idéal, mais rares sont ceux qui peuvent se permettre un tel caprice. En ce qui me concerne, si je voulais exposer toutes mes captures, il me faudrait chercher une maison qui contiendrait exclusivement toutes ces têtes empaillées que j'accumule depuis nombre d'années.

Toutefois, on peut se contenter de n'exposer que les bois, c'est-à-dire le dessus de la boîte crânienne où s'attachent les ramures osseuses, le tout posé sur une plaquette de bois. Cette façon de procéder est la plus simple, mais elle est plus ou moins décorative. Les Européens ont trouvé un moyen terme au montage des trophées, il y a de cela bien des années, en conservant le crâne de l'animal en plus des bois. Les Allemands plus particulièrement ont développé cette technique tellement aisée et si peu coûteuse. Il suffit de bien nettoyer le crâne de la bête, de le blanchir et de le poser sur une plaquette de bois franc. Certains préféreront diminuer la boîte crânienne, d'autres, selon la vraie méthode européenne, conserveront le crâne au complet, y compris la mâchoire inférieure et les dents. Voici les étapes à suivre pour bien monter votre trophée:

a) Faire bouillir et bien nettoyer le crâne de la bête, en ayant soin d'enlever le moindre surplus de chair, ainsi que les poils.

b) Blanchir, à l'aide d'un pinceau, avec une solution de peroxyde concentré, produit utilisé par les coiffeuses et que l'on trouve en pharmacie.

c) Au moyen d'une perceuse électrique, faire des trous dans la plaquette de bois afin de pouvoir y visser le crâne et ses bois.

d) Visser le trophée sur la plaquette déjà taillée de façon décorative.

e) Avec une teinture à bois, foncer le panache, mais en faisant attention de ne pas tacher le crâne qui, lui, est devenu d'un blanc immaculé. Choisir la couleur que l'on préfère. Quant à moi, j'emploie habituellement une teinte noyer.

f) Il ne vous reste plus qu'à fixer votre trophée au mur. Vous êtes maintenant prêt à raconter vos histoires de chasse avec preuves à l'appuie.

La chasse
la plus populaire

Diverses enquêtes confirment que le Lièvre et le Lapin à queue blanche sont les gibiers les plus populaires au monde. Bien plus, ces bêtes seraient celles qui font dépenser le plus de cartouches aux chasseurs. Disons que la longue saison y est pour beaucoup dans ce premier choix que lui réservent les nemrods. Ce gibier est abondant partout, sa chair est délicieuse et on peut le chasser de diverses façons.

Si vous aimez faire des battues ou les poursuivre en groupe, soyez assuré qu'ils collaboreront. Si votre chasse est solitaire, paisible, tout en admirant la nature, Jeannot vous permettra de tirer bien plus de cartouches que vous n'aviez prévu. D'autre part, si le concert de chiens aboyeurs vous fascine, cette méthode est aussi acceptée. Bref, les techniques sont aussi variées que votre imagination le permet et, sur le plan conservation, aucune inquiétude, ce gibier est avec nous pour y rester, seuls certains cycles maintenant bien connus des biologistes nous feront connaître des montées et descentes de population sans que nous ayons à nous inquiéter de l'aménagement; ces cycles sont habituellement de 9 ou 10 ans.

Au lendemain d'une neige fraîche, les pistes vous permettront de connaître les endroits propices à cet-

te chasse. Fouillez ces boisées où les traces seront les plus nombreuses, vous souvenant qu'un lièvre se laisse fréquemment approcher à quelques mètres avant de déquerpir. Il est donc très important de scruter tous ces tas de branches ou refuges pouvant les abriter. Gardez votre pouce à proximité du cran de sûreté, car vous aurez à tirer très rapidement sur une cible imprévisible dans ses mouvements et qui disparaîtra en quelques secondes.

Pour le tireur à l'arc, c'est le sport par excellence, bien qu'avant de descendre des Lièvres, le novice devra s'exercer longuement sur des cibles, car ce Léporidé présente pour l'archer peut-être autant de difficultés qu'un gros gibier.

Chasseurs de lièvres, souvenez-vous que...

• Le Lièvre est un animal très rapide. Si vous avez à le tirer au saut, ayez soin de prendre suffisamment d'avance afin de ne pas le rater en tirant derrière lui

• Cet animal est beaucoup plus rapide en gravissant qu'en descendant une pente. La raison en est simple: ses pattes arrière sont plus longues que celles d'avant.

• Pour réussir à le prendre au collet, il faut que l'ouverture du piège soit placée à environ 1,22 cm (4 po) du sol.

• Les Lièvres sont surtout actifs tôt le matin et en fin d'après-midi. Vous pourrez quelquefois les rencontrer au cours de la journée, mais ils ne seront jamais loin d'un tas de branches.

• Un fusil est recommandé pour cette chasse, bien que la carabine de calibre .22 soit permise. Toutefois, elle est dangereuse parce que ses balles peuvent ricocher sur les surfaces gelées, les branches ou les rochers et, de ce fait, occasionner des accidents.

• S'il vente, il est toujours préférable de chasser dans des endroits protégés: les Lièvres ne sont pas plus stupides que les humains, ils n'aiment pas se déplacer dans le vent, la pluie ou la neige.

• Le Lièvre possède deux stratégies qui lui permettent de survivre: A) S'il croit que vous l'avez aper-

çu, il bondira comme un ressort et disparaîtra en moins de temps qu'il me faut pour l'écrire. B) Il demeurera immobile, croyant passer inaperçu... c'est justement là qu'est son erreur!

• Un chien saura vous faire réussir de très bonnes chasses. Lancé à la poursuite de Lièvres dans un boisé, Fido fera circuler le gibier. Si vous avez la sagesse de vous placer à l'affût là où plusieurs sentiers s'entrecroisent, vos chances de succès seront excellentes.

Pour celui qui à tout son temps, cette façon de suspendre un collet est excellente. N'oubliez pas, quel que soit le piège, de choisir des sentiers aux traces nombreuses.

Du fil de laiton ou de cuivre se complétant par un noeud coulant. Attachez le tout solidement à une aulne, avec ouverture à 1,22 ou 1,53 cm (4 ou 5 po) du sol. C'est le collet le plus simple, celui dont je me sers pour prendre mes lièvres. 1) Refermez le sentier en enfonçant des branches dans la neige. 2) Choisissez un sentier où les empreintes du gibier sont nombreuses.

Pour plusieurs, l'Ours noir est un gros bouffon se plaisant à fréquenter les dépotoirs, renverser les poubelles ou déguster des friandises le long des routes traversant nos parcs. Mais attention! c'est une bête imprévisible dont la puissance est herculéenne. Lorsque la femelle est accompagnée de ses oursons, ou que l'animal est blessé, il est recommandé de garder ses distances. Des êtres humains ont été tués et partiellement dévorés par des Ours noirs, même en dehors des circonstances précédemment mentionnées. Des recherches sur le sujet m'ont déjà permis de publier une longue liste de ces attaques mortelles (Dimanche-Matin, mars 1983).

Si vous désirez chasser le Loup, la période la plus propice est certainement celle de l'accouplement. C'est alors l'euphorie, et les mâles deviennent beaucoup moins prudents, leur intérêt étant axé uniquement sur la Louve. Le sommet de cette activité fébrile se situe entre la fin de février et la mi-mars.

Comment chasser la Corneille?

La Corneille est un oiseau rusé, d'un instinct remarquable, connaissant et semblant prévoir les stratégies humaines. Il faut la chasser en déployant toutes les tactiques et autant d'astuce que pour la sauvagine.

Un affût construit pour s'assimiler à l'entourage est recommandé, bien qu'au printemps, lorsque quelques nappes de neige persistent dans les champs, un drap blanc vous permettant de faire corps avec cette blancheur convient très bien.

Ajoutez des appelants, ou encore un hibou empaillé ou de papier mâché, comme il s'en vend spécifiquement pour cette chasse. N'oubliez pas le pipeau nécessaire à l'imitation de l'appel, ainsi que des disques vous permettant de maîtriser les cris particuliers.

Quant aux calibres suggérés, à proximité de l'affût, le .12 est le plus populaire bien que le .20 connaisse plusieurs adeptes. Certaines compagnies recommandent les plombs 5 et 6, l'armurier Charles Marboeuf leur préfère le 7½. Si vous êtes un tireur à la carabine, les distances vous importeront moins, les Corneilles deviendront des cibles de pratiques idéales. Vous pourrez donc utiliser les calibres « ex-plosifs » suggérés pour la vermine. Parmi les plus populaires, soulignons le .222, le .222 Magnum, le 220 Swift, le 22 / 250, le 22 Hornet et le 5 mm Magnum.

Lorsque vous chassez la Corneille, rappelez-vous que l'une d'entre elles tient le rôle de sentinelle, surveillant constamment le danger. Si vous passez en auto, ignorez-les et stationnez plus loin. Cherchez un endroit propice et dissimulez-vous. Donnez le signal d'alarme en soufflant dans votre pipeau, trois ou quatre cris aïgus à courts intervalles, et vous aurez de bons résultats.

La chasse au Hibou est interdite par la loi, mais certaines vieilles pièces naturalisées ou «empaillées» sont excellentes pour attirer les Corneilles. Essayez d'en trouver un spécimen et utilisez-le. Le Hibou étant un ennemi de la Corneille, cette dernière tente de l'attraper lorsqu'il fait jour, du fait que la vue du rapace est très réduite par la lumière.

Comment tanner une peau

Voici comment vous y prendre pour le tannage des peaux.

Enlevez le surplus de gras et de chair en appuyant la peau sur une planche arrondie.

Faites dissoudre 1 kg (2 lb) d'alun dans de l'eau bouillante. Mélangez 2,5 kg (5 lb) de sel à 23 litres (5 gallons) d'eau et ajoutez-y l'alun déjà dissout. Bien mélanger.

Les petites peaux doivent demeurer dans ce liquide durant trois jours. Les moyennes, Raton laveur, Marmotte, Renard et Loup doivent y tremper durant 5 jours et les grandes, Orignal, Ours, Chevreuil ou Caribou, durant 10 jours.

Durant la période de traitement, remuez et tournez les peaux 3 fois par jour.

Par la suite, sortez-les de la solution et rincez-les bien à l'eau courante. Il ne doit rester aucune trace de sel sur la surface du cuir. Pour en être sûr, touchez la peau du bout de la langue.

Pour terminer le travail, il faut tendre chaque peau et les faire sécher partiellement à l'ombre. Avant qu'elles soient complètement asséchées, assouplissez-les en les étirant sur l'extrémité d'une planche arrondie dont l'autre bout aura été enfoncé dans le sol. Conservez les peaux humides pour ce travail. Finissez l'intérieur de la peau (côté du cuir) à l'aide d'huile à tanner.

Une chasse à la Marmotte

La lecture de ce titre vous fait peut-être esquisser un sourire, mais vous serez tout de même surpris d'apprendre qu'en Amérique, sur le plan cynégétique, la Marmotte mérite la seconde place en popularité, tout juste à la suite des Léporidés que sont Lièvres et Lapins. Au Québec, la chasse à cet imposant membre de la famille des Écureils qu'est le «siffleux» est méconnue et seule cette catégorie sophistiquée que sont les tireurs d'élite s'y adonneront.

Chasser ce gibier demeure un sport difficile, un véritable défi, l'animal étant très craintif. Le seul dé-

clic du cran de sûreté, un reflet de soleil sur un canon suffiront à le faire déguerpir. Ajoutez à ceci une approche des plus difficiles, son habitat lui permettant d'observer ses ennemis à grandes distances. Complétez le tout par une rapidité excessive lorsque le moment est venu de disparaître dans le terrier, et voilà, vous avez une description rapide de la Marmotte.

La pratique de cette chasse me rappelle celle des expéditions pour abattre de gros gibiers, où l'approche à l'indienne et le tir à grande distance demeurent les principaux impératifs. J'ajouterai même qu'il vous faut encore plus de précision, du fait que la cible possible ne représente qu'une parcelle de ce que vous avez l'habitude d'observer dans une lunette de visée au moment d'une grande chasse.

Employez des balles rapides, tout en respectant les règlements provinciaux. Il serait toutefois souhaitable que nous puissions utiliser ces calibres fort recommandés des experts: .222 Remington — .22-250 — .243 Winchester — .22 WMR — 6mm et autres ayant des balistiques se rapprochant de ces armes.

Quelques caractéristiques

A l'origine, la Marmotte demeurait dans les boisés, mais le progrès modifia cet habitat. Par les cultures, le «siffleux» sut s'adapter très rapidement à ce que lui offraient les premiers colons et les cultivateurs qui leur succédèrent, c'est-à-dire des champs et prés verdoyants regorgeant de bonnes semences. Cette modification dans les moeurs de l'animal qui fut causée par l'homme lui mérita une classification plus ou moins désirable, soit celle d'appartenir à la catégorie de la vermine.

A cause du grand intérêt que suscite cet animal, plusieurs États américains lui accordent maintenant une forme de protection en limitant sa chasse par saisons, tout comme on le fait pour les autres espèces de gibiers. Au Québec, nous n'en sommes pas encore là, car les amateurs de ce sport sont plutôt limités.

Caprices de perdrix...

Quand vient l'automne... qui ne rêve pas d'une Perdrix (gélinotte huppée) au chou? Pourtant, il ne faudrait pas avoir l'eau à la bouche trop vite car cet oiseau est très difficile à repérer quand les feuilles ne sont pas tombées.

À la fin de septembre, ce sont les routes secondaires et les sentiers forestiers qui permettent des succès relatifs de chasse, à moins d'avoir un chien d'arrêt qui signale la présence des oiseaux en les pointant. Cette technique de chasse est pourtant limitée, bien qu'elle soit la plus efficace.

La Perdrix possède quelques petits trucs lui permettant d'éviter les plombs des chasseurs. Très fré-

quemment, l'oiseau refusera obstinément de prendre vol, préférant demeurer à pattes et courir rapidement en direction de bosquets touffus pour se camoufler. Une autre de ses tactiques est de s'envoler en direction de feuillus au lieu de se diriger vers

Même si la Perdrix qui lève devant vous vous prend par surprise, ne vous imaginez pas qu'elle pourra disparaître avant que vous ayez eu le temps de tirer. Resaisissez-vous, et pointez le canon vers l'oiseau. Cette réaction de presser trop rapidement la détente occasionne la plupart des tirs erratiques.

des endroits découverts. Son troisième truc consiste à placer un obstacle entre elle et le chasseur. Surveillez l'oiseau prenant son vol, il exécute un virage impossible et vous le perdrez derrière un sapin ou une épinette

Parmi les endroits recommandés pour sa chasse, il ne faudrait pas oublier la proximité des cours d'eau, ruisseaux, rivières ou même les talus boisés que nous retrouvons à proximité des berges des lacs. Les vergers suscitent aussi de l'intérêt, tout comme les endroits où nous retrouvons des concentrations de baies sauvages.

Cet oiseau est identifié de diverses façons selon les régions où nous le rencontrons. Perdrix, Perdrix brune, Perdrix de bois franc, Perdrix franche, Perdrix grise et Gélinotte à fraises sont autant de substantifs qui lui sont attribués.

La Perdrix blanche

Lorsque la température est favorable, la Perdrix blanche (Lagopède des saules) effectue des migrations pouvant la faire descendre jusqu'à Montréal, bien que ceci soit plutôt inusité. Lorsque je la chasse, j'emprunte la direction de Chibougamau, Chapais ou Matagami après m'être assuré que les oiseaux y sont déjà. Habituellement, c'est en janvier que ces renseignements me parviennent d'agents de conservation de ce beau coin de pays.

Si vous avez l'intention de vous y rendre, procurez-vous de bonnes raquettes et des vêtements très chauds, le mercure faisant quelquefois des chutes allant jusqu'à moins 50 sous zéro au nord du 49e parallèle.

Essuyez complètement l'huile du mécanisme de votre fusil, et remplacez cette dernière par du graphite. De plus, ne vous aventurez pas en solitaire lors d'une telle expédition de chasse.

La Perdrix blanche offre beaucoup de résistance aux plombs. Serait-ce à cause de son plumage touffu qui lui permet de résister au froid? Cette explication me semble très logique et c'est pourquoi les plombs 5 et 6 dans un fusil de calibre .12 sont un bon choix.

Habituellement, c'est au cours de l'avant-midi et non au levé du jour que se situent les meilleures périodes de chasse. D'ailleurs, je suis certain d'avoir trouvé la raison de cette grasse matinée chez ces oiseaux: les Perdrix blanches s'enfouissent dans la neige pour passer la nuit. Dans cette obscurité, emmitouflées douillettement dans un plumage moelleux, elles ne sont éveillées que par le soleil, au moment où ce dernier dépasse la cîme des arbres.

L'oiseau en vol est facile à suivre à cause des plumes noires qui bordent sa queue.

En chassant le Lagopède des saules ou « Perdrix blanche » lorsqu'il y a de la neige, vous pourrez suivre l'oiseau en vol grâce aux plumes noires de sa queue se détachant dans toute cette blancheur. Mais attention à votre avance, car cette caractéristique pourrait vous faire tirer à l'arrière du gibier.

Bien choisir
son partenaire de chasse

Il m'est arrivé, comme vous sans doute, de revenir d'une excursion de chasse en soupirant de soulagement. Non pas parce que les conditions de chasse avaient été mauvaises, mais bien parce que j'étais heureux de rentrer chez moi vivant! La raison de ce désarroi... le choix d'un mauvais compagnon de chasse!

Évidemment, il y aura toujours des parties de chasse d'où vous reviendrez en vous disant qu'il aurait été préférable que vous demeuriez chez vous. Par contre, certains traits de comportement d'un individu pourraient mettre toutes les chances de votre côté. Posez-vous les questions suivantes:

— Est-il un tireur naturel, capable de manipuler une arme sans aucun danger, sans jamais pointer en direction d'une cible ou d'un gibier qu'il n'a pas l'intention de tirer? Est-il respectueux des éléments sécuritaires?

— Couvre-t-il le terrain de chasse comme il faut le faire, avec arrêts fréquents et pauses permettant d'observer les environs?

— Est-il de ceux qui traitent cruellement les animaux, en l'occurrence le chien de chasse qui pourrait bien être le vôtre, celui du guide ou d'un autre chasseur?

— Chassera-t-il encore si par hasard un gibier était blessé et qu'il faille le poursuivre longuement avant de le récupérer?

— Connaît-il la portée d'une arme? Utilisera-t-il soudainement son pipeau à canard alors que ces oiseaux sont sur le point de se poser?

— Est-il suffisamment intelligent pour accepter une remarque à la suite d'une erreur?

— Lui est-il nécessaire de sortir un 10 onces d'alcool de sa poche arrière à propos de tout et de rien?

— Appartient-il à la catégorie des «jos-connaissants», de ceux qui la plupart du temps ne connaissent rien mais prétendent tout savoir?

...si les réponses à ces quelques interrogations sont conformes aux règles, vous aurez sans doute un bon compagnon de chasse, et d'autant plus s'il peut ajouter à ces qualités d'ami de la nature et de la chasse une part d'amitié, de jovialité et de collaboration.

Le civisme...
une foule de petites choses!

Le bon chasseur est un homme bien élevé et soucieux de la conservation des espèces et de la nature.

Voici quelques conseils à son intention:

• Ne pas laisser traîner de cartouches vides ou de rebus dans l'affût, sur le terrain ou dans l'eau.

• Ne pas nuire aux chasseurs voisins en tirant sur des canards hors de portée.

• Se tenir à bonne distance de l'affût voisin; se renseigner sur les lois et règlements concernant les affûts, limites de prises, hors-bords et appeaux.

• Avant de récupérer les canards abattus, attendre que toute la volée soit passée afin de donner une chance aux autres chasseurs, à moins que le courant n'emporte le gibier, ou qu'il ne se trouve des oiseaux blessés.

• Ne pas nuire au voisin en vous levant lorsque les oiseaux ne volent pas dans votre direction.

• Observer les lois et règlements de l'endroit ou du pourvoyeur local, qui dictent une conduite à suivre.

• Entrer tôt dans l'affût... et ne pas se promener inutilement.

• Ne pas traverser un terrain sans l'autorisation du propriétaire. Respecter cette propriété comme si c'était la sienne.

• Recupérer ses canards à l'aide d'un chien, si c'est possible. Cet animal trouvera des canards que l'on aurait perdus, donc tués inutilement.

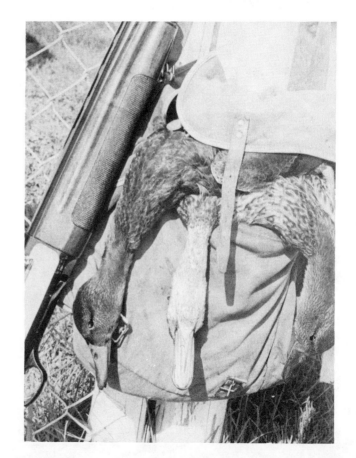

La survie

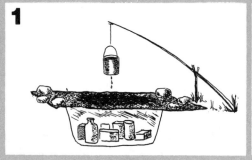

Boîte de conserves de métal

1. Voici une façon de conserver vos aliments et votre gibier, lorsque le temps devient trop chaud. C'est la réfrigération par évaporation. Dans un endroit ombragé, creusez un trou dans le sol, déposez-y vos vivres, recouvrez-le d'une pièce de jute, puis suspendez au-dessus un seau perforé d'un trou qui laissera couler l'eau goutte à goutte.

2. Pour obtenir facilement de l'eau d'un ruisseau, prenez un tronc d'arbre creux et déposez-le dans le courant comme l'indique la vignette. Quelques pierres le maintiendront en place.

3. Voici une façon efficace d'obtenir de l'eau chaude pour les breuvages ou la soupe en sachet ou en cubes. On peut même y réchauffer des conserves.

4. Pour dormir bien au chaud lorsque les nuits deviennent soudainement glaciales, perforez une boîte de conserve à plusieurs endroits à l'aide d'un clou, puis posez-la sur votre poêle portatif au butane et placez ce dernier au centre de la tente.

Les 10 commandements de la sécurité

- Manipulez toute arme à feu comme si elle était chargée. C'est la grande règle de sécurité.
- Respectez les règlements concernant le transport des armes à feu dans un véhicule. Toute arme à feu non utilisée ne doit jamais être chargée d'avance. Conservez le fusil dans son étui jusqu'au terrain de chasse.
- Assurez-vous que rien n'obstrue le canon et le mécanisme de votre fusil et que le calibre des munitions employées convient à l'arme que vous portez. Essuyez toute graisse ou huile de la chambre avant de faire feu.
- Portez toujours un fusil de façon à pouvoir maîtriser la direction de la bouche, même si vous tombez. N'enlevez le cran de sécurité qu'au moment de tirer.
- Identifiez votre cible de façon positive avant de presser la détente. Apprenez à bien identifier le gibier que vous vous proposez de chasser.
- Ne pointez jamais un fusil, à moins que vous visiez une cible déterminée. Ne vous bousculez jamais lorsque vous portez une arme.
- Déchargez toujours votre fusil avant de le déposer quelque part. Remisez séparément fusils et muni-

tions hors d'atteinte des enfants et des adultes in-
souciants.

- Ne grimpez jamais dans un arbre, ne traversez pas
une clôture et ne sautez pas un fossé avec un fusil
fermé ou chargé. N'attirez jamais un fusil vers
vous en le prenant par le canon. Retenez qu'un
fusil dont l'action est ouverte est une arme qui ne
peut faire feu.
- Ne tirez jamais sur une surface plane ou dure, ni
sur la surface de l'eau, surtout si dans ce dernier
cas il s'agit d'une carabine. Au tir de pratique, assurez-vous que le mécanisme d'arrêt des projectiles est adéquat.
- Abstenez-vous de toute boisson alcoolique et
de stupéfiants avant et durant le tir.

CINQUIÈME PARTIE

Comment apprêter le gibier

Sommaire

ÉVISCÉRATION DU
  CHEVREUIL
  Le débitage
  Combien pèse le Chevreuil?
  Quel âge a-t-il?
EN CUISINANT LE GIBIER,
NE PAS OUBLIER...
  Pour nettoyer
  facilement la perdrix
RECETTES
  Fumet de gibier
  Entrecôte de caribou
    à l'échalote

  Fricassée de caribou
  Orignal aux légumes
  Mufle d'orignal
  Orignal Stroganov
  Rôti de chevreuil mariné
  Rôti de venaison
  Pain de viande de venaison
  Venaison en crème
  Rôti de sanglier au Curaçao

Salade de lapin à queue
  blanche
Civet de lièvre
Lièvre du garde-chasse
Perdrix aux raisins
Perdrix « à la mode »
Perdrix en crème
Émincé d'outarde au vin
  rouge
Steak d'oies
Oie du cap Tourmente
Crème de foies d'oies « Mère
  Sylvie »
Bécasse à la « Louis »
Pâté de faisan
  « Monseigneur »
Sarcelles flambées suprêmes
Délicieuses viandes de
  survie
ORDONNANCE DES VINS
  Vin de pissenlits
  Vin de marguerites
  Bannique du chasseur
  Marinade pour le gibier
  Carottes au cognac

L'éviscération du Chevreuil

Le Chevreuil doit être éviscéré immédiatement après avoir été abattu, et les glandes métatarsiennes enlevées des pattes. Il faut ensuite le suspendre par la tête, cage thoracique bien ouverte, afin de laisser refroidir la chair et permettre au sang de bien s'égoutter. Voici comment j'ai toujours procédé:

2 *Avec un couteau, contournez profondément l'anus, tout en veillant à ce qu'il ne se détache pas de l'intestin. Séparez la symphyse pubienne à l'aide d'un bon couteau ou d'une hache.*

3 *Ouvrez complètement la cage thoracique jusqu'à la base du cou. Perforez le diaphragme, coupez l'oesophage le plus loin possible à l'intérieur du cou.*

4 *Placez la bête sur le côté, de préférence sur un plan légèrement incliné, puis videz l'intérieur. Conservez le coeur et le foie.*

5 *Au moyen d'un bout de bois, maintenez les deux côtés de l'animal bien ouverts. Suspendez-le par les bois.*

1 *Coupez la peau de l'abdomen, à partir de la pointe du sternum jusqu'à proximité de l'anus. Prenez soin d'enlever les organes génitaux au passage. Faites attention de ne couper que la peau, évitez de crever la panse (rumen).*

Le débitage

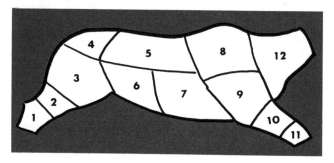

Maintenant, vous vous demandez quelle utilisation faire de l'une ou l'autre des parties du Chevreuil, du Caribou ou de l'Orignal? Brièvement, voici quelques explications:

1- Extrémité du jarret: os à soupe.
2- Haut du jarret: ragoût ou cuisson à l'étuvée
3- Ronde: steaks
4- Croupe: rôtis
5- Surlonge: côtelettes et steaks
6- Flanc: ragoût et steaks
7- Côtes: ragoût et rôtis
8- Épaules: rôtis et steaks
9- Palette: rôtis et bouillis
10- Jarret: ragoût et viande hachée
11- Genoux: os à soupe
12- Cou: viande hachée

Combien pèse le Chevreuil ?

Poids (debout)		Éviscéré (avec foie et coeur)		Cage thoracique (complètement vidée)		Poids (debout)		Éviscéré (avec foie et coeur)		Cage thoracique (complètement vidée)	
lb	**kg**	**lb**	**kg**	**lb**	**kg**	**lb**	**kg**	**lb**	**kg**	**lb**	**kg**
85	39,0	68	30,8	64	29,0	190	86,1	152	68,9	143	64,8
90	40,8	72	32,6	68	30,8	200	90,7	160	72,5	150	68,4
95	43,0	76	34,4	71	32,2	210	95,2	168	76,2	154	69,8
100	46,3	80	36,2	75	34,0	220	99,7	176	79,8	158	71,6
105	47,6	84	38,1	79	35,8	230	104,3	184	83,4	165	74,8
110	50,0	88	39,9	83	37,6	240	108,8	192	87,0	173	78,4
115	52,1	92	41,7	86	39,0	250	113,4	200	90,7	180	81,6
120	54,4	96	43,5	90	40,8	260	117,9	208	94,3	188	85,2
125	56,7	100	45,3	94	42,6	270	122,4	216	97,9	195	88,4
130	58,9	104	47,1	98	44,4	280	127,0	224	101,6	203	92,0
135	61,2	108	48,9	101	45,8	290	131,5	232	105,2	210	95,2
140	63,5	112	50,8	105	47,6	300	136,0	240	108,8	224	101,6
145	65,7	116	52,6	109	49,4	310	140,6	248	112,4	232	105,2
150	68,0	120	54,4	113	51,2	320	145,1	256	116,1	240	108,8
160	72,5	128	58,0	120	54,4	330	149,6	264	119,7	248	112,4
170	77,1	136	61,6	128	58,0	340	154,2	272	123,3	256	116,1
180	81,6	144	65,3	135	61,2	350	158,7	280	127,0	262	118,8

Quel âge a le Chevreuil?

Ce n'est pas aux bois, mais bien à l'usure des dents que se détermine l'âge du Cerf de Virginie ou Chevreuil. Au cours de l'automne, en vous basant sur les esquisses suivantes, vous pourrez avoir une idée précise de l'âge de l'animal abattu avant de vous rendre au bureau d'enregistrement du Service de la conservation de la faune.

FAON
Dentition partielle

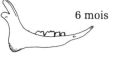

6 mois

UN AN
Dernière molaire
en croissance

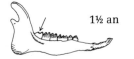

1½ an

ADULTE
Couronnes élevées

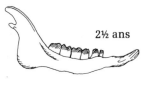

2½ ans

VIEIL ADULTE
Dentition usée

5 ans et plus

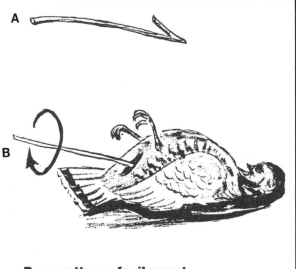

Pour nettoyer facilement une perdrix

a) Utilisez une branche dont l'extrémité se termine en « V »; b) Après avoir pratiqué une incision de l'anus à la pointe du thorax, insérez la branche à l'intérieur de la cavité abdominale de l'oiseau; c) En retirant la branche en un mouvement circulaire la plupart des viscères sortiront.

En cuisinant le gibier ne pas oublier...

— Que la trichine, parasite qui affecte quelquefois la chair du Porc, peut aussi se retrouver dans la viande d'Ours. Il est donc recommandé de faire cuire parfaitement la chair de l'Ours noir avant de la consommer.

— Les Lièvres doivent être suspendus par les pattes arrière après avoir été abattus, tandis que les Perdrix et les Faisans, tout aussi bien que les Canards et les Oies, s'attachent par le cou.

— Le gibier devrait toujours être servi sur une assiette très chaude.

— «Faisander» le gibier à plumes consiste à le laisser vieillir. Les Européens prétendent qu'un oiseau suspendu par le cou doit facilement défoncer de l'arrière-train pour être à point, mais nous ne sommes pas de cette opinion. Un faisandage, à une température propice, d'une durée de 48 heures, peut suffire, mais si la température est froide, le faisandage peut se poursuivre durant quatre jours et même une semaine.

— Le Lièvre et le Lapin à queue blanche n'ont pas besoin d'être faisandés. Ils peuvent être consommés dès qu'ils ont été abattus; les chasseurs diront «au bout du fusil»!

— Les oiseaux à chair blanche, tels le Faisan et la Gélinotte huppée, doivent cuire plus longtemps que les oiseaux dont la chair est brune.

— Le coeur et le foie du gros gibier (Chevreuil, Caribou, etc.) peuvent être consommés au bout du fusil, c'est-à-dire immédiatement après que l'animal a été abattu.

— Pour que vos perdrix aient une saveur vraiment différente, placez des feuilles de vigne à l'intérieur de leur cage thoracique avant de les faire cuire.

— Si la peau de l'abdomen d'un oiseau abattu devient quelque peu verdâtre, cela ne signifie pas que l'oiseau n'est plus comestible. C'est un phénomène normal qui se produit habituellement lorsque le gibier est resté pendu durant deux ou trois jours.

— Si une sauce de gibier demande un vin spécifique, soit du porto, du madère, du sherry ou du claret, rappelez-vous que l'un peut être substitué à l'autre sans modifier pour autant la recette.

Fumet de gibier

	abattis de gibier
3	oignons
1	tranche de jambon
30 mL	(2 c. à soupe) de beurre
	bouquet garni

Dans une casserole, faire chauffer le beurre et y rôtir les abattis. Ajouter les oignons, le jambon coupé en dés, le bouquet garni et un verre d'eau. Saler. Laisser mijoter et réduire. Assaisonner une dernière fois, puis couler. Conserver ce bouillon pour rehausser le goût de vos préparations de gibier ou comme base pour un potage.

Entrecôte de caribou à l'échalote

1	belle entrecôte
6 à 8	échalotes
1	bon verre de vin rouge
30 mL	(2 c. à soupe) de moutarde forte
45 mL	(3 c. à soupe) de crème fraîche
90 g	(3 oz) de beurre
15 mL	(1 c. à soupe) d'huile d'olive
	sel et poivre

Éplucher les échalotes, les hacher et les dorer au beurre chaud dans une poêle. Huiler les deux côtés de l'entrecôte, chauffer la poêle et y déposer la pièce de viande pour la saisir. Cuire 2 ou 3 minutes de chaque côté. Saler, poivrer. Retirer de la poêle et garder au chaud sur le plat de service.

Mettre les échalotes dans la poêle où a cuit la viande. Arroser de vin et laisser réduire à feu vif, en brassant avec une cuillère de bois. Mélanger la crème à la moutarde. Lier la sauce et napper l'entrecôte. Le boeuf ou l'orignal peuvent remplacer le caribou.

Fricassée de caribou

500 mL   (2 tasses) de viande en cubes
           (morceaux du rôti de la veille)
500 mL   (2 tasses) de pommes
           de terre, cuites et en cubes
500 mL   (2 tasses) de bouillon (fumet de
           gibier, voir p. 270)
           un soupçon de vin
           sel et poivre

Placer les ingrédients dans une casserole, cuire au four à 204° C(400°F) jusqu'à ce que les pommes de terre brunissent. Servir.

    Cette recette peut se préparer également avec du chevreuil ou de l'orignal.

Orignal aux légumes

1 kg   (2 lb) de cubes d'orignal
250 mL   (1 tasse) de céleri émincé
3   pommes de terre en cubes
30 mL   (2 c. à soupe) d'huile végétale
500 mL   (2 tasses) d'eau
1   oignon émincé
4   carottes tranchées
1   boîte de tomates en conserve

Dans l'huile végétale, faire blondir les oignons et la viande. Saler et poivrer. Ajouter le céleri et laisser cuire dans l'eau pendant 10 minutes. Ajouter les carottes et prolonger la cuisson un autre 10 minutes. Compléter en ajoutant les tomates, les cubes de pommes de terre et un peu d'eau si nécessaire. Assaisonner au goût. Laisser mijoter à feu doux, jusqu'à ce que tous les légumes soient bien cuits.

Mufle d'orignal

Les Indiens font un festin du mufle de l'orignal. Mon ami Olivier Chichippe m'expliqua ainsi comment préparer cette recette traditionnelle:

«Durant la première heure de cuisson, tu vas croire que tu fais bouillir un siffleux avec tout son poil, mais surtout ne regarde pas dans la marmite!

Voici comment t'y prendre pour cuisiner ce gros nez: pendant une heure entière, tu dois le laisser bouillir avec sa peau, exactement comme il était quand tu l'as sectionné de la tête du gibier.

Cette période de temps terminée, tu le laisses refroidir. La peau s'enlève facilement. Tu l'ôtes et ensuite tu rinces le mufle comme il faut dans de l'eau froide.

Pour compléter la préparation, tu le remets dans la marmite, tu le recouvres d'eau froide et tu ajoutes du sel, du poivre et une feuille de laurier. On le laisse bouillir ainsi jusqu'à ce que la chair soit tendre. Le mufle d'orignal ainsi apprêté se mange froid.» C'est une recette spéciale, essayez-la!

Orignal Stroganov

1 kg	(2 lb) d'orignal tendre et sans gras, tranché en fines lanières
125 mL	(½ tasse) de sherry
1	demiard de crème (15%)
15 mL	(1 c. à soupe) de moutarde sèche
15 mL	(1 c. à soupe) de sucre
10 mL	(2 c. à thé) de sel
60 mL	(4 c. à soupe) d'huile d'olive
½ kg	(1 lb) de champignons frais tranchés
2	oignons moyens tranchés

Mélanger la moutarde, le sucre et un peu de sel à de l'eau chaude, en quantité suffisante pour former une pâte claire; laisser reposer une quinzaine de minutes. Chauffer la moitié de l'huile dans une poêle en y ajoutant les oignons et les champignons. Couvrir, réduire la chaleur et cuire 15 minutes environ.

Dans une autre poêle, chauffer le reste de l'huile. Ajouter la moitié de l'orignal. Cuire environ 3 minutes en remuant constamment jusqu'à ce que la viande soit brunie. Utiliser une louche perforée pour laisser filtrer le jus de cuisson. Transférer la viande dans la poêle contenant les légumes. Frire le reste de la viande de la même façon et l'ajouter aux légumes.

Lentement, ajouter le sherry et la crème. Cuire le tout trois minutes environ sur feu doux, ou jusqu'à ce que la sauce soit chaude. Servir sur un lit de nouilles ou de riz.

Rôti de chevreuil mariné

1	morceau de 1,5 kg (3 lb environ) de chevreuil (filet)
½ L	(2 tasses) de vin rouge corsé
	lard et beurre
	sel et poivre
	bouquet garni

Ajouter le bouquet garni au vin rouge et y faire mariner le chevreuil pendant trois jours. Retirer ensuite le chevreuil de cette marinade. Bien l'assécher. Dans une casserole, faire revenir le lard dans le beurre et y dorer la viande quelques minutes. Couvrir, baisser le feu et laisser cuire à feu doux, jusqu'à ce que la viande soit tendre, c'est-à-dire environ une heure et demie. Servir accompagné de pommes vapeur.

Rôti de venaison

1	rôti de 1 ou 2 kg (4 à 5 lb)
6	tranches de lard salé de 1 cm (¼ po) d'épaisseur
15 mL	(2 cuil. à soupe) de sauce Worcestershire
2	citrons
1	oignon (moyen)
	sel et poivre

Enlever le gras du rôti, l'assaisonner de sel et de poivre. Après avoir enlevé l'excès de sel des tranches de lard, en recouvrir le fond de la marmite. Ajouter le jus d'un citron, l'oignon émincé, la sauce Worcestershire et des tranches du second citron. Couvrir et cuire lentement. Ajouter un peu d'eau chaude, si nécessaire. (Peut servir de 10 à 12 personnes.)

Pain de viande de venaison

1 kg	(2 lb) de venaison hachée
15 mL	(1 cuil. à soupe) de sauce Worcestershire
1	sachet de soupe à l'oignon déshydratée
1	oeuf battu
250 mL	(1 tasse) de mie de pain sel et poivre

Bien mélanger tous les ingrédients. Façonner en forme de pain et déposer dans une lèchefrite peu profonde. Cuire au four à 175° C (350° F), une heure et demie environ. Servir chaud ou froid accompagné de légumes verts.

Venaison en crème

½ kg	(1 lb) de venaison hachée
500 mL	(2 tasses) de lait
45 mL	(3 c. à soupe) de farine
15 mL	(1 c. à soupe) d'huile végétale
2	cubes de bouillon de boeuf
5 mL	(½ c. à soupe) de sauce Worcestershire
1	oignon émincé

Brunir la viande et l'oignon. Enlever le surplus de gras. Replacer la viande dans la poêle à frire, ajouter la farine et mélanger. Ajouter le lait, tout en brassant, et les autres ingrédients. Couvrir et laisser mijoter pendant 20 minutes. Servir sur des rôties.

Rôti de sanglier au Curaçao

1	*filet de jeune sanglier (ou toute autre partie)*
120g	*(4 oz) de Curaçao*
1	*pincée de gingembre quelques clous de girofle*
1	*pincée de muscade*
1	*pincée de cannelle fécule de maïs beurre*
4	*oranges sel et poivre*

Enduire le plat à cuisson de beurre. Piler le clou et le mélanger au gingembre, à la cannelle, à la muscade, au sel et au poivre. Frotter le rôti de ces arômates et l'enduire de beurre. Presser deux oranges pour en extraire le jus, trancher les deux autres. Placer le rôti au four; bien cuire (comme un rôti de porc). Arroser de temps à autre de Curaçao et de jus d'orange. Lorsque cuit, placer le rôti sur un plat de service. Verser un bon verre d'eau chaude dans le plat de cuisson, laisser bouillir durant quelques minutes en grattant bien. Délayer la fécule de maïs dans le reste du jus d'orange et de Curaçao et l'incorporer à la sauce. Ajouter du beurre et des zestes d'orange et laisser épaissir à feu doux durant quelques minutes. Plonger les tranches d'orange dans cette sauce pour les réchauffer, puis les égoutter et les disposer autour du plat de service. Napper le plat avec la sauce. Servir très chaud.

Salade de lapin à queue blanche

250 mL	*(1 tasse) de lapin à queue blanche cuit, coupé en petits cubes*
250 mL	*(1 tasse) de céleri, coupé aussi en dés*

Cuire le lapin, le saler et le poivrer au goût, puis le laisser refroidir.

Préparer 1 tasse de sauce à salade de son choix et y ajouter quelques bonnes cuillères à soupe de vin. Désosser le lapin, couper la chair en dés et ajouter le céleri et la sauce à salade. Bref, une salade de poulet... mais au lapin!

(Cette recette nous a été transmise par le Service de la conservation de l'État du Delaware, USA.)

Lièvre du garde-chasse

2	lièvres
250 mL	(1 tasse) de crème 15%
2	oignons finement hachés
250 mL	(1 tasse) de vin blanc
	sel

Dans une casserole, faire bouillir les lièvres. Retirer du feu et mettre de côté. Verser la crème, les oignons et la moitié du vin dans la casserole. Laisser mijoter 60 minutes environ en raclant les bords de la casserole de temps à autre. À la fin de la cuisson de la sauce ajouter les lièvres et le reste du vin. Cuire deux minutes et servir avec des carottes au cognac (voir p. 289).

Civet de lièvre

Rien de tel qu'un bon civet de lièvre pour se faire apprécier de ses invités durant la période des Fêtes. Vous devriez y songer dès maintenant. Alors que dinde et poulet seront partout au menu, épatez vos parents et vos amis en leur servant un savoureux civet de lièvre.

1	lièvre en morceaux
0,22 kg	(½ lb) de lard de porc en cubes
2	oignons tranchés
	farine
	sel et poivre
	vin rouge pour couvrir
0,22 kg	(½ lb) de champignons
60 mL	(4 c. à soupe) de beurre
1½	douz. de petits oignons blancs
	bouquet garni (dans un coton à fromage)

Assaisonner le lièvre de sel et de poivre et le saupoudrer de farine. Dans une marmite ou chaudron de fer pourvu d'un couvercle, faire dorer les cubes de lard, puis les retirer. Faire brunir les morceaux de lièvre dans ce gras, ajoutant les tranches d'oignons par la suite. Ajouter assez de vin pour couvrir le lièvre, puis le bouquet garni et les cubes de lard. Couvrir et laisser mijoter à feu lent pendant 2 heures.

Dans une poêle, faire sauter les champignons dans le beurre et les ajouter à la préparation du lièvre, avec les petits oignons qui auront été bouillis 15 minutes et égouttés.

Bien mélanger et chauffer à point. Enlever le bouquet garni, placer le lièvre et les légumes sur un plat de service chaud.

Épaissir la sauce avec un peu de fécule de maïs mélangée à de l'eau, en napper le lièvre. Décorer de quelques branches de persil et servir.

Perdrix aux raisins

6	*perdrix*
45 mL	*(3 c. à soupe) de farine*
30 mL	*(2 c. à soupe) de beurre*
	un verre de vin blanc sec
45 mL	*(3 c. à soupe) de jus de citron*
120 g	*(4 oz) de raisins verts sans pépins*
45 mL	*(3 c. à soupe) d'amandes blanchies et tranchées*
	sel et poivre

Rouler les perdrix dans le mélange composé de sel, de poivre et de farine. Faire dorer les perdrix dans le beurre. Ajouter le vin et le jus de citron et cuire à couvert à feu doux 1 heure environ. Ajouter les amandes et les raisins et laisser mijoter jusqu'à ce que les perdrix soient tendres.

Perdrix à la mode

6	perdrix
30 mL	(2 c. à soupe) de beurre
½	boîte de consommé de boeuf
2	pommes
¼ L	de cidre
45 mL	(3 c. à soupe) de farine
250 mL	(1 tasse) de champignons frais
10 mL	(2 c. à thé) de cannelle
	sel et poivre au goût

Trancher les pommes, les saupoudrer de cannelle et en farcir les perdrix. Faire dorer les perdrix dans le beurre. Ajouter le consommé de boeuf après l'avoir dilué, et arroser de cidre. Couvrir et cuire à feu moyen 1½ heure environ. Vers la fin de la cuisson, ajouter de la farine jusqu'à consistance désirée. Sauter les champignons dans du beurre et les ajouter au tout. Laisser mijoter quelques minutes et servir.

Perdrix en crème

4	perdrix
250 mL	(1 tasse) de vin blanc
	sel et poivre
	ail
2	boîtes de crème de poulet
37 mL	(2½ c. à soupe) de sauce Worcestershire
165 mL	(⅔ de tasse) d'oignons hachés
2	boîtes de champignons
	paprika

Disposer les perdrix dans une lèchefrite, mélanger les autres ingrédients à l'exception du paprika et verser sur les oiseaux. Saupoudrer de paprika et cuire au four à 180°C (350°F), pour 1¼ heure. Badigeonner régulièrement de liquide durant la cuisson. Ajouter d'autre paprika à la fin de la cuisson. Cette recette est excellente lorsqu'elle est servie avec du riz sauvage.

Émincé d'outarde au vin rouge

2	côtés d'outarde (poitrine)
60 mL	(4 c. à soupe) de beurre
180 mL	(¾ de tasse) de consommé de boeuf
60 mL	(3 c. à soupe) de farine
2	oignons moyens (blancs)
375 mL	(1½ tasse) de vin rouge
60 mL	(¼ de tasse) d'eau
	sel et poivre
	bouquet garni

Faire dorer les oignons dans le beurre. Trancher les côtés de la poitrine de l'outarde en steaks, les enfariner et les cuire dans le beurre.

Enlever les oignons et l'outarde de la poêle et laisser le beurre de friture pour faire un roux à l'aide de la farine. Ajouter lentement les liquides en remuant constamment. Ajouter le bouquet garni, le sel et le poivre. Laisser mijoter une dizaine de minutes.

Du céleri et du riz peuvent très bien accompagner ce plat.

Oie du cap Tourmente

1	oie
2	carottes finement hachées
2	tranches de céleri haché
1	oignon haché
45 mL	(3 c. à soupe) de beurre
8	grains de poivre
2	pommes coupées en morceaux
1	feuille de laurier
3 mL	(½ c. à thé) de sucre
1	pincée de toutes épices (all spice)
3 mL	(½ c. à thé) de sel
250 mL	(1 tasse) de fond de viande ou de consommé de boeuf
250 mL	(½ chopine) de crème 35%
30 mL	(2 c. à soupe) de farine
5 mL	(1 c. à thé) de moutarde forte
	jus d'un citron
114 mL	(4 oz) de vin blanc sec
1	boîte de champignons frais

Chauffer le four à 190°C (350°F). Dans une cocotte, faire revenir dans le beurre les carottes, le céleri et l'oignon. Ajouter le poivre, la feuille de laurier, le sucre, les épices et le fond de viande. Placer l'oie assaisonnée au milieu de la cocotte. Mettre au four et laisser cuire en arrosant souvent. Quand elle est cuite, l'enlever de la cocotte et la garder à la chaleur.

Sur le feu, faire chauffer la sauce et ajouter la crème dans laquelle vous aurez délayé la farine. Mélanger bien et laisser chauffer. Ajouter la moutarde et le jus de citron. Passer la sauce au mélangeur (blender ou, si vous n'en possédez pas, prenez simplement un malaxeur électrique) et remettre sur le feu. Faire revenir les champignons dans un peu de beurre et les ajouter à la sauce. Ajouter le vin blanc. Vérifier l'assaisonnement. Vous pouvez flamber l'oie au moment de servir, avec un peu de cognac.

Steak d'oie

Prendre les poitrines d'oies, les couper en tranches minces d'environ ¼ de pouce d'épaisseur et les faire cuire comme un steak dans une poêle.

Ajouter du poivre et flamber au cognac.

Servir avec une sauce au vin ou une sauce au poivre.

Les cuisses peuvent être utilisées dans un ragoût.

(Recette de Gaby Vézina, Île-aux-Grues.)

280

Crème de foies d'oies « Mère Sylvie »

4	gros foies d'oies
	ou 12 foies de canards
114 g	(¼ lb) de beurre
30 mL	(2 c. à soupe) d'oignon haché
	sel au goût, poivre
	une pincée de muscade
125 mL	(½ tasse) de crème (35%)
5 mL	(1 c. à thé) d'olives noires hachées
10 mL	(2 c. à soupe) de cognac
	(un mélangeur ou « blender »)

Faire fondre le beurre dans la poêle et y faire sauter les foies jusqu'à ce qu'ils soient brunis mais rosés à l'intérieur. Enlever les foies et conserver 30 mL (2 c. à soupe) du beurre fondu. Ajouter les oignons dans la poêle et les faire cuire jusqu'à ce qu'ils deviennent transparents. Laisser refroidir un peu, puis mettre tous les ingrédients, à l'exception des olives noires, dans un mélangeur (« blender »); laisser tourner jusqu'à ce que le mélange soit bien homogène. Transvider dans une terrine. Incorporer les morceaux d'olives au pâté. Pour terminer, verser sur le pâté les 2 c. de beurre fondu. Ceci vous permettra de conserver ce pâté plus longtemps au réfrigérateur.

Bécasse à la « Louis »

3	bécasses
15 mL	(1 c. à soupe) de beurre
	trois échalotes finement hachées
	jus de citron
125 mL	(½ tasse) de vin blanc
	sel et poivre

Faire fondre le beurre dans la poêle. Mettre les bécasses à frire, en morceaux, à feu très vif. Ajouter les échalotes, le sel et le poivre. Laisser cuire une dizaine de minutes. Ajouter le jus de citron et le vin blanc et amener à ébullition. Retirer les bécasses. Servir sur du riz en nappant le tout du bouillon.

Pâté de faisan « Monseigneur »

0,22 kg	(½ lb) de faisan haché
0,12 kg	(¼ lb) de poulet haché
0,12 kg	(¼ lb) de veau haché
0,12 kg	(¼ lb) de champignons hachés
	lard
	persil
	mie de pain (1 tasse environ)
1	oeuf

Mélanger le faisan, le poulet, le veau, les champignons. Former une boule en ajoutant le persil, la mie de pain et l'oeuf. Bien tasser et déposer dans le fond d'une lèchefrite. Couvrir de lard. Cuire au four, à feu moyen, 3 heures environ. Servir chaud avec une sauce aux champignons ou froid avec une sauce mayonnaise ou à la moutarde.

Sarcelles flambées suprêmes

2 ou 3	sarcelles
375 mL	(1½ tasse) de madère
125 mL	(½ tasse) de raisins
4	clous de girofle
250 mL	(1 tasse) de riz cuit
2 mL	(¼ c. à thé) de gingembre
15 mL	(1 c. à soupe) de beurre fondu
125 mL	(½ tasse) de noix hachées
1	orange (pour le jus)
125 mL	(½ tasse) de cognac
	sel et poivre

Faire chauffer le four à 230° C (450° F). Laver et sécher les sarcelles. Assaisonner l'intérieur de la sauvagine de sel et de poivre.

Dans une poêle, verser le madère, ajouter les raisins, les clous et faire bouillir. Réduire la chaleur et laisser sur le feu cinq minutes. Couler et enlever les clous de girofle.

Mélanger le riz cuit, les raisins, le zeste d'orange, le beurre et les noix. Farcir les sarcelles de ce mélange. Placer les oiseaux sur le support d'une rôtissoire et badigeonner de beurre. Cuire 5 minutes. Réduire la température du four à 150° C (300° F) et cuire 30 minutes. Badigeonner fréquemment durant la cuisson du mélange de madère, beurre et jus d'orange.

Disposer le tout sur un plat de service et arroser avec le liquide de cuisson pour bien humecter les sarcelles.

Réchauffer le cognac. Verser sur les sarcelles et faire flamber.

Ce plat de haute fantaisie peut tout aussi bien être préparé avec de gros canards.

Délicieuses viandes de survie

Chasser est une affaire, déguster le gibier abattu en est une autre, j'ajouterais même, un complément essentiel. L'Orignal, le Chevreuil, le Lièvre ou la Perdrix nous sont coutumiers, mais certaines chairs d'animaux sauvages sont abandonnées par les trappeurs qui les obtiennent en trop grande quantité. C'est le cas du Castor, du Rat musqué, du Raton laveur, mais aussi d'autres bêtes non protégées du monde des animaux à fourrure, tels que le Porc-épic, l'Écureuil ou la Marmotte.

Si jamais ces bêtes vous tombaient entre les mains, je vous offre aujourd'hui quelques conseils qui pourront les faire apprécier de vos convives.

Castor

La queue de l'animal est excellente et il en est de même des jeunes bêtes dont la chair très tendre est un mets de choix. Quant au Castor adulte, on peut très bien le servir en bouilli, cuit lentement à feu doux. Le rôti de jeune Castor peut se cuire au four à 175°C (350°F) à 30 minutes par kg; des oignons rehausseront la saveur de cette préparation tellement simple.

Un ragoût de Castor peut se cuisiner à peu près comme vous procédez pour le Boeuf. Couvrir la pièce de viande d'eau, ajouter des carottes, des pommes

de terre, des oignons et du chou. Assaisonner de sel et poivre, ainsi que d'une feuille de laurier et d'un peu de sauce Worcestershire.

Rat musqué

Animal à chair excellente que certains identifient comme étant le «Lapin des marais». Le Rat musqué doit en premier lieu être libéré des glandes qui lui méritent le nom de «musqué». Par la suite, toutes les préparations culinaires lui conviennent, plus particulièrement celles du Lièvre. Comme ce dernier, il peut s'apprêter en sauce, braisé ou en civet.

Porc-épic

Très malvenu dans les pièges, il n'en demeure pas moins que ce rongeur est bien accueilli dans la cuisine. Pour les Indiens, il suffisait de prendre la bête et de la poser sur des braises ardentes, la tournant à l'occasion pour la faire cuire d'une façon bien égale. Puis, on enlevait la peau brûlée pour découvrir une chair savoureuse suffisant à satisfaire les appétits les plus voraces. Toute l'opération «à l'indienne» prenait environ une heure.

Comme il n'est pas coutume chez les Blancs de consommer la chair de cet animal, voici comment il faut s'y prendre pour l'apprêter. En premier lieu, on doit l'éviscérer par l'abdomen, endroit où les aiguillons n'existent pas. Par la suite, on peut le préparer en rôti, bouilli ou ragoût.

Raton laveur

Lorsque ma mère pouvait obtenir un raton laveur ou chat sauvage, nous étions assurés d'un véritable festin. Les cuissots de l'animal possèdent une finesse à nulle autre pareille.

Pour en hausser la saveur, elle faisait mariner les parties comestibles de l'animal dans du vin rouge et de l'huile d'olive. A ce composant liquide s'ajoutaient un bouquet garni (persil, thym, feuille de laurier) ainsi que des carottes, du céleri, des oignons, de l'ail ou des échalotes, le tout complété de sel et de poivre. Après 24 ou 48 heures à macérer dans ce liquide, les portions de chair pouvaient être apprêtées de diverses façons: ragoût, rôti, braisé ou bouilli.

Tentez l'expérience, je vous assure que vous tiendrez le Raton laveur en très haute estime sur le plan culinaire.

Écureuil

Ce petit rongeur ne fait pas partie de l'éventail de notre gibier de chasse; il est même protégé. Cependant, je suis persuadé que de jeunes nemrods pourront revenir à la maison, fiers de leurs coups de fronde effectués dans l'érablière voisine. Il vous faudra peut-être les gronder un peu, mais si vous vous rappelez votre jeunesse, vous vous souviendrez de vos premières aventures cynégétiques, la poursuite des «écureux».

La chair de cet animal est tout simplement délicieuse. Il ne pourrait en être autrement, vu que l'Écureuil s'engraisse de noix sauvages (faînes, glands, etc.) Sa chair peut donc satisfaire les palais les plus difficiles. Elle se prépare de n'importe quelle façon, même simplement sautée dans la poêle.

Marmotte

Cet animal chassé pour le plaisir est habituellement abandonné à proximité de son terrier à la suite d'un beau coup de carabine. Pourtant, l'animal devrait recevoir un peu plus d'attention. Voilà un autre gibier qui pourrait détenir une place de choix dans la cuisine. Tout comme pour le Rat musqué, il faut lui enlever les glandes et le dégraisser. Les préparations usuelles pour le Rat musqué, le Raton laveur et le Lièvre lui conviennent très bien. J'espère que vous retiendrez ce conseil lorsque vous irez pratiquer votre tir sur les « siffleux » le printemps prochain.

Rat musqué des gourmets

4   rats musqués, divisés en quartiers
     sel et poivre
2   gros oignons tranchés
     farine
     beurre

Laisser tremper les quartiers de gibier plusieurs heures dans de l'eau salée. Les placer ensuite dans une grande poêle, avec suffisamment d'eau pour couvrir, et ajouter un oignon. Cuire pour environ 1 heure, ou jusqu'à ce que les quartiers soient tendres. Enlever du liquide et laisser refroidir. Faire fondre du beurre dans une poêle, ajouter le second oignon tranché. Enfariner la viande et la faire brunir. Assaisonner de sel et de poivre au goût.

Ordonnance des vins

Les chasseurs sont habituellement de bonnes four-chettes, tout aussi bien que leurs confrères pêcheurs qui aiment savourer la chair de poissons fraîche-ment capturés. A ce sujet, voici quelques notes sur les vins:

La règle d'or est la suivante: un vin blanc précè-de un vin rouge — le vin sec se sert avant le vin doux

— un vin léger doit être bu avant un vin corsé — le jeune vin doit précéder un vin vieux.

Pour accompagner un repas amical, il suffit de deux vins; un blanc et un rouge.

Pour un repas de cérémonie, trois vins sont sug-gérés: un blanc et deux rouges, un léger et un corsé.

Pour les grandes cérémonies, quatre vins: deux blancs et deux rouges.

Il ne faut pas remplir les verres plus qu'à la moi-tié et attendre qu'ils se vident avant de les remplir.

- Les vins pétillants se servent frappés: 28°C (36°F)
- Les vins blancs liquoreux: 5°C (40°F)
- Les champagnes: entre 7 et 9°C (44 et 48°F)
- Les muscadets, vins d'Alsace, rouges légers, bour-gognes blancs et côtes-du-rhône: 16°C (60°F)
- Les bourgognes rouges: 16 à 18°C (60 à 65°F)
- Les bordeaux rouges: 20°C (68°F)

Vin et gibier

Le gibier à plume est habituellement servi avec un vin rouge très bouqueté, parfumé et fruité.

Le Caribou, le Chevreuil, l'Orignal, l'Ours, le Sanglier et le Lièvre seront accompagnés d'un vin rouge corsé.

Voici deux bons petits vins « maison » d'accompa-gnement pour vos repas de gibier.

Vin de pissenlits

5 L	(4 ptes) de pissenlits
5 L	(4 ptes) d'eau bouillante
4	oranges coupées en tranches (¼ po)
4	citrons coupés en tranches (¼ po)
250 mL	(1 tasse) de raisins blancs, hachés fin
1,5 L	(6 tasses) de sucre blanc (granulé)
8 g	(8 oz) de levure sèche

Par une belle journée ensoleillée, cueillir les fleurs de pis-senlits bien ouvertes afin d'éviter la présence désagréable d'insectes. Choisir des fleurs écloses, les couper à la tige, sans laisser de feuillage.

Mettre les fleurs dans un contenant de verre ou de terre et y verser l'eau bouillante. Laisser reposer dans un en-droit chaud pendant trois jours, en remuant la préparation deux fois par jour. Le quatrième jour, filtrer le liquide, en pressant bien, pour en extraire la saveur.

Remettre le liquide dans le contenant et y ajouter les oranges, les citrons, les raisins et le sucre bien dissout. Saupoudrer de levure. Laisser fermenter pendant deux semaines dans un endroit chaud.

Après deux semaines, presser et filtrer et remettre ensuite dans le contenant, pendant trois jours, le temps que la lie se dépose au fond du contenant.

Au bout de trois jours, siphonner dans des bouteilles stérilisées. Attendre de 10 à 12 mois avant de boire le vin.

Vin de marguerites

6 L	*(4 à 5 ptes) de marguerites, sans tiges*
6 L	*(4 à 5 ptes) d'eau bouillante*
1,5 kg	*(3,51 lb) de sucre*
500 g	*(1 lb) de raisins hachés*
2	*citrons*
2	*oranges*
500 g	*(1 lb) de grains de blé*
8 g	*(¼ d'once) de levure sèche*

Mettre les fleurs de marguerites dans un récipient et y verser l'eau bouillante. Laisser reposer pendant 24 heures. Retirer ensuite les marguerites et ajouter au liquide le sucre, les raisins, les grains de blé, le zeste et le jus des oranges et des citrons. Brasser jusqu'à ce que le sucre se dissolve.

Dans une tasse d'eau tiède, dissoudre la levure saupoudrée de sucre. Laisser reposer le liquide 10 minutes environ et mélanger à la première préparation.

Recouvrir le tout et laisser fermenter trois semaines, en remuant tous les jours le mélange.

Embouteiller et fermer les bouteilles non hermétiquement tant que la fermentation n'est pas terminée.

Entreposer dans un endroit sombre et frais jusqu'à ce que le vin soit clair: environ six mois.

Bannique du chasseur

S'il vous arrive de manquer de pain, la bannique saura vous dépanner. Plusieurs chasseurs, encore de nos jours, la préfèrent au pain domestique, du fait qu'elle se conserve bien et se transporte plus facilement, d'un endroit de chasse à un autre.

750 mL (3 tasses) de farine
        un soupçon de sel
        eau
15 mL (1 c. à soupe) de poudre à pâte
30 mL (2 c. à soupe) de gras de lard fondu

Mélanger les ingrédients pour en obtenir une pâte dont la consistance ressemble à celle du pain. Former des galettes de la grandeur désirée. Frire dans l'huile ou cuire au four jusqu'à ce que la bannique soit dorée.

On peut aussi la pétrir en lanières, que l'on enroule autour d'une branche verte et que l'on fait cuire par la suite au-dessus du feu en tournant lentement.

Plusieurs aiment ajouter des bleuets à la cuisson de ce pain de portage, notamment « Musky Jones », ce trappeur légendaire du siècle dernier.

Marinade pour le gibier

Les marinades destinées à modifier ou à améliorer le goût du gibier sont très nombreuses. En voici une qui convient très bien au Lièvre, dont la saveur semble affectée par les conifères, au vieil Orignal aux muscles raidis, au Chevreuil mâle en période de rut ou à l'Ours noir quelque peu vieillot.

2   gros oignons tranchés
2   carottes tranchées
3   branches de céleri, coupées en dés
10 mL (2 c. à thé) de sel
5 mL   (1 c. à thé) de poivre frais moulu
3 mL   (½ c. à thé) de basilique, de clou ou de thym
2   feuilles de laurier
5 mL   (1 c. à thé) de persil haché
2 L   (1 pinte) de vin rouge ou de vinaigre de vin
2 L   (1 pinte) d'eau
125 mL (½ tasse) d'huile d'olive

Faire sauter carottes, céleri et oignons dans l'huile d'olive pendant 10 minutes. Combiner aux autres ingrédients. Laisser mijoter à feu doux pendant une demi-heure. Lorsque cette marinade est refroidie, elle est prête à recevoir les morceaux de gibier. On doit laisser mariner dans un

contenant de grès pour au moins 24 heures et de préférence 48.

Cette marinade attendrit la chair des parties habituellement coriaces du gibier (cou, jarret, épaule).

Elle peut servir aussi de complément à la cuisson ainsi
que de sauce pouvant accompagner le gibier, sans oublier
sa nécessité dans la préparation d'un civet de lièvre.

Carottes au cognac

Déterminer les quantités nécessaires à la préparation
de cette recette est difficile. Les ingrédients seront choisis selon le nombre des invités :

carottes — beurre — sucre — sel — cognac — persil.

Trancher les carottes, les couvrir de beurre fondu et de
quelques cuillerées de sucre. Saler légèrement. Couvrir et
cuire à petit feu pendant une dizaine de minutes. Avant la
fin de la cuisson, ajouter le cognac. Servir avec une garni-
ture de persil haché.

SIXIÈME PARTIE

Où chasser?

Sommaire

01-BAS-SAINT-LAURENT — GASPÉSIE

02-SAGUENAY

03-QUÉBEC

04-TROIS-RIVIÈRES

05-CANTONS DE L'EST

06-MONTRÉAL

07-OUTAOUAIS

08-NORD-OUEST

09-CÔTE-NORD

10-NOUVEAU-QUÉBEC

Voici un résumé des principales ressources dont vous pourrez disposer pour organiser vos excursions de chasse dans chacune des régions administratives du Québec. Vous y trouverez certains détails sur la localisation et l'accès aux territoires de chasse, les facilités d'hébergement, les modes de réservation et les espèces particulières de gibier propres à chaque secteur.

Ce miniguide des régions de chasse vous aidera à mieux connaître la répartition de notre gibier, tout en vous permettant de choisir, selon vos moyens et vos goûts, les sites où vous pourrez vous adonner à la pratique de votre sport préféré, la chasse!

Toutes les informations relatives à ce chapitre étant sujettes à des modifications périodiques, nous vous recommandons de toujours vérifier à l'avance si les services offerts sont disponibles avant de vous y rendre.

Pour plus de renseignements, veuillez communiquer avec le ministère responsable de la gestion de la chasse et de la pêche au Québec.

Bas Saint-Laurent
Gaspésie

Parcs et réserves

Réserve Cap-Chat
Réserve de Dunière
Réserve Duchénier
Réserve de Matane
Réserve de Rimouski

ZEC

Bas Saint-Laurent	Des Anses
Casault	Owen
Chapais	De la rivière York

Affûts pour la chasse aux oiseaux migrateurs

Bureau d'enregistrement

(Original, Chevreuil, Caribou, Ours noir)
Service de conservation de la faune

Cabano 38, rue Saint-Philippe	854-2328
Causapscal 42, Saint-Jacques sud	756-5158
Gaspé 11, rue de la Cathédrale	368-5546
Grande-Vallée Route 132	393-2707
La Pocatière 706, 4ᵉ Avenue	856-3157
Matane 263, av. Saint-Jérôme	566-2618
New Richmond 200, boul. Perron	392-5875
Pabos Route 132	689-6561
Pointe-au-Père 639, boul. Sainte-Anne	722-3519
Rivière-du-Loup 506, rue Lafontaine	862-6014
Sainte-Anne-des-Monts Route 132	763-3371

Réserve Dunière / Parc de Matane

SUPERFICIE 1 079 km^2 SUPERFICIE 550 km^2

Localisation

48 km au sud de Matane
122 km au sud-est de Matane
450 km à l'est de Québec

Accès

De Québec, routes 132 et 195
De Montréal, routes 20 et 132

Créée en 1962, l'une des réserves va rejoindre par l'arrière-pays le parc de la Gaspésie. La rivière Matane qui sillonne le territoire est réputée pour la pêche au saumon de l'Atlantique.

Matane	Dunière
Selon les saisons permises	
Orignal,	Cerf de Virginie
Tétras des savanes	Orignal
	Lièvre d'Amérique
	Tétras des savanes
	Gélinotte huppée

Renseignements

Parc de Matane,
263, rue Saint-Jérôme,
Matane, Québec
G4W 3A7
(418) 562-3700

Réserve Dunière
C.P. 242
Mont-Joli, Québec
G5H 3L1
(418) 775-2221

Services

CAMPING (Parc de Matane)

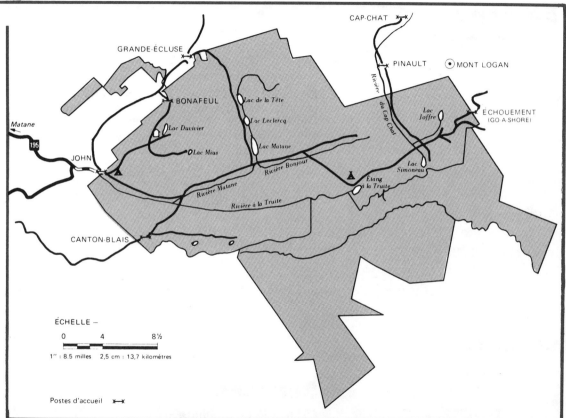

CAP-CHAT ×—×

GRANDE-ÉCLUSE ×—×

PINAULT ⊙ MONT LOGAN

×— BONAFEUL

Lac de la Tête

Lac Leclercq

Lac Duvivier

Lac Joffre

ÉCHOUEMENT
(GO A SHORE) ×—×

Matane ← 195

Lac Mius

Lac Matane

JOHN ×—× ▲

Lac Simoneau

Rivière Matane

Rivière Bonjour

Étang à la Truite

Rivière à la Truite

CANTON-BLAIS ×—×

ÉCHELLE –

0   4   8½

1'' : 8.5 milles   2,5 cm : 13,7 kilomètres

Postes d'accueil ×—×

orignal

perdrix

Réserve Duchénier

Localisation

30 km au sud-ouest de Rimouski
320 km à l'est de Québec

Le parc Duchénier est sis à proximité de la seigneurie concédée en 1688 à Augustin-Roué de la Gardonnière et, en 1696, à René Lepage, premier colon de la région.

Accès

De Québec, route 32
De Montréal, routes 20, 132 et 232

Selon les saisons permises

Cerf de Virginie
Faisan (festival de Rimouski)

Renseignements

Corporation du territoire Chénier
Esprit-Saint
Rimouski, Québec
G6K 1A0

Services

CHALETS (villégiature)

Localisation

Selon certains auteurs, «Cap-de-Chastes». Ce nom fut donné par Champlain en l'honneur d'Eymard de Chastes, chevalier de Malte et gouverneur de Dieppe.

D'autres disent que le cap vu de la route, à gauche, avant d'arriver ressemble à un chat dressé sur son postérieur, d'où le nom de Cap-Chat.

Accès

Route 132 jusqu'à Cap-Chat,
puis, le long de la rivière du même nom,
sur une distance de 14 km

Selon les saisons permises

Orignal

Cerf de Virginie

Lièvre d'Amérique

Tétras des savanes

Gélinotte huppée

Renseignements

Réserve de Cap-Chat
263, rue St-Jérôme
Matane, Québec
G4W 3A7
(418) 562-3700

Services

CAMPING

Réserve de Rimouski

SUPERFICIE 774 km²

Localisation

320 km à l'est de Québec
48 km au sud de Rimouski

Accès

De Québec, route 132
De Montréal, routes 20 et 132
Route 232

Renseignements

Réserve de Rimouski,
337, rue Moreault,
Rimouski, Québec
G5L 1P4
(418) 722-3779

Créée en 1958, la réserve de Rimouski englobe l'ancienne réserve Horton. Le paysage appalachien domine son territoire ondulé avec quelques montagnes et pics élevés.

Selon les saisons permises

Cerf de Virginie
Lièvre d'Amérique
Gélinotte huppée
Tétras des savanes

Services

CHALETS — CAMPING
LOCATION DE CHALOUPES

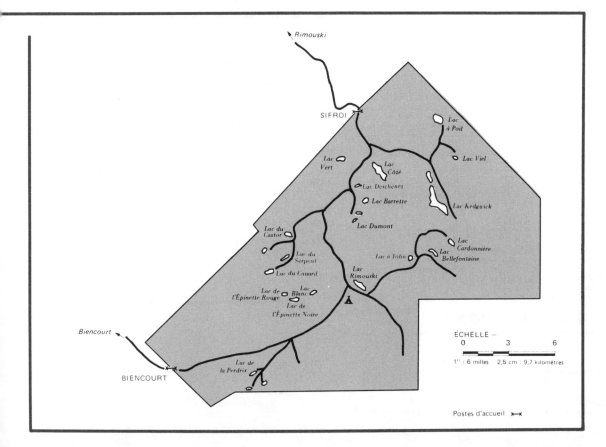

Rimouski

SIFROI

Lac
à Poil

Lac Viel

Lac
Vert

Lac
Côté

Lac Deschênes

Lac Barrette

Lac Kedgwick

Lac Dumont

Lac du
Castor

Lac
Cardonnière

Lac du
Serpent

Lac à John

Lac
Bellefontaine

Lac du Canard

Lac
Rimouski

Lac de
l'Épinette Rouge

Lac
Blanc

Lac de
l'Épinette Noire

Biencourt

BIENCOURT

Lac de
la Perdrix

ÉCHELLE –

0   3   6

1'' : 6 milles   2,5 cm : 9,7 kilomètres

Postes d'accueil ✕—✕

cerf de Virginie

lièvre

perdrix

ZEC

ZONE D'EXPLOITATION CONTRÔLÉE

BAS SAINT-LAURENT   *1027 km²*

Localisation: nord-ouest de la réserve de Rimouski et nord-est de la réserve de Rimouski; 25 km au sud de Rimouski.

Orignal, cerf de Virginie, ours noir, petit gibier

Accès: poste d'accueil Caribou: route 232 via Sainte-Blandine jusqu'à la jonction 232-234 (même que celle de la réserve de Rimouski); poste d'accueil Saint-Charles: routes 298, 234 vers Les Hauteurs et Saint-Charles-Garnier; poste 30 milles: route 195 vers lac Humqui, chemin Bona.

CASAULT   *836 km²*

Localisation: 16 km à l'est de Causapscal.
Orignal, cerf de Virginie, ours noir, petit gibier

Accès: route 132, Causapscal, route dans le centre de Causapscal vers l'est.

CHAPAIS   *487 km²*

Localisation: à l'intérieur des cantons Isworth et Chapais. à l'est de la Pocatière
Orignal, cerf de Virginie, ours noir, petit gibier

Accès: via route 204, Sainte-Perpétue jusqu'au lac Sainte-Anne ainsi que par Mont-Carmel par la route 287 menant au lac de l'Est.

DE LA RIVIÈRE YORK   *4,47 km²*

Localisation: le long de la route 198 entre Gaspé et Murdochville.
Orignal, cerf de Virginie, ours noir, petit gibier

Accès: routes 132, 198.

DES ANSES   *167,5 km²*

Localisation: 13 km à l'ouest de Chandler par la route 132.
Orignal, cerf de Virginie, ours noir, petit gibier

Accès: route 132.

OWEN   *645 km²*

Localisation: à l'est du lac Témiscouata.
Orignal, cerf de Virginie, ours noir, petit gibier

Accès: par route 185 jusqu'à Ville Dégelis; par route 232 menant à Squatec et en empruntant la route 295 jusqu'au poste d'accueil Pain de Sucre.

Affûts pour la chasse aux oiseaux migrateurs

La Boiteau-de-la-Seigneurie de Kamouraska
(418) 498-5410
Canard, oie, outarde

Saguenay/Lac Saint-Jean

Parcs et réserves

Réserve de Chibougamau

ZEC

Anse Saint-Jean   Mars-Moulin
Chauvin   Ouitchiway-Est
Des Passes
Lac Brébeuf
La Lièvre

Ferme de chasse

Réserve de Chibougamau

SUPERFICIE 11 025 km^2

Localisation

517 km de Montréal
325 km de Québec
136 km au nord-ouest de Chicoutimi

Accès

De Québec, routes 73, 175, 169 et 167
De Montréal, routes 20, 73, 175, 169 et 167
ou routes 40, 55, 155, 169, 167

Renseignements

Réserve de Chibougamau,
625, boul. Sauvé
Roberval, Québec
G8H 2N4
(418) 275-1702

En 1946, le gouvernement du Québec créait la réserve de Chibougamau. Ce territoire relativement plat présente une alternance de collines ondulées et de basses terres.

Selon les saisons permises

Orignal

Services

CHALETS — CAMPING —
STATION SERVICE (24 h/jour)

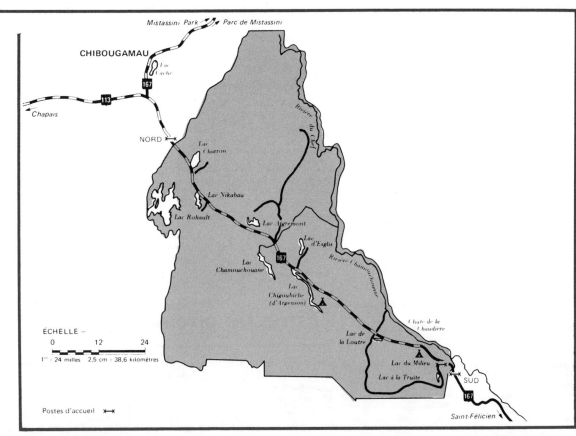

Mistassini Park ⇄ Parc de Mistassini

CHIBOUGAMAU

Lac Caché

[113] [167]

← Chapais

NORD ✕

Lac Charron

Rivière du Chef

Lac Nikabau

Lac Rohault

Lac Aigremont

Lac d'Esglis

[167]

Rivière Chamouchouane

Lac Chamouchouane

Lac Chigoubiche (d'Argenson)

Chute de la Chaudière

Lac de la Loutre

Lac du Milieu

Lac à la Truite

SUD

[167]

Saint-Félicien ←

ÉCHELLE –

| 0 | 12 | 24 |

1'' : 24 milles 2,5 cm : 38,6 kilomètres

Postes d'accueil ✕—✕

orignal

ZEC

ZONE D'EXPLOITATION CONTRÔLÉE

ANSE SAINT-JEAN   *200 km²*

Localisation: à l'est et au sud de l'Anse Saint-Jean.

Accès: route 170 en passant par la Baie jusqu'à l'Anse Saint-Jean.

Orignal, petit gibier

CHAUVIN   *619 km²*

Localisation: à 6 km à l'ouest de Sacré-Coeur (Somoco).

Accès: route 172, en direction de Sacré-Coeur.

Orignal, ours noir, petit gibier

DES PASSES   *1491 km²*

Localisation: à 22,4 km au nord de Sainte-Monique et à 3,2 km à l'est de Saint-Ludger.

Accès: route 169 jusqu'à Sainte-Monique, vers le nord sur le chemin menant au barrage des Passes.

Orignal, ours noir, petit gibier

LAC BRÉBEUF   *434 km²*

Localisation: à 4 km de la municipalité de Saint-Félix d'Otis.

Accès: route 170, à l'est de la ville de Saint-Félix d'Otis.
40 km environ au sud-est de Chicoutimi

Orignal, ours noir, petit gibier

LAC DE LA BOITEUSE   *374 km²*

Localisation: à 35 km au nord-ouest de Chicoutimi, à l'ouest du réservoir Lamothe.

Accès: 43 km de Jonquière, 51 km de Chicoutimi en passant par Saint-Ambroise route 172, ou par Saint-David de Falardeau au sud-ouest du lac Onatchiway (Baie Boiteuse).

Orignal, ours noir, petit gibier

LA LIÈVRE   *1010 km²*

Localisation: à 19 km au sud-ouest de Roberval.

Accès: route 169 jusqu'à Roberval, route menant à Sainte-Hedwidge.

Orignal, ours noir, petit gibier

MARS-MOULIN   *459 km²*

Localisation: à 4 km au sud de Laterrière et 9 km à l'ouest de la ville de La Baie.

Accès: de ville de La Baie par chemin de la rivière à Mars; de Laterrière par le rang de l'église; du Parc des Laurentides par le chemin des scieries Saguenay (route 175).

Orignal, ours noir, petit gibier

MARTIN-VALIN   *1247 km²*

Localisation: à 27 km au nord-est de Chicoutimi sur la rive nord du Saguenay.

Accès: route 172, près de Saint-Fulgence.

Orignal, ours noir, petit gibier

ONATCHIWAY   *1431 km²*

Localisation: à 53 km au nord de Chicoutimi, à l'est du lac Onatchiway

Accès: route 172, par Chicoutimi secteur nord, route menant à Saint-David de Falardeau.

Orignal, ours noir, petit gibier

RIVIÈRE-AUX-RATS   *1709 km²*

Localisation: à 24 km au nord de Dolbeau.

Accès: routes 175 et 169 jusqu'à Dolbeau, route vers Saint-Eugène.

Orignal, ours noir, petit gibier

Ferme de chasse

Tir à la volée d'Alma
Laval Maltais
165, rue Cimon nord
Alma   G8B 5K5

Organisation de chasse au faisan

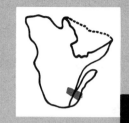

Québec

Parcs et réserves

Cap Tourmente
Parc des Laurentides
Réserve de Portneuf

ZEC

Batiscan-Neilson   Des Martres
Buteux-Bas Saguenay   Jaro
De la rivière Blanche   Lac au Sable

Ferme de chasse

Affûts pour la chasse aux oiseaux migrateurs

QUÉBEC
Région 03

9530, rue de la Faune
Charlesbourg, QC
G1G 5E9
Tél.: (418) 622-4444

Bureau d'enregistrement

(Orignal, Chevreuil, Caribou, Ours noir)
Service de conservation de la faune

Beauceville 640, 2ᵉ Avenue		774-9610
Charlesbourg 8393, boul. Henri-Bourassa		622-0165
La Malbaie 30, chemin de la Vallée		665-6485
Laurier-Station 196A, rue Laurier nord		728-3564
Montmagny 116, av. de la Gare		248-2689
Saint-Raymond 288, rue Côte-Joyeuse		337-7072

La Réserve de faune du cap Tourmente

La Réserve nationale de faune du cap Tourmente, ça vous dit quelque chose ?

Des milliers d'Oies blanches en période de migration, des sentiers de nature traversant des habitats variés, près de 250 espèces d'oiseaux identifiées, des aménagements pour la sauvagine et la Petite Ferme, l'une des plus vieilles maisons de ferme de la région, voilà quelques attraits de la Réserve de faune du cap Tourmente.

Pour découvrir toutes les richesses de ce milieu naturel, ne manquez pas de visiter le Centre d'interprétation faunique et surtout faites-vous un devoir de participer à l'une des nombreuses activités présentées par des naturalistes compétents et enthousiastes.

Vous désirez passer quelques heures agréables, visitez le cap Tourmente.

Heures d'ouverture

AU PUBLIC :

9 h 30 à 16 h 30
(tous les jours)
du 1er mai au
31 octobre

GROUPES :

Sur réservation seulement

Adresse : St-Joachim
Comté Montmorency
Québec G0A 3X0

Téléphone : (418)827-3651
827-3776

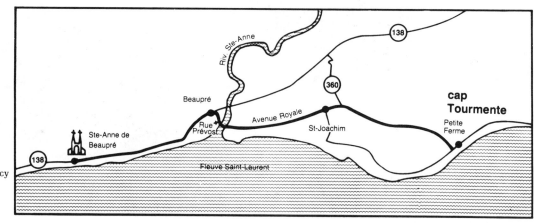

Règlement sur les réserves de la faune au Canada

(Extrait de «Modification», CP 1981-1374, 28 mai 1981)

Un résidant du Canada peut obtenir, pour lui-même et un invité, un permis pour la chasse aux oiseaux migrateurs considérés comme gibier dans la Réserve nationale de faune de Cap-Tourmente, sous réserve des conditions suivantes:

a) La demande de permis doit
— porter le nom, l'adresse et la date de naissance du requérant,
— faire parvenir au Service canadien de la faune, Réserve nationale de faune de Cap-Tourmente, case postale 130, Beaupré, comté de Montmorency (Québec) au plus tard le dernier mercredi du mois de mai de l'année pour laquelle le permis est demandé, et
— être accompagné d'un droit d'inscription au montant requis.

b) Une seule demande de permis est acceptée par personne.

c) Les permis seront délivrés aux seules personnes dont le nom aura été tiré au sort parmi ceux qui figurent sur la liste des requérants.

d) Le requérant choisi de la façon décrite à l'alinéa c) doit, avant de recevoir son permis, acquitter un droit non remboursable de 160$ (à vérifier annuellement).

e) Un permis délivré est valide seulement au cours de la période commençant à midi le jour spécifié dans le permis pour se terminer à midi le lendemain.

Il est interdit de chasser les oiseaux migrateurs considérés comme gibier dans la Réserve nationale de faune de Cap-Tourmente à moins d'être dans une cache approuvée par le Ministre.

Parc des Laurentides

SUPERFICIE 9 572 km^2

Localisation

48 km au nord de Québec — 21 km au sud de Chicoutimi —
296 km de Montréal — 38 km au sud d'Alma
30 km au nord-ouest de Baie-Saint-Paul

Accès

De Québec, routes 73 et 175
De Montréal, routes 20, 73 et 175
Route 175: 21 km de Chicoutimi
Route 169: 38 km d'Alma
Via Saint-Urbain, route 381.

Renseignements

Parc des Laurentides,
Accueil Mercier, Case postale 10 000,
Stoneham, Québec G0A 4P0
(418) 848-2422

Créé en 1895 par le gouvernement du Québec, pour préserver la forêt primitive, le poisson, le gibier et l'eau, le parc des Laurentides forme une sorte de dôme au nord-est de Québec dans un triangle compris entre Chicoutimi, l'embouchure du Saguenay et la région sise immédiatement au nord de Québec. Dans la partie est, les sommets peuvent atteindre une altitude de 914 à 1 219 mètres, soit une moyenne de 610 mètres. Le parc renferme 1 500 lacs et 7 cours d'eau importants.

Selon les saisons permises

Orignal
Lièvre d'Amérique
Tétras des savanes

Services

CAMPING — CHALETS — PAVILLONS

N.B. Le ministère du Loisir, de la Chasse et de la Pêche du Québec se réserve le droit de modifier l'offre d'activités et de services dans ce parc, consécutivement à la proclamation en 1981 des parcs des Grands Jardins de la Jacques-Cartier et de la réserve des Laurentides.

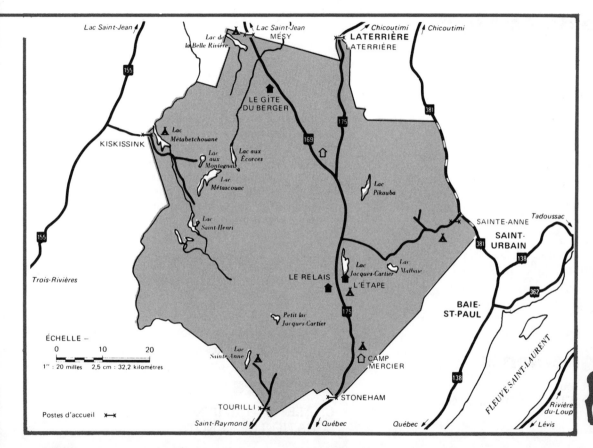

Lac Saint-Jean

Lac de
la Belle Rivière

Lac Saint-Jean
MÉSY

Chicoutimi · Chicoutimi

LATERRIÈRE
LATERRIÈRE

155

LE GÎTE
DU BERGER

175

381

KISKISSINK

Lac
Métabetchouane

Lac
aux
Montagnais

Lac aux
Écorces

169

Lac
Métascouac

155

Lac
Saint-Henri

Lac
Pikauba

SAINTE-ANNE
SAINT-
URBAIN

Tadoussac

381

138

Trois-Rivières

LE RELAIS

Lac
Jacques-Cartier

L'ÉTAPE

Lac
Malbaie

362

BAIE-
ST-PAUL

Petit lac
Jacques-Cartier

175

138

ÉCHELLE –

0   10   20

1″ : 20 milles   2,5 cm : 32,2 kilomètres

Lac
Sainte-Anne

CAMP
MERCIER

FLEUVE SAINT-LAURENT

Rivière
du-Loup

Postes d'accueil

TOURILLI

STONEHAM

Saint-Raymond

Québec

Québec

Lévis

lièvre

perdrix

orignal

Réserve de Portneuf

SUPERFICIE 620 km²

Localisation

120 km de Québec, au nord de la Rivière-à-Pierre
306 km de Montréal
106 km.au nord-ouest de Québec
163 km au nord-est de Trois-Rivières

Accès

Routes 138 et 367
Routes 40, 138, 354 et 367

Renseignements

Réserve de Portneuf,
Rivière-à-Pierre, Cté de Portneuf, Québec
G0A 3A0
(418) 323-2021

Située aux contreforts des Laurentides dans un triangle borné par les villes de Québec, Trois-Rivières et La Tuque, la réserve de Portneuf fut créée en 1968. L'élévation moyenne est de 566 mètres et le plus haut sommet ne dépasse pas 572 mètres. A l'origine ce territoire faisait partie de la seigneurie de Sir Le Neuf de la Potherie qui aurait ajouté le préfixe «Port» à son nom, d'où l'origine de l'appellation de la réserve.

Selon les saisons permises

> Orignal
> Lièvre d'Amérique
> Gélinotte huppée
> Tétras des savanes

Services

CHALETS — CAMPING
LOCATION DE CANOTS

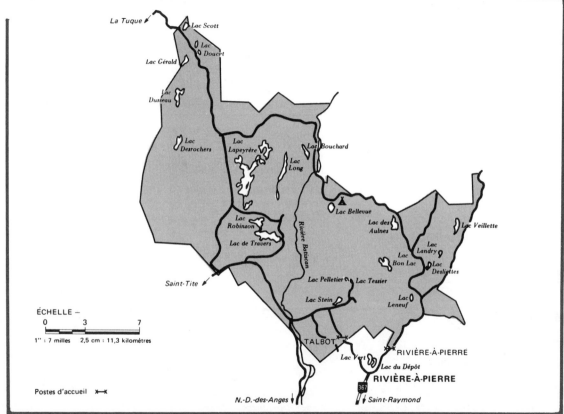

La Tuque

Lac Scott

Lac Doucet

Lac Gérald

Lac Dusseau

Lac Desrochers

Lac Lapeyrère

Lac Bouchard

Lac Long

Lac Bellevue

Lac des Aulnes

Lac Veillette

Lac Robinson

Lac de Travers

Rivière Batiscan

Lac Landry

Lac Bon Lac

Lac Deslieltes

Saint-Tite

Lac Pelletier

Lac Tessier

Lac Stein

Lac Leneuf

ÉCHELLE –

0   3   7

1'' : 7 milles   2,5 cm : 11,3 kilomètres

TALBOT

Lac Vert

RIVIÈRE-À-PIERRE

Lac du Dépôt

RIVIÈRE-À-PIERRE

Postes d'accueil

N.-D.-des-Anges

367

Saint-Raymond

03

orignal

lièvre

perdrix

ZEC

ZONE D'EXPLOITATION CONTRÔLÉE

BATISCAN-NEILSON   *869 km²*

Localisation: à 75 km de
Québec, entre la réserve
Portneuf et le parc des
Laurentides, au nord de Saint-
Raymond.

Accès: route 367 de Perthuis, rang
Colbert par le terrain privé de Léopold
Genois, rang Bras du Nord, route
longeant la rivière Sainte-Anne.

Orignal, ours noir, petit gibier

BUTEUX-BAS SAGUENAY   *266 km²*

Localisation: dans le triangle
formé par routes 138, 170 et
la rivière Saguenay ou entre
Saint-Siméon, Petit-Saguenay
et Baie-Sainte-Catherine.

Accès: route 138 entre Saint-Siméon et
Baie-Sainte-Catherine et route 170 entre
Saint-Siméon et Petit-Saguenay.

Orignal, ours noir, petit gibier

DE LA RIVIÈRE BLANCHE   *473 km²*

Localisation: à 130 km de
Québec, au nord de la réserve
Portneuf.

Accès: réserve Portneuf par Rivière-à-
Pierre.

Orignal, ours noir, petit gibier

DES MARTRES   *432 km²*

Localisation: entre la route
381 et la rivière Malbaie au
nord de Saint-Urbain.

Accès: route 138 jusqu'à
Baie-Saint-Paul et route 381 par
Saint-Urbain, route de la Vallée de la
rivière Malbaie par Saint-Aimé-des-Lacs.

Orignal, ours noir, petit gibier

JARO   *112 km²*

Localisation: entre Saint-
Georges de Beauce et la
frontière.

Accès: à partir de Saint-Georges de
Beauce par la route 173; sud en direction
du Maure (Jackman).

Orignal, cerf de Virginie, ours noir

LAC AU SABLE   *338 km²*

Localisation et accès: entre
la rivière Malbaie et la route
170 au nord de Clermont,
route de la Cie Donahue à
partir de Clermont.

Orignal, ours noir, petit gibier

Ferme de chasse

Marcel Marceau
218, rue Auclair
Ste. Brigitte de Laval
G0R 3K0
(418) 825-2357

Organisation de chasse
au faisan

Affûts pour la chasse aux oiseaux migrateurs

Gabriel Belley
21, chemin de Beaumont
Montmagny (Québec)   G5V 2G4
(418) 248-2850

Canard, oie.

Fleuve Saint-Laurent.

Gaston Bernier
Île-aux-Grues (Québec)   G0R 1P0
(418) 248-2506

Canard, oie.

Fleuve Saint-Laurent.

Gaston et Ghyslain Bernier
45, rue Fleury
Charlesbourg (Québec)   G2N 1K1
(418) 849-2410

Canard, oie.

Fleuve Saint-Laurent.

Marie-Marthe Boucher
715, chemin Cap Tourmente
Saint-Joachim (Québec)   G0A 3X0
(418) 827-3566

Canard, oie.

Fleuve Saint-Laurent.

Antonio Bouffard
Route Rurale 3
Montmagny (Québec)   G5V 3S1
(418) 246-3122

Canard, oie.

Fleuve Saint-Laurent.

Danny Boulet
C.P. 251
Chemin de la Tour
Montmagny (Québec)   G5V 3S6
(418) 248-0376

Canard, oie.

Fleuve Saint-Laurent.

Jean-Guy Boulet
31, 8e Rue
Montmagny (Québec)   G5V 3E8
(418) 248-2667

Canard, oie.

Fleuve Saint-Laurent.

Marcel Boulet
C.P. 251
Chemin de la Tour
Montmagny (Québec)   G5V 3S6
(418) 248-0376

Canard, oie.

Fleuve Saint-Laurent.

Michel Fortin
464, ch. des Pionniers ouest
Cap-Saint-Ignace (Québec)   G0R 1H0
(418) 246-5812

Canard, oie.

Fleuve Saint-Laurent.

Pierre Fortin
102, rue Robin
Montmagny (Québec)   G5V 4E7
(418) 248-0522

Canard, oie.

Fleuve Saint-Laurent.

Gérard Gaudreault
638, rte Bellavance
Cap-Saint-Ignace (Québec)   G0R 1H0
(418) 246-3294

Canard, oie.

Fleuve Saint-Laurent.

Yvon Giguère
3601, chemin Royal
Sainte-Famille.Î.O. (Québec)   G0A 3P0
(418) 829-3243

Canard, oie.

Fleuve Saint-Laurent.

Pierre Gravel
426, chemin du Cap Tourmente
Saint-Joachim (Québec)   G0A 3X0
(418) 827-3643

Canard, oie.

Fleuve Saint-Laurent.

Hôtel à l'Oie Blanche
Fernand Vézina
Île-aux-Grues (Québec)   G0R 1P0
(418) 248-2343

Canard, oie.

Fleuve Saint-Laurent.

Affûts pour la chasse aux oiseaux migrateurs

André Hudon
1007, chemin des Pionniers ouest
Montmagny (Québec)   G0R 1H0
(418) 246-5965

Canard, oie.

Fleuve Saint-Laurent.

Jacques Hudon
509, chemin des Pionniers
Cap-Saint-Ignace (Québec)   G0R 1H0
(418) 246-3184 / 3118

Canard, oie.

Fleuve Saint-Laurent.

Anselme Lachance
20, av. du Bassin nord
Montmagny (Québec)   G5V 2B3
(418) 248-3971

Canard, oie.

Fleuve Saint-Laurent.

Joseph Lachance (fils)
14, av. des Canotiers
Montmagny (Québec)   G5V 2B7
(418) 248-0948

Canard, oie.

Fleuve Saint-Laurent.

Paul Lachance
11, av. des Canotiers
Montmagny (Québec)   G5V 2B8
(418) 248-2571

Canard, oie.

Fleuve Saint-Laurent.

Martin Laverdière
C.P. 255
Cap-Saint-Ignace (Québec)   G0R 1H0
(418) 246-5566

Canard, oie.

Fleuve Saint-Laurent.

Michel Lavoie
1375, des Pionniers ouest
Cap-Saint-Ignace (Québec)   G0R 1H0
(418) 246-5411

Canard, oie.

Fleuve Saint-Laurent.

Michel Lepage
102, Saint-Jean-Baptiste ouest
Montmagny (Québec)   G5V 3B7
(418) 248-0778

Canard, oie.

Fleuve Saint-Laurent.

Location Safari enr.
Jacques Rhéaume
3943, boul. Hamel
Ancienne-Lorette (Québec)   G2E 2H3
(418) 872-5302

Canard, oie.

Fleuve Saint-Laurent.

Jean-Guy Marticotte
74, av. Couture
Montmagny (Québec)   G5G 3Y5
(418) 248-4937

Canard, oie.

Fleuve Saint-Laurent.

Noël Marticotte
417, boul. Taché est
Montmagny (Québec)   G5V 1E4
(418) 248-6964

Canard, oie.

Fleuve Saint-Laurent.

André Ménard
293, av. Royale
Saint-Joachim (Québec)   G0A 3X0
(418) 827-2374

Canard, oie.

Fleuve Saint-Laurent.

Claude Morin
133, rue Gagné
Montmagny (Québec)   G5V 1X7
(418) 248-2806

Canard, oie.

Fleuve Saint-Laurent.

Jean-Claude Ouellet
87, 8e Rue
Montmagny (Québec)   G5V 3G2
(418) 248-0313

Canard, oie.

Fleuve Saint-Laurent.

Affûts pour la chasse aux oiseaux migrateurs

Georges Picard
509, Argentenay
Saint-François (Québec)   G0A 3S0
(418) 829-3188

Canard, oie.

Fleuve Saint-Laurent.

Paul-Aimé Picard
67, Royale
Saint-François, Î.O. (Québec)   G0A 3S0
(418) 829-2455

Canard, oie.

Fleuve Saint-Laurent.

Robert Pouliot
444, rue Bagot
Québec (Québec)   G1K 1W2
(418) 529-5023, 829-3305

Canard, oie.

Île la Sottise, fleuve
Saint-Laurent

Victorin Racine
85, de l'Église
Saint-Joachim (Québec)   G0A 3X0
(418) 827-3805

Canard, oie.

Fleuve Saint-Laurent.

Denis Rancourt
789, av. Royale
Beauport (Québec)   G1E 1Z1
(418) 661-2794

Canard, oie.

Fleuve Saint-Laurent.

Gaston Richard
420, boul. Taché est
Montmagny (Québec)   G5V 1E4
(418) 248-5785

Canard, oie.

Fleuve Saint-Laurent.

Raymond Richard
233, av. du Côteau
Cap-Saint-Ignace (Québec)   G0R 1H0
(418) 246-5880

Canard, oie.

Fleuve Saint-Laurent.

Anger Roy
Île-aux-Grues (Québec)   G0R 1P0
(418) 248-5545

Canard, oie.

Fleuve Saint-Laurent.

Tourchape inc.
Jean-Claude Stilière
CP. 55
Île-aux-Grues (Québec)   G0R 1P0
(418) 248-0129

Canard, oie.

Fleuve Saint-Laurent.

Maurice Trottier
860, rte 138
Grondines (Québec)   G0A 1W0
(418) 268-3667

Canard, oie.

Fleuve Saint-Laurent.

Bertrand Vézina
Île-aux-Grues (Québec)   G0R 1P0
(418) 248-6173

Canard, oie.

Fleuve Saint-Laurent.

03

Trois-Rivières

Parcs et réserves

Réserve du Saint-Maurice
Réserve Mastigouche

ZEC

Bessonne	Jeannotte
Borgia	Kiskissink
Chapeau-de-Paille	La Croche
Flamand	Ménokéosawin
Frémont	Tawachiche
Gros-Brochet	Wessonneau

Affûts pour la chasse aux oiseaux migrateurs

Bureau d'enregistrement

(Orignal, Chevreuil, Caribou, Ours noir)
Service de conservation de la faune

La Tuque 648, rue Joffre	523-5556
Parent	667-2574
Saint-Alexis-des-Monts Bureau des parcs	265-2078
Shawinigan 605, rue de la Station	537-6976
Trois-Rivières 5575, rue Saint-Joseph	376-3751

04

Réserve de Mastigouche

SUPERFICIE 1 755 km^2

Localisation

145 km au nord-est de Montréal
100 km au nord-ouest de Trois-Rivières
206 km de Québec

Accès

Route 349
Par Saint-Damien
et Saint-Charles-de-Mandeville
via Saint-Gabriel-de-Brandon, routes 40, 35 et 347
Par Saint-Zénon, routes 40, 31 et 131

Renseignements

Réserve de Mastigouche,
C.P. 450
Saint-Alexis-des-Monts, Québec
J0K 1V0
(819) 265-2098

Créée en 1971, cette réserve tient son appellation de *mystik* mot montagnais signifiant «bois» et *ush* signifiant «ours». Ce territoire englobe une partie des Laurentides au nord de Saint-Alexis-des-Monts, à l'est de Saint-Zénon et de Saint-Michel-des-Saints. Ses collines ondulées peuvent atteindre des sommets de 457 à 610 mètres d'altitude. On y trouve de nombreux lacs poissonneux.

Selon les saisons permises

Orignal
Lièvre d'Amérique
Gélinotte huppée
Tétras des savanes

Services

CHALETS

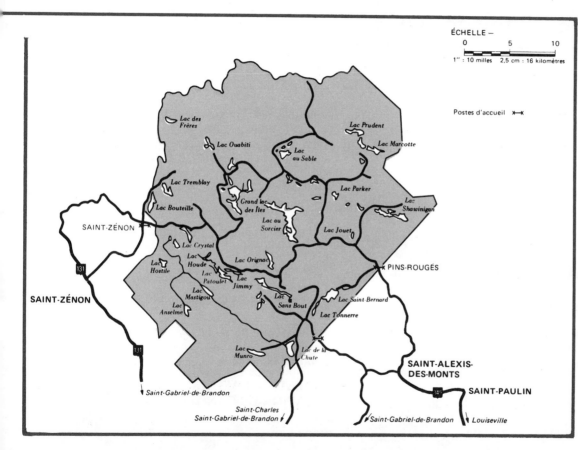

ÉCHELLE —

0   5   10

1'' : 10 milles   2,5 cm : 16 kilomètres

Postes d'accueil   ⊀—⊁

Lac des Frères

Lac Ouabiti

Lac Prudent

Lac Marcotte

Lac au Sable

Lac Tremblay

Lac Parker

Lac Bouteille

Lac Shawinigan

Grand lac des Îles

SAINT-ZÉNON

Lac au Sorcier

Lac Jouet

Lac Crystal

Lac Houde

Lac Orignac

Lac Hostile

Lac Patoulet

Lac Jimmy

PINS-ROUGES

Lac Mastigou

Lac Sans Bout

Lac Saint-Bernard

SAINT-ZÉNON

131

Lac Anselme

Lac Tonnerre

Lac Munro

Lac de la Chute

131

↓ Saint-Gabriel-de-Brandon

SAINT-ALEXIS-DES-MONTS

SAINT-PAULIN

349

Saint-Charles Saint-Gabriel-de-Brandon ↓

↙ Saint-Gabriel-de-Brandon   Louiseville ↘

orignal

lièvre

perdrix

Réserve du Saint-Maurice

SUPERFICIE 1 600 km²

Localisation

240 km de Montréal
109 km au nord de Trois-Rivières
180 km à l'ouest de Québec

Accès

Autoroutes 55 et 155

Renseignements

Réserve du Saint-Maurice,
605, rue de la Station,
Shawinigan, Québec
G9N 6T8
(819) 537-6674
(du lundi au vendredi de 8 h 30 à 16 h 30)
(819) 646-5687
(les fins de semaine de 7 h à 22 h)

Créée en 1963, la réserve du Saint-Maurice était à l'origine, depuis 1886, un territoire réservé à des clubs de chasse et pêche. Elle vint s'ajouter au réseau des parcs et réserves du Québec en 1966. C'est l'un des endroits favoris pour les pêcheurs de truites mouchetées.

Selon les saisons permises

> Orignal
> Lièvre d'Amérique
> Gélinotte huppée
> Tétras des savanes

Services

CHALETS — CAMPING
LOCATION DE CANOTS

N.B. Le traversier à Matawin est le seul moyen d'entrer dans la réserve.

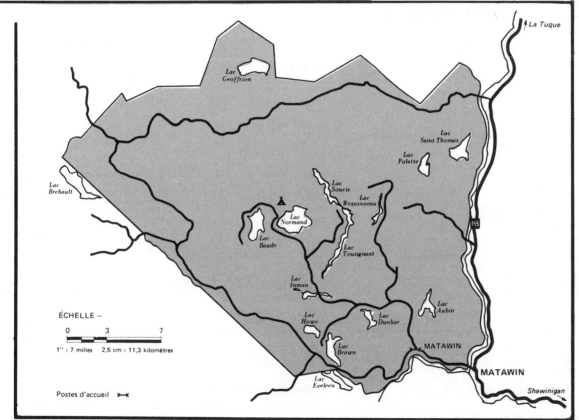

La Tuque

Lac
Geoffrion

Lac
Saint Thomas

Lac
Polette

Lac
Brehault

Lac
Soucis

Lac
Wessonneau

Lac
Normand

Lac
Baude

Lac
Tousignant

155

Lac
Inman

Lac
Aubin

Lac
Howe

Lac
Dunbar

MATAWIN

Lac
Brown

MATAWIN

Lac
Eveleen

Shawinigan

ÉCHELLE –

0   3   7

1'' : 7 milles   2,5 cm : 11,3 kilomètres

Postes d'accueil ✕━✕

orignal

lièvre

perdrix

ZEC

ZONE D'EXPLOITATION CONTRÔLÉE

BESSONNE   497 km²

Localisation: à 5 km à l'est de La Tuque.

Accès: via route 155.

Orignal, ours noir, petit gibier

BORGIA   546 km²

Localisation: à l'ouest de la route 155, à 35 km au nord de La Tuque. Le territoire touche en partie les cantons Chasseurs, Borgia, Michaux et Biart.

Accès: via route 155, à environ 35 km au nord de La Tuque.

Orignal, ours noir, petit gibier

CHAPEAU-DE-PAILLE   1257 km²

Localisation: au nord de la rivière Mastigouche et à l'ouest de la rivière Saint-Maurice. L'entrée est à 55 km au nord-ouest de Grand-Mère et à 10 km à l'ouest du village Mattawin.

Accès: via route 155 jusqu'à la rivière Matawin. De là, utiliser le bateau-passeur pour franchir la rivière Saint-Maurice. Du débarcadère, suivre la route longeant la rivière Matawin sur une distance d'environ 10 km.

Orignal, ours noir, petit gibier

FLAMAND   418 km²

Localisation: à environ 70 km au nord-ouest de Mattawin et à environ 70 km au nord-est de Manouane.

Accès: via la traverse de la Matawin en passant par la ZEC Chapeau-de-Paille et par le dépôt Gagnon; via Saint-Michel-des-Saints jusqu'à Manouane en suivant les indications.

Orignal, ours noir, petit gibier

FRÉMONT   572 km²

Localisation: environ 60 km au nord-est de Manouane et à environ 90 km au nord-ouest de Mattawin.

Accès: via Saint-Michel-des-Saints et la Manouane en suivant les indications; via la traverse de la Matawin, Chapeau-de-Paille et le dépôt Gagnon.

Orignal, ours noir, petit gibier

GROS-BROCHET   1037 km²

Localisation: à 40 km au nord-est de Manouane et à environ 100 km au nord-ouest de Mattawin.

Accès: via route 155 jusqu'à la rivière Matawin, de là prendre le bateau-passeur pour franchir la rivière Saint-Maurice. Du débarcadère, traverser la ZEC Chapeau-de-Paille jusqu'au dépôt Gagnon. Suivre ensuite les indications, ou encore, traverser la ZEC Chapeau-de-Paille jusqu'au Chiennes; via Saint-Michel-des-Saints jusqu'à Manouane, suivre les indications.

Orignal, ours noir, petit gibier

JEANNOTTE   361 km²

Localisation: à 30 km à l'est de La Tuque et à 35 km de Rivière-à-Pierre.

Accès: via route 155, ZEC Bessonne via route 367, réserve Portneuf.

Orignal, ours noir, petit gibier

KISKISSINK   825 km²

Localisation: à environ 110 km au nord-est de La Tuque et à 80 km au sud-est de Chambord.

Accès: via route 155, La Tuque, ou via Chambord.

Orignal, ours noir, petit gibier

LA CROCHE   *361 km²*

Localisation: à 17 km au nord de La Tuque.

Accès: via route 155 et route menant au village La Croche. De là, suivre la route du rang Ouest.

Orignal, ours noir, petit gibier

MÉNOKÉOSAWIN   *308 km²*

Localisation: à 30 km au nord de La Tuque, à 60 km au sud du lac St-Jean.

Accès: via route 155, La Tuque, ou via le lac Bouchette.

Orignal, ours noir, petit gibier

TAWACHICHE   *227 km²*

Localisation: à environ 80 km au nord-est de Shawinigan.

Accès: via route du Lac-en-Coeur située à gauche de la route 153 dans Hervey-Jonction.

Orignal, ours noir, petit gibier

WESSONNEAU   *912 km²*

Localisation: à 70 km de Grand-Mère, à 30 km de La Tuque.

Accès: via route 155 jusqu'à Rivière-aux-Rats et de là traverser la rivière Saint-Maurice.

Orignal, ours noir, petit gibier

04

Affûts pour la chasse aux oiseaux migrateurs

Auberge des Colverts
Pierre Fouert
Rang du Fleuve Maskinongé
J0K 1N0   (819) 227-4567

Canard.

Fleuve Saint-Laurent, lac Saint-Pierre.

André Boisvert
244, rang de l'Île
Rang du Fleuve, Maskinongé (Québec)
J0G 1G0   (514) 568-2090

Canard.

Lac Saint-Pierre.

Évariste Boivert
Notre-Dame-de-Pierreville (Québec)
J0G 1G0
(514) 568-2450

Canard.

Lac Saint-Pierre, rivière Saint-François

Jacques Boucher
20, Poirier
Notre-Dame-de-Pierreville (Québec)
J0G 1G0   (514) 568-3713

Canard.

Lac Saint-Pierre, rivière Saint-François

Claude Chagnon
348, Chenal Tardif
Notre-Dame-de-Pierreville (Québec)
J0G 1G0   (514) 568-3713

Canard.

Lac Saint-Pierre.

Roger Corey
Boul. Patrick
B.P. 419, R.R. 4 Drummondville (Québec)
J2B 6V4   (819) 472-2191

Canard.

Lac Saint-Pierre.

Marcel Descoteaux
Saint-François-du-Lac (Québec)
J0G 1M0
(514) 568-3849

Canard.

Lac Saint-Pierre, rivière Saint-François.

Albert Desmarais
Notre-Dame-de-Pierreville (Québec)
J0G 1G0   (514) 568-2404

Canard.

Lac Saint-Pierre.

Affûts pour la chasse aux oiseaux migrateurs

(suite)

Gaston Desmarais
360, rang Chenail Tardif
Notre-Dame-de-Pierreville (Québec)
J0G 1G0   (514) 568-5467

Canard.

Lac Saint-Pierre, rivière
Saint-François

Marcel Desmarais
364, rang Chenail Tardif
Notre-Dame-de-Pierreville (Québec)
J0G 1G0   (514) 568-2409

Canard.

Lac Saint-Pierre, rivière
Saint-François

Paul Desmarais
Notre-Dame-de-Pierreville (Québec)
J0G 1G0
(514) 568-3638

Canard.

Lac Saint-Pierre, rivière
Saint-François

Pierre Desmarais
Notre-Dame-de-Pierreville (Québec)
J0G 1G0
(514) 568-3181

Canard.

Lac Saint-Pierre, rivière
Saint-François

Rhéal Desmarais
Notre-Dame-de-Pierreville (Québec)
J0G 1G0
(514) 568-3717

Canard.

Lac Saint-Pierre, rivière
Saint-François

Richard Desmarais
Notre-Dame-de-Pierreville (Québec)
J0G 1G0
(514) 568-3992

Canard.

Lac Saint-Pierre, rivière
Saint-François

Ronald Desmarais
Notre-Dame-de-Pierreville (Québec)
J0G 1G0
(514) 568-2409

Canard.

Lac Saint-Pierre, rivière
Saint-François

André Pellerin
560, Gélin Lajoie, Yamachiche (Québec)
G0X 3L0
(819) 296-3022

Canard.

Lac Saint-Pierre, rivière
Saint-François

Cantons de l'Est

Aucune chasse n'est permise dans les parcs de cette région.

ZEC

Louise/Gosford

Fermes de chasse

CANTONS DE L'EST

Région 05

85, rue Holmes
Sherbrooke, QC
J1E 1S1
Tél.: (819) 565-1997

Bureau d'enregistrement

(Orignal, Chevreuil, Caribou, Ours noir)
Service de conservation de la faune

Granby 329, rue Racine	378-5150
Lac-Mégantic 5527, rue Frontenac	583-3784
Sherbrooke 85, rue Holmes	565-0192
Thetford-Mines 693, rue Saint-Alphonse ouest	338-1918
Victoriaville 62, rue Saint-Jean-Baptiste	752-4614

05

ZEC

LOUISE/GOSFORD   *168 km²*

Localisation: section Louise: au sud-est de Lac Mégantic.

Localisation: section Gosford: au sud de Lac Mégantic.

Orignal, chevreuil

Accès: à partir de Lac Mégantic, via la route 204 est jusqu'au rang IV et jusqu'aux limites de la ZEC.

Accès: à partir de Lac Mégantic via route 161 jusqu'à Woburn, via la route 212 ouest jusqu'à la route des rangs V et VI.

Ferme de chasse

Monique Caron-Naud
157, des Érables
Bingham   J0E 1S0
(514) 263-7157

*Sangliers
daims*

Raymond Major
7550, Mercure
Brossard, Québec
(514) 678-1756 — (514) 849-6241

*Organisation
de chasse
au faisan*

Raynald Phaneuf
264, Duvernay
C.P. 24
Beloeil, Québec
J3G 4S8
(514) 467-0886

*Chasse à courre
Estrie — Beauce*

A la suite du déclin drastique de nos populations de Cerfs de Virginie, il y a de cela plus de deux décennies, cette région située dans la partie sud du Québec voit les populations de ce gibier proliférer rapidement.

Le résultat était inévitable, les chasseurs envahirent ce coin de pays en période automnale. Certains d'entre eux, peu soucieux du droit de propriété, causèrent des dommages aux fermiers en ne fermant pas les barrières. D'autres, encore plus maladroits, abattirent du bétail, le prenant pour du Chevreuil, et allèrent même jusqu'à tirer sur des êtres humains durant cette malheureuse période.

Afin de mettre un terme à ces abus, des fermiers se sont groupés pour former des associations et créer des clubs privés. Donc, pour chasser dans cette partie de la province, en maints endroits, il faut maintenant devenir membre d'une association de chasse locale, ou encore obtenir la permission du fermier avant de s'aventurer sur ses terres.

Comme rien n'est plus sacré que le droit de propriété, on se devait donc de le faire respecter avec toute la rigueur qui s'imposait, et ce parce que quelques inconscients sont allés à l'encontre des normes les plus élémentaires du civisme.

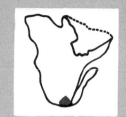

Montréal

Parcs et réserves

Parc du Mont-Tremblant
Parc Paul Sauvé
Réserve Rouge-Matawin

ZEC

Boullé
Collin
Des Nymphes

Lavigne
Maison-de-pierre
Mazana

Affûts pour la chasse aux oiseaux migrateurs

MONTRÉAL

Région O6

6255, 13ᵉ avenue,
Montréal, QC
H1X 3E6
Tél.: (514) 374-2417

Bureau d'enregistrement

(Orignal, Chevreuil, Caribou, Ours noir)
Service de conservation de la faune

Joliette 450, rue Baby		753-4362
Montréal 6255, 13ᵉ Avenue, Rosemont		374-5840
Saint-Eustache 140, rue Saint-Eustache		472-0190
Saint-Jean-d'Iberville 320, boul. du Séminaire		348-9333
Saint-Michel-des-Saints 600, rue Brassard		833-6756
Sainte-Agathe-des-Monts 1, rue Demontigny		326-1121
Sorel 479, boul. Fiset		742-0213
Valleyfield 70, rue Champlain		371-2717

06

Réserve Rouge-Matawin

SUPERFICIE 1 635 km^2

Localisation

186 km de Montréal
100 km de Sainte-Agathe-des-Monts

Accès

Entrée Saint-Michel-des-Saints, via route 131
ou routes 329 et 125 nord
Entrée La Macaza: via autoroute 15 et route 117

Renseignements

Réserve Rouge-Matawin,
Case Postale 370,
Saint-Donat, cté de Montcalm
J0T 2C0
(819) 424-2981

C'est suite aux nouvelles affectations du parc Mont-Tremblant, en 1981, que la réserve s'est approprié la partie nord du parc, constituée de plus de 450 lacs et rivières.

Selon les saisons permises

Orignal
Lièvre d'Amérique
Gélinotte huppée
Tétras des savanes

Services

CAMPING

340

ZEC

ZONE D'EXPLOITATION CONTRÔLÉE

BOULLÉ   633 km²

Localisation: nord de Saint-Michel-des-Saints.

Orignal, ours noir, petit gibier

Accès: route 131 Saint-Michel-des-Saints et de là vers Manouane.

COLLIN   428 km²

Localisation: nord de Saint-Guillaume et nord-ouest de Saint-Michel-des-Saints.

Orignal, ours noir, petit gibier

Accès: route 131 via Saint-Guillaume et Saint-Michel-des-Saints.

DES NYMPHES   292 km²

Localisation: située dans les comtés de Berthier et Maskinongé.

Orignal, ours noir, petit gibier

Accès: entrée sud à Saint-Charles-de-Mandeville; entrée sud à Saint-Damien de Brandon; entrée sud-ouest à Sainte-Émélie-de-l'Énergie; entrée ouest à Saint-Zénon; entrée nord-est à St-Ignace-du-Lac.

LAVIGNE   405 km²

Localisation: sud de l'ancienne réserve de Joliette.
Orignal, cerf de Virginie, ours noir, petit gibier

Accès: ouest: nord-est de Notre-Dame-de-la-Merci via route 125; sud: nord-ouest et est de Saint-Côme de Joliette; est: ouest de Saint-Zénon via route 131.

MAISON-DE-PIERRE   809 km²

Localisation: située dans le comté de Labelle.

Orignal, ours noir, petit gibier

Accès: via route 117, via L'Ascension, via Chutes Saint-Philippe.

MAZANA   737 km²

Localisation: située dans le comté de Labelle.

Orignal, ours noir, petit gibier

Accès: route 117 via Chutes Saint-Philippe, via route de Parent.

06

Affûts pour la chasse aux oiseaux migrateurs

Jocelyn Boisvert
2268, Chenal du Moine
Sainte-Anne-de-Sorel (Québec)
J3P 5N3   (514) 743-6746

Canard.

Lac Saint-Pierre

Roger Gladu
2309, rang Saint-Pierre
Saint-Ignace-de-Loyola (Québec)
J0K 2P0   (514) 836-7506

Canard, outarde.

Lac Saint-Pierre

Affûts pour la chasse aux oiseaux migrateurs

(suite)

Location marine inc.
Michel Caisse
Sainte-Anne-de-Sorel (Québec)
J3P 5N3   (514) 743-8646

Canard.

Lac Saint-Pierre

Marina Fortin inc.
Michel Girard
Saint-Paul-de-l'Île-aux-Noix (Québec)
J0J 1G0   (514) 291-3333

Canard.

Rivière Richelieu

Marina Sabrevois enr.
Michel Lalonde
4, 36e Avenue Sabrevois (Québec)
J0J 2G0   (514) 347-0525

Canard.

Rivière Richelieu

Guy Mayer
50, 67e Avenue
Saint-Paul-de-l'Île-aux-Noix (Québec)
J0J 1G0   (514) 291-5990 / 5329

Canard.

Rivière Richelieu

Allen Naylor
R.R. 2
Noyan (Québec)   J0J 1B0
(514) 294-2740

Canard.

Rivière Richelieu

Ouellette enr.
Maurice Dupuis
Route rurale 31
C.P. 344 Saint-André-Est (Québec)
J0V 1X0   (514) 437-3443

Canard.

Lac des Deux-Montagnes.

Pierre Paquin
Saint-Placide (Québec)   J0V 2B0
(514) 258-2146

Canard.

Lac des Deux-Montagnes

Paradis des chasseurs aux canards
Éphrem Boucher
811, Grande Côte ouest Lanoraie (Québec)
J0K 1E0   (514) 887-2555

Canard.

Fleuve Saint-Laurent.

Jules Péloquin
1388, Chenal du Moine
Sainte-Anne-de-Sorel (Québec)
J3P 5N3   (514) 743-3077

Canard.

Lac Saint-Pierre.

R.A. Smith
R.R. 1
Noyan (Québec)   J0J 1B0
(514) 294-2717

Canard.

Rivière Richelieu

07

Outaouais

Parcs et réserves

Réserve La Vérendrye
Réserve Papineau-Labelle

ZEC

Capitachouane
Festubert
Le Sueur
Mitchinamécus
Normandie

Petawaga
Pontiac
Rapides des Joachims
Saint-Patrice

OUTAOUAIS
Région O7

13, rue Buteau,
Hull, QC
J8Z 1V4

Tél.: (819) 771-4840

Bureau d'enregistrement

(Orignal, Chevreuil, Caribou, Ours noir)
Service de conservation de la faune

Campbell's Bay Route 8		648-2108
Hull 13, rue Buteau		771-4840
Maniwaki 266, rue Notre-Dame		449-4034
Mont-Laurier 544, rue Nelson		623-1981
Petite-Nation rue des Érables		983-2023
Val-des-Bois		454-2250

07

Réserve La Vérendrye

SUPERFICIE 13 615 km^2

Localisation

54 km au sud-est de Val-d'Or
294 km au nord-ouest de Montréal
179 km au nord de Hull

Accès

Routes 117, 105

Renseignements

Réserve La Vérendrye,
Le Domaine, Réserve La Vérendrye,
Québec J0W 1T0
(819) 435-2511 (12 septembre au 19 mai)
(819) 435-2216 (20 mai au 11 septembre)

À sa création en 1939, réserve de chasse et de pêche de la route Mont-Laurier-Senneterre, ce territoire, situé à la limite des Laurentides québécoises (versant nord) est relativement plat et ne présente pas de sommet dépassant 610 m. Il fut officiellement nommé «La Vérendrye» par le gouvernement du Québec de 1950 en hommage au découvreur des Montagnes Rocheuses; Pierre Gaultier de Varennes, sieur de La Vérendrye.

Les masses d'eau y sont nombreuses et très intéressantes à sillonner pour les canotiers. Cette réserve fait partie du bouclier précambrien et de la zone abitibienne.

Selon les saisons permises

Orignal

Services

HÉBERGEMENT; AUBERGE — CAMPING CHALETS — LOCATION DE CANOTS STATION-SERVICE 24 HEURES PAR JOUR

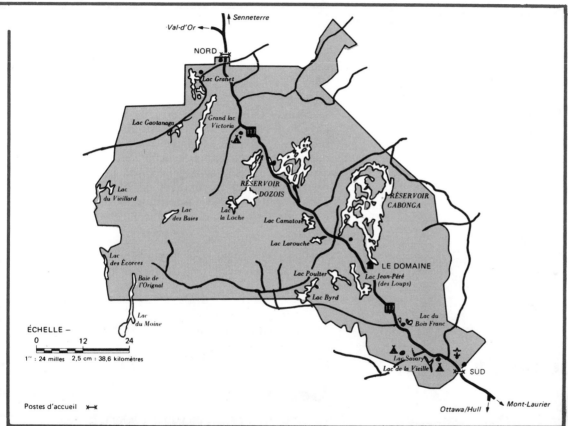

Senneterre

Val-d'Or

NORD

Lac Granet

Lac Gaotanaga

Grand lac
Victoria

117

RÉSERVOIR
DOZOIS

RÉSERVOIR
CABONGA

Lac
du Vieillard

Lac
des Baies

Lac
la Loche

Lac Camatose

Lac Larouche

Lac
des Écorces

Baie de
l'Orignal

Lac Poulter

LE DOMAINE

Lac Jean-Péré
(des Loups)

Lac Byrd

117

Lac du
Bois Franc

Lac
du Moine

Lac Savary

Lac de la Vieille

SUD

ÉCHELLE –

0   12   24

1'' : 24 milles   2,5 cm : 38,6 kilomètres

Postes d'accueil   ⊬—⊬

Ottawa/Hull

Mont-Laurier

orignal

07

Réserve Papineau-Labelle

SUPERFICIE 1 737 km^2

Localisation

95 km au nord de Hull
184 km au nord-ouest de Montréal
34 km au sud de Mont-Laurier

Accès

Routes 148 et 309
Routes 117 et 327
Routes 117 et 311

Renseignements

Réserve Papineau-Labelle,
Val-des-Bois,   J0X 3C0
(819) 454-2013

La réserve Papineau date de 1965, tandis que celle de Labelle fut créée en 1971. Cette double réserve surplombe la plaine argileuse Montréal-Ottawa. Ses collines sont ondulées et s'élèvent à des altitudes moyennes de 457 à 488 m. Leurs noms rappellent deux grandes personnalités québécoises: Louis-Joseph Papineau, homme politique et orateur célèbre, et le curé Labelle, colonisateur surnommé le Roi du Nord.

Selon les saisons permises

Lièvre d'Amérique
Gélinotte huppée
Tétras des savanes

Services

CHALETS — LOCATION DE CANOTS

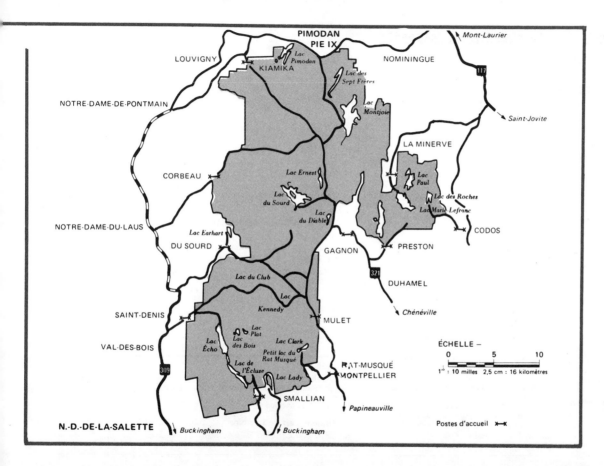

PIMODAN
PIE IX

Mont-Laurier

LOUVIGNY

NOMININGUE

117

KIAMIKA

Lac Pimodan

Lac des Sept Frères

NOTRE-DAME-DE-PONTMAIN

Lac Montjoie

Saint-Jovite

LA MINERVE

CORBEAU

Lac Ernest

Lac Paul

Lac des Roches

Lac Marie-Lefranc

Lac du Sourd

Lac du Diable

CODOS

NOTRE-DAME-DU-LAUS

Lac Earhart

DU SOURD

GAGNON

PRESTON

321

Lac du Club

DUHAMEL

Lac Kennedy

Chénéville

SAINT-DENIS

Lac

MULET

Lac Plat

Lac des Bois

Lac Clark

VAL-DES-BOIS

Lac Écho

Petit lac du Rat Musqué

Lac de l'Écluse

RAT-MUSQUÉ

309

MONTPELLIER

Lac Lady

SMALLIAN

Papineauville

N.-D.-DE-LA-SALETTE

Buckingham

Buckingham

ÉCHELLE —

0   5   10

1" : 10 milles 2,5 cm : 16 kilomètres

Postes d'accueil ×—×

07

lièvre

perdrix

349

ZEC

BRAS-COUPÉ-DÉSERT — 1,188 km²

Localisation: au nord-est de la ZEC Pontiac, à l'ouest de Maniwaki et Montcerf; au sud-ouest de la réserve La Vérendrye.

Orignal, ours noir, petit gibier

Accès: via route 105 par Maniwaki; via route 117 par la réserve La Vérendrye.

CAPITACHOUANE — 765 km²

Localisation: au nord-est de La Vérendrye, juste à la sortie de la barrière Saint-Maurice.

Orignal, ours noir, petit gibier

Accès: via route 117 par le chemin de la barrière Saint-Maurice dans La Vérendrye; via route 30 de la C.I.P.

FESTUBERT — 1,046 km²

Localisation: au nord-est de La Vérendrye et aux limites de la Capitachouane.

Orignal, ours noir, petit gibier

Accès: via route 117, chemin de la barrière Saint-Maurice dans La Vérendrye et route 30 à travers la ZEC Capitachouane; via route 117, chemin Lépine dans La Vérendrye et routes 16, 20 et 22 de la C.I.P.; via Mont-Laurier et Ferme-Neuve par les routes 17, 20, 22 et 30 de la C.I.P.

LE SUEUR — 782 km²

Localisation: à 40 km au nord de Ferme-Neuve et au nord-est du réservoir Baskatong.

Orignal, ours noir, petit gibier

Accès: via route 309 jusqu'à Ferme-Neuve puis chemin forestier traversant la rivière Piscatossin et longeant la rivière Notawissi; via route 309 jusqu'à Sainte-Anne-du-Lac puis chemin forestier vers le lac Polonais et de là vers le lac Notawassi; via route 117 jusqu'à La Vérendrye puis chemin Lépine à travers la ZEC Petawaga.

MITCHINAMÉCUS — 872 km²

Localisation: à environ 15 km de Sainte-Anne-du-Lac.

Orignal, ours noir, petit gibier

Accès: via route 309 jusqu'à Sainte-Anne-du-Lac puis chemin forestier vers le lac Polonais, via route 309 jusqu'à 5 km passé Mont-Saint-Michel puis chemin forestier longeant les rivières du Lièvre et Mitchinamécus.

NORMANDIE — 961 km²

Localisation: au nord-est de Sainte-Anne-du-Lac et à l'est de la ZEC Mitchinamécus.

Orignal, ours noir, petit gibier

Accès: via route 309 jusqu'à 5 km passé Mont-Saint-Michel puis route allant vers Parent.

PETAWAGA — 1,186 km²

Localisation: à 80 km au nord-ouest de Mont-Laurier. Entre la limite est de La Vérendrye et la limite ouest du réservoir Baskatong.

Orignal, ours noir, petit gibier

Accès: via route 117 et chemin Lépine par La Vérendrye; via Mont-Laurier et Ferme-Neuve chemin forestier.

PONTIAC — 1,205 km²

Localisation: à environ 115 km au nord de Hull, au nord-ouest de Gracefield et à l'ouest de Maniwaki.

Orignal, cerf de Virginie, ours noir, petit gibier

Accès: via route 105 par Gracefield et Maniwaki.

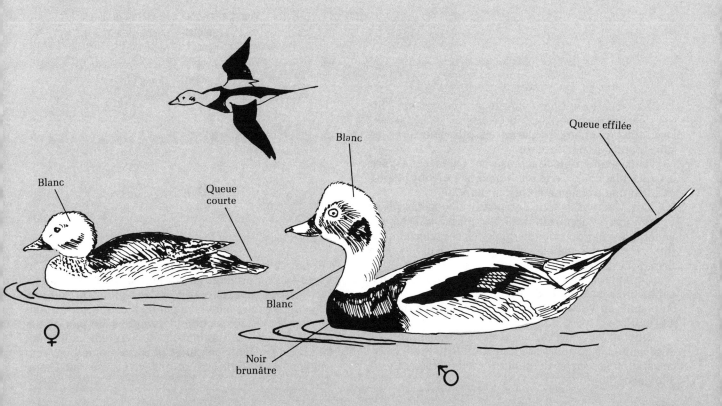

Blanc

Queue
courte

Blanc

Blanc

Queue effilée

Noir
brunâtre

♀

♂

187

Macreuse à ailes blanches

NOM SCIENTIFIQUE	Melanitta deglandi
LONGUEUR	55 cm (21 à 22 po)
FAMILLE	Anatidae
VARIÉTÉ	Canard plongeur
POIDS	1 590 g (3,5 lb)
SOUS-FAMILLE	Aythynae

Les Macreuses sont des canards marins passant l'hiver dans les eaux côtières libres de glace. La Macreuse à ailes blanches est parmi les plus lourds et les plus grands de nos canards.

Nous avons trois Macreuses au Québec; l'espèce à «ailes blanches», une seconde dite à «front blanc» et enfin une troisième à «bec jaune.»

Les Macreuses sont des oiseaux robustes, avec un cou épais supportant une tête massive. D'aspect général, exception faite de quelques caractéristiques illustrées ici, les mâles sont noirs, les femelles d'un brun foncé.

On aperçoit très souvent des Macreuses se laissant flotter en troupe dont l'importance peut varier, ou encore en vol à basse altitude près de la surface de l'eau.

Suivant les espèces, ces oiseaux pondent entre 5 et 14 oeufs. Ils se nourrissent de mollusques, de crustacés, de poissons et de plantes, qu'ils atteignent en plongeant.

Les chasseurs qui s'adonnent au tir du canard dit «sourd» s'en prennent à la Macreuse à front blanc.

Probablement à cause de leur plumage sombre, de leur caractère silencieux et de leur stupidité apparente, ces canards semblent avoir suscité peu d'intérêt chez les ornithologistes. Un auteur soulignait d'ailleurs: «...Nous sommes plus ou moins bien renseignés sur la nidification des Macreuses au Canada.»

Macreuse à bec jaune

Macreuse à front blanc

Blanc
terne

Gros bec

♀

Gros bec

Tache blanche

♂

Corps noir

Sarcelle à ailes bleues

NOM SCIENTIFIQUE	Anas discors
DIMENSION	41 cm (16 po)
FAMILLE	Anatidae
VARIÉTÉ	Canard de surface
POIDS	425 g (14-15 oz)
SOUS-FAMILLE	Anatinae

Canard de petite taille et au vol erratique, la Sarcelle à ailes bleues donne l'illusion d'être beaucoup plus rapide qu'elle ne l'est en réalité. Les petites bandes qui volent à ras des marais prennent souvent les chasseurs par surprise. C'est un oiseau bruyant dont les « pip-pip » aigus et les « couacs » sont familiers. C'est aussi l'un des premiers canards à nous quitter à l'arrivée de l'automne et l'un des derniers à nous arriver au printemps.

La tête et le haut du cou sont gris, légèrement violacé chez le mâle; un large croissant blanc à l'avant de l'oeil le caractérise tout particulièrement; la partie antérieure de l'aile est bleue et séparée du spéculum vert brillant par une mince bande blanche; les yeux sont bruns; le bec est noir ou gris bleuâtre.

La tête et le cou de la cane sont blanc grisâtre rayé de brun foncé; le dessus de la tête est plus sombre et une ligne brun foncé passe de l'avant à l'arrière de l'oeil.

La Sarcelle à ailes bleues fréquente les étangs et les lacs d'eau douce, les terrains marécageux et le littoral herbeux des rivières lentes, même des plus petits cours d'eau. Elle se nourrit surtout de matières végétales, c'est pourquoi sa chair est excellente. Elle consomme aussi des insectes terrestres et aquatiques.

Son nid est aménagé sur le sol, la plupart du temps près de l'eau, et bien dissimulé dans les herbes, quoique parfois à découvert. Il est tissé de brins d'herbe et autres plantes flexibles, et l'intérieur est tapissé de duvet. La cane pond de 9 à 12 oeufs chamois ou blanchâtres.

RAPIDE DES JOACHIMS · 938 km²

Localisation: au nord-est de Rapides-des-Joachims et la rivière des Outaouais, à l'est de la rivière Dumoine.

Orignal, ours noir, petit gibier

Accès: via route 148 de Hull jusqu'à Waltham, de là traverser la rivière des Outaouais jusqu'à Pembroke, Ontario, et suivre la route 17 jusqu'à Rolphton et, de là, la route 635 jusqu'à Rapides-des-Joachims.

SAINT-PATRICE · 1,250 km²

Localisation: au nord-ouest de Chapeau et Sheenboro à l'ouest du lac McGillivray, au sud de la rivière Noire, à l'est de la ZEC Rapides-des-Joachims, au nord-est de la rivière des Outaouais.

Orignal, ours noir, petit gibier

Accès: via route 148 de Hull jusqu'à Waltham: route passant par Sheenboro jusqu'à la ZEC.

07

Nord-Ouest 08

Côte-Nord 09

Parcs et réserves (Nord-Ouest)

Aucune chasse n'est permise.

ZEC

Dumoine
Maganasipi
Restigo

Parcs et réserves (Côte-Nord)

Réserve de Baie Trinité
Réserve Sept-Îles —
Port-Cartier

ZEC

Forestville
Iberville
Labrieville
Matimek
Nordique
Rivière Godbout
Varin

NORD-OUEST

Région 08

180, boul. Rideau
Noranda, QC
J9X 1N9
Tél.: (819) 762-3523

CÔTE-NORD

Région 09

818, boul. Laure
Sept-Iles, QC
G4R 1Y8
Tél.: (418) 962-1225

Bureau d'enregistrement

(Orignal, Chevreuil, Caribou, Ours noir)
Service de conservation de la faune

Amos 101, 3ᵉ Avenue est	732-6937
La Sarre 600, 2ᵉ Rue est	333-4593
Rouyn 173, boul. Rideau	762-3934
Senneterre 551, 10ᵉ Avenue	737-2351
Témiscamingue 780, rue Kipawa Road	627-3335
Val-d'Or 1510, Grand-Boulevard	825-2728
Ville-Marie 8, rue Saint-Gabriel nord	629-2611

Bureau d'enregistrement

(Orignal, Chevreuil, Caribou, Ours noir)
Service de conservation de la faune

Forestville 30, Route 138	587-4412
Hauterive 1100, boul, Leventoux	589-4760
Havre-Saint-Pierre 1325, rue Boréal	538-2703
Île d'Anticosti Port-Meunier	535-0223
Sept-Îles 585, boul. des Montagnais	962-0290

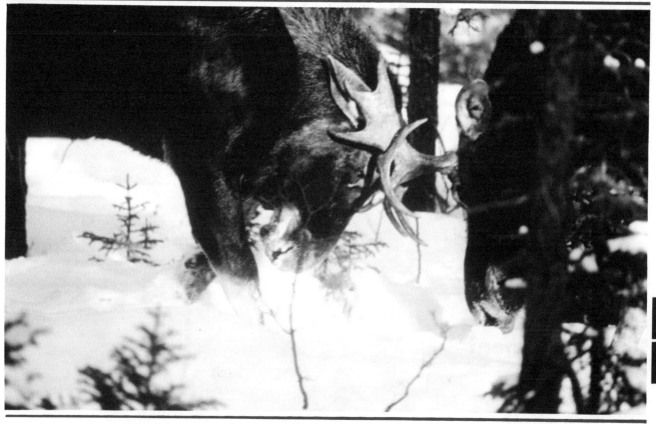

08

09

Réserve de Port-Cartier-Sept-Iles

SUPERFICIE 8 153 km²

Localisation

640 km au nord-est de Québec

Accès

Routes 20 et 138

Créée en 1965, la réserve de Port-Cartier - Sept-Îles est située à l'intérieur d'une vaste réserve naturelle de castors. Son territoire relativement plat est un paradis pour les pêcheurs de truites presque «géantes».

Selon les saisons permises

>Lièvre d'Amérique
>Gélinotte huppée
>Tétras des savanes

Renseignements

Réserve Port-Cartier - Sept-Îles,
818, avenue Laure,
Sept-Îles, Québec   G4R 1Y8
(418) 962-1225

Services

CHALETS — CAMPING —
LOCATION DE CHALOUPES

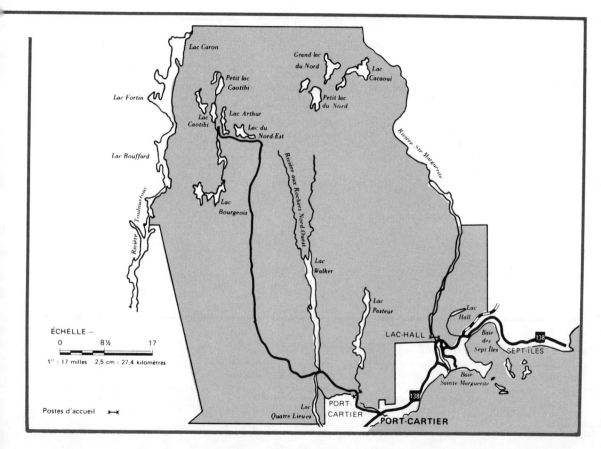

Lac Caron

Grand lac
du Nord

Lac
Cacaoui

Petit lac
Caotibi

Petit lac
du Nord

Lac Fortin

Lac Arthur

Lac
Caotibi

Lac du
Nord-Est

Rivière Ste-Marguerite

Lac Bouffard

Rivière Toulnustouc

Rivière aux Rochers Nord-Ouest

Lac
Bourgeois

Lac
Walker

Lac
Pasteur

Lac
Hall

LAC-HALL

Baie
des
Sept Îles

SEPT-ÎLES

138

Baie
Sainte-Marguerite

PORT-
CARTIER

138

Lac
Quatre Lieues

PORT-CARTIER

ÉCHELLE –

0   8½   17

1″ : 17 milles   2,5 cm : 27,4 kilomètres

Postes d'accueil   x—x

lièvre

perdrix

09

357

ZEC

ZONE D'EXPLOITATION CONTRÔLÉE   **(Nord-Ouest)**

DUMOINE   *1502 km²*

Localisation: au nord-est de Deux-Rivières (Ontario) et au sud-est de Témiscaming.

Orignal, ours noir, petit gibier

Accès: via route 17 en passant par Deux-Rivières (Ontario) et/ou Rapides-des-Joachims; via route 101 en passant par Kipawa.

MAGANASIPI   *1012 km²*

Localisation: à 40 km au sud-est de Kipawa et au nord-ouest de Deux-Rivières (Ont.).

Orignal, ours noir, petit gibier

Accès: via route 101 passant par Kipawa; via route 17 passant par Deux-Rivières (Ont.).

RESTIGO   *715 km²*

Localisation: à 25 km au sud-est de Kipawa; à 32 km au nord de Deux-Rivières (Ont.).

Orignal, ours noir, petit gibier

Accès: via route 101 en passant par Kipawa; via route 17 passant par Deux-Rivières (Ont.).

ZEC

ZONE D'EXPLOITATION CONTRÔLÉE   **(Côte-Nord)**

FORESTVILLE   *1308 km²*

Localisation: au nord-ouest de Forestville.

Orignal, ours noir, petit gibier

Accès: via route 138 nord, vers Forestville; route 385 vers Labrieville.

IBERVILLE   *438 km²*

Localisation: à 3 km au nord de Sault-au-Mouton.

Orignal, ours noir, petit gibier

Accès: via route 138 nord, vers Sault-au-Mouton; route menant à la rivière Sault-au-Mouton.

LABRIEVILLE   427 km²

Localisation: à 80 km au nord-ouest de Forestville.

Accès: via 138 nord vers Forestville; route 385 vers Labrieville en passant par la ZEC Forestville.

Orignal, ours noir, petit gibier

MATIMEK   1,773 km²

Localisation: à environ 112 km à l'ouest de Sept-Îles.

Accès: via route 138 nord vers Sept-Îles et après le pont de la rivière Sainte-Marguerite: route forestière via le lac Hall.

Orignal, ours noir, petit gibier

NORDIQUE   375 km²

Localisation: à environ 15 km au nord-ouest des Escoumins.

Accès: via route 138 nord, vers Les Escoumins: route forestière longeant la rivière des Escoumins.

Orignal, ours noir, petit gibier

VARIN   488 km²

Localisation: à 16 km au nord de Baie-Comeau.

Accès: via route 138 nord vers Baie-Comeau: route 389 vers Manic 5.

Orignal, ours noir, petit gibier

09

Nouveau–
Québec

10

Le Nouveau-Québec

De toutes les régions de la province, le Nouveau-Québec retient particulièrement l'intérêt des chasseurs. On y trouve une faune abondante et peu exploitée comparativement à celle des autres territoires.

C'est l'endroit rêvé pour le nemrod en quête d'aventure et d'expéditions de chasse passionnantes. On y trouve le Caribou en abondance, sans oublier ce gallinacé qu'est le Lagopède, d'innombrables mammifères, de la sauvagine, bref un éventail varié de gibiers recherchés.

Plusieurs pourvoyeurs sont à votre disposition pour vous aider lors de vos séjours dans cette région aux horizons illimités; il est d'ailleurs recommandé de retenir leurs services avant de s'y rendre. Le Nouveau-Québec s'étalant sur une superficie supérieure à celle de plusieurs pays d'Europe, s'égarer, se blesser ou manquer de l'essentiel pourraient avoir de graves conséquences.

Plusieurs compagnies aériennes desservent cette partie du Québec; elles assurent les liaisons nécessaires entre nos régions urbanisées et cette vaste étendue sauvage.

NOUVEAU-QUÉBEC

Région 10

818, boul. Laure
Sept-Iles, QC
G4R 1Y8
Tél.: (418) 962-7787

Bureau d'enregistrement

(Orignal, Chevreuil, Caribou, Ours noir)
Service de conservation de la faune

Kuujjuaq (Fort-Chimo)	964-2791
Radisson	638-8146
Matagami Route 109, parc industriel	739-2111
Chibougamau 951, av. Hamel	748-4224
Lebel-sur-Quévillon 134, Place Rivet	755-4603
Schefferville 190, Père Babel	585-3865
Schefferville Squaw Lake	585-2332

10

Pourvoirie

AVEC HÉBERGEMENT

NOUVEAU-QUÉBEC

Arngatuk, Isaac et Kenny,
C.P. 11, Kuujjvak,
Québec J0M 1C0
(819) 964-277   Caribou

Cargair, Ltée
Prud'homme, Jacques
Saint-Zénon, Qué.   J0K 3N0
(514) 833-6838

Localisation: lac Brisson.
Accès: par avion.

Caribou, lagopède

Camp Portage / Camp Ratté
Gaston Hamel / Gérald Ratté
Miquelon
J0Y 2B0
(418) 753-2381, (418) 753-2271

Localisation: lac
Publicamica
Accès: route 113,
jusqu'aux lampo.
Orignal, ours, perdrix, lièvre

Tuktu Hunting and Fishing Club
Poitras, Gerry
Case postale 610,
Schefferville, Qué.   G0G 2T0
(418) 872-3839 / 585-3838

Localisation: rivière Georges.
Accès: par avion.

Caribou

Tunulik River Fishing Camp
Tait, Bill
Arctic Adventures,
8102, route Transcanadienne,
Saint-Laurent, Qué.   H4S 1R4
(514) 332-0880

Localisation: rivière Tunulik.
Accès: par avion.

Twin River Lodge Ltd.
Camp des Rivières jumelles:
Case postale 1090,
Schefferville, Qué.   G0G 2T0
McDonald, Kenneth G.
73, Hamerstone Village,
Cobles Kill, New York,12043
U.S.A.
(518) 234-7874

Localisation: rivière Georges.
Accès: par avion.

Caribou

Whale River Outfitters Ltd.
Karboski, Stanley
Camp Twelve Pines Rd.,
Parish, N.Y. 13131, U.S.A.
(315) 625-7277 / (418) 585-3800

Localisation: rivière à la
Baleine.
Accès: par avion.

Pourvoyeurs des Laurentides et de l'Ungava Ltée,

John Bogie
C.P. 1540
Schefferville, Québec
G0G 2T0
(418) 585-3775

Localisation: base
d'opération: Schefferville
Lac Dehouse
Accès: par avion
Caribou

Jack Hume
Route rurale 7
Lachute, Québec
J8H 3W9
(514) 562-4754

Localisation: base
d'opération: Schefferville
Lac Dehouse
Accès: par avion
Caribou

Où chasser au Canada?

Chaque province a sa propre juridiction dans le domaine de la chasse. Pour en connaître les caractéristiques et s'informer sur l'exploitation des territoires, les permis et règlements, adressez-vous:

ALBERTA

Ministère des Parcs, des Loisirs et de la Faune
10363 - 108ᵉ Rue
Edmonton, Alberta
T5J 1L8

COLOMBIE-BRITANNIQUE

Ministère des Loisirs et de la Conservation
Hôtel du Gouvernement
Victoria, Colombie-Britannique
V8J 1X4

ÎLE-DU-PRINCE-ÉDOUARD

Ministère de l'Environnement
C.P. 2000
Charlottetown, Ile-du-Prince-Edouard
C1A 7N8

MANITOBA

Ministère des Ressources renouvelables et des Services de Transport
C.P. 18 - 1495, rue St. James
Winnipeg, Manitoba
R3H 0W9

NOUVEAU-BRUNSWICK

C.P. 6000
Fredericton, Nouveau-Brunswick
E3B 5H1

NOUVELLE-ÉCOSSE

Ministère des Terres et Forêts
Immeuble Dennis - 1740, rue Granville
Halifax, Nouvelle-Ecosse
B3J 2T9

ONTARIO

Ministère des Ressources naturelles
Pavillon Whitney
Edifice du Parlement
Toronto, Ontario
M7A 1N3

SASKATCHEWAN

Ministère du Tourisme et des Ressources renouvelables
1825, rue Lorne
Regina, Saskatchewan
S4P 5H1

TERRE-NEUVE / LABRADOR

Ministère de la Forêt et de l'Agriculture
Immeuble de la Confédération
Saint-Jean, Terre-Neuve
A1C 5T7

TERRITOIRES DU NORD-OUEST

Gouvernement des territoires du Nord-Ouest
Yellowknife
Territoires du Nord-Ouest
X0E 1H0

YUKON

Gouvernement du Yukon
Whitehorse, Yukon
Y1A 2C6

Où chasser aux Etats-Unis

ALABAMA
Game and Fish Division
Department of Conservation and
   Natural Resources
64 North Union Street
Montgomery, Alabama 36104

ALASKA
Department of Fish and Game
Subport Building
Juneau, Alaska 99801

ARIZONA
Game and Fish Department
2222 West Greenway Road
Phoenix, Arizona 85203

ARKANSAS
Game and Fish Commission
Game and Fish Commission Building
Little Rock, Arkansas 72201

CALIFORNIE
Department of Fish and Game
Resources Agency
1416 Ninth Street
Sacramento, California 95814

Wildlife Conservation Board
Resources Agency
1416 Ninth Street
Sacramento, California 95814

CAROLINE DU NORD
Wildlife Resources Commission
Albermarle Building
325 North Salisbury Street
P.O. Box 27687
Raleigh, North Carolina 27611

CAROLINE DU SUD
Department of Wildlife Resources
1015 Main Street
P.O. Box 167
Columbia, South Carolina 29202

COLORADO
Division of Wildlife
Department of Natural Resources
6060 Broadway
Denver, Colorado 80216

CONNECTICUT
Fish and Wildlife Unit
Department of Environmental
   Protection
State Office Building
165 Capitol Avenue
Hartford, Connecticut 06115

DAKOTA DU NORD
Department of Game and Fish
2121 Lovett Avenue
Bismarck, North Dakota 58501

DAKOTA DU SUD
Department of Game, Fish and Parks
State Office Building No. 1
Pierre, South Dakota 57501

DELAWARE
Division of Fish and Wildlife
Department of Natural Resources and
   Environmental Control
Tatnall Building
Legislative Avenue and D Street
Dover, Delaware 19901

DISTRICT DE COLUMBIA
Department of Evironmental Services
1875 Connecticut Avenue, N.W.
Washington, D.C. 20009

FLORIDE
Game and Fresh Water Fish
   Commission
Farris Bryant Building
620 South Meridian Street
Tallahassee, Florida 32304

GEORGIE
Game and Fish Division
Department of Natural Resources
270 Washington Street, S.W.
Atlanta, Georgia 30334

HAWAII
Fish and Game Division
Department of Land and Natural
   Resources
1179 Punchbowl Street
Honolulu, Hawaii 96813

IDAHO

Fish and Game Department
600 South Walnut
P.O. Box 25
Boise, Idaho 83707

ILLINOIS

Wildlife Resources Division
Department of Conservation
605 State Office Building
400 South Spring Street
Springfield, Illinois 62706

INDIANA

Fish and Wildlife Division
Department of Natural Resources
State Office Building
Indianapolis, Indiana 46204

Land, Forests, and Wildlife
Resources Advisory Council
Department of Natural Resources
State Office Building
Indianapolis, Indiana 46204

IOWA

Fish and Wildlife Division
Conservation Commission
300 Fourth Street
Des Moines, Iowa 50319

KANSAS

Forestry, Fish and Game Commission
P.O. Box 1028
Pratt, Kansas 67124

KENTUCKY

Department of Fish and Wildlife
   Resources
State Office Building Annex
Frankfort, Kentucky 40601

LOUISIANE

Game Division
Wildlife and Fisheries Commission
Box 44095
Capitol Sation
Baton Rouge, Louisiane 70804

MAINE

Department of Inland Fisheries
   and Game
284 State Street
Augusta, Maine 04330

MARYLAND

Wildlife Administration
Department of Natural Resources
Tawes State Office Building
580 Taylor Avenue
Annapolis, Maryland 21401

MASSACHUSETTS

Department of Natural Resources
Leverett Saltonstall Building
100 Cambridge Street
Boston, Massachusetts 02202

MICHIGAN

Wildlife Division
Department of Natural Resources
Stevens T. Mason Building
Lansing, Michigan 48926

MINNESOTA

Game and Fish Division
Department of Natural Resources
Centennial Office Building
St. Paul, Minnesota 55155

MISSISSIPPI

Game and Fish Commission
Game and Fish Building
402 High Street
P.O. Box 451
Jackson, Mississippi 39205

MISSOURI

Game Division
Department of Conservation
2901 North Ten Mile Drive
P.O. Box 180
Jefferson City, Missouri 65101

MONTANA

Game Management Division
Department of Fish and Game
Helena, Montana 59601

NEBRASKA

Game and Parks Commission
2200 North 33rd Street
P.O. Box 30370
Lincoln, Nebraska 68503

NEVADA

Department of Fish and Game
P.O. Box 10678
Reno, Nevada 89510

NEW HAMPSHIRE

Game Management and Research Division
Department of Fish and Game
34 Bridge Street
Concord, New Hampshire 03301

NEW JERSEY

Wildlife Management Bureau
Fish, Game and Shellfisheries Division
Department of Environmental
  Protection
Labor and Industry Building
P.O. Box 1390
Trenton, New Jersey 08625

NEW MEXICO

Game Management Division
Department of Game and Fish
State Capitol
Sante Fe, New Mexico 87503

NEW YORK

Division of Fish and Wildlife
Department of Environmental
  Conservation
50 Wolf Road
Albany, New York 12233

OHIO

Wildlife Division
Department of Natural Resources
1500 Dublin Road
Columbus, Ohio 43224

OAKLAHOMA

Department of Wildlife Conservation
1801 North Lincoln Boulevard
P.O. Box 53465
Oklahoma City, Oklahoma 73105

OREGON

Wildlife Commission
1634 Southwest Alder Street
P.O. Box 3503
Portland, Oregon 97208

PENNSYLVANIE

Game Commission
P.O. Box 1567
Harrisburg, Pennsylvania 17120

RHODE ISLAND

Division of Fish and Wildlife
Department of Natural Resources
83 Park Street
Providence, Rhode Island 02903

TENNESSEE

Game and Fish Commission
Ellington Agricultural Center
P.O. Box 40747
Nashville, Tennessee 37220

TEXAS

Fish and Wildlife Division
Parks and Wildlife Department
John H., Reagan State Office Building
Austin, Texas 78701

UTAH

Division of Wildlife Resources
Department of Natural Resources
1596 West North Temple
Salt Lake City, Utah 84116

VERMONT

Department of Fish and Game
Agency of Environmental Conservation
Montpelier, Vermont 05602

VIRGINIE

Commission of Game and Inland
  Fisheries
4010 West Broad Street
P.O. Box 11104
Richmond, Virginia 23230

VIRGINIE OCCIDENTALE

Division of Wildlife Resources
Department of Natural Resources
1800 Washington Street, East
Charleston, West Virginia 25305

WASHINGTON

Department of Game
600 North Capitol Way
Olympia, Washington 98504

WISCONSIN

Game Management Bureau
Forestry, Wildlife, and Recreation
  Division
Department of Natural Resources
P.O. Box 450
Madison, Wisconsin 53701

WYOMING

Game and Fish Division
P.O. Box 1589
Cheyenne, Wyoming 82001

SEPTIÈME PARTIE

Renseignements généraux

Sommaire

LES RÈGLEMENTS DE LA CHASSE

Note explicative concernant les ZEC

Permis et certificat du chasseur

Indemnités en cas d'accident

Saisons, prises et possession

Enregistrement

Engins de chasse

Oiseaux migrateurs

Note explicative concernant les ZEC

Les ZEC, ce sont les Zones d'exploitation contrôlée. C'est en 1977-78 que ces organismes furent vraiment constitués, par le ministère responsable de la chasse et de la pêche au Québec, en groupant les territoires que les clubs privés détenaient par baux.

Cette forme de gestion du territoire, improvisée beaucoup trop rapidement, connut d'énormes problèmes au cours des premières années, mais depuis, certains groupes ont atteint une forme de stabilité.

On peut chasser sur ces territoires en remplissant les conditions exigées, soit: être membre, débourser un *per diem*, se voir désigner un territoire, se conformer aux règlements.

Il existe une soixantaine de ZEC au Québec sous la direction de groupes de sportifs ou d'associations.

Cependant, à cause de la complexité des règlements qui souvent diffèrent d'une ZEC à une autre, ainsi que du fait que certaines d'entre elles disparaissent et que d'autres se créent, il nous est impossible d'en brosser un tableau bien précis chaque année..

Selon plusieurs spécialistes, cette forme de gestion du territoire est appelée à être modifiée et améliorée au cours des années.

Il existe des ZEC dans la plupart des sites giboyeux du Québec. Nous vous conseillons de vous adresser au ministère régissant la pêche et la chasse pour en obtenir la liste et les règlements prévus annuellement pour chacune d'elles.

Les règlements de la chasse

Les récoltes de gibier, selon les diverses régions du Québec, définissent en très grande partie les ouvertures et fermetures de nos périodes cynégétiques. Si nous prenons l'exemple du Chevreuil ou de l'Orignal, plusieurs facteurs pourraient déterminer la durée des phases permises pour chasser.

Une récolte automnale trop élevée de gibier, suivie d'un hiver rigoureux, ainsi qu'une trop forte prédation pourraient se traduire en une interdiction complète de la chasse en certains endroits, même sur tout le territoire du Québec. D'autre part, une trop grande abondance, provoquée par divers facteurs, pourrait inciter le législateur à agir de façon complètement contraire; nous obtenons de tels exemples pour le Caribou et la Grande oie blanche.

C'est donc un calendrier imprévisible, malgré toute la bonne volonté de ceux qui le rédigent. Leur travail est d'autant plus compliqué, qu'en certaines périodes de nombreuses espèces deviennent très rares, plusieurs étant aussi menacées d'extinction.

Par contre, contrairement à la pêche, à cause d'une plus grande simplicité dans les règlements, nous pouvons vous en brosser un tableau général qui vous donnera une idée d'ensemble des autorisations et restrictions.

Nous tenons toutefois à préciser que nous n'accordons aucune valeur légale aux textes des prochaines pages, nous insistons pour que vous vous référiez à la brochure *Chasse et Pêche Québec,* résumé annuel des règlements halieutiques et cynégétiques, ou encore mieux aux arrêtés en Conseil qui ont permis sa rédaction.

On peut obtenir gratuitement *Chasse et Pêche Québec* (résumé) dans les divers bureaux du ministère régissant la chasse, ainsi qu'aux divers points de vente de permis.

Permis et certificat du chasseur

Il est interdit de chasser sans un permis de chasse et tout chasseur en activité de chasse doit porter son permis sur lui, l'exhiber à tout agent de conservation qui en fait la demande et faire connaître son nom et son adresse.

La chasse, effectuée au moyen d'une arme à feu, est autorisée pour les personnes âgées d'au moins 12 ans, mais de moins de 16 ans, à condition d'être accompagnées par une autre personne âgée d'au moins 21 ans.

Pour obtenir l'un des permis des catégories petit gibier, Caribou, Chevreuil et autres, Chevreuil et autres (île d'Anticosti), Ours noir, Orignal, tout résidant doit produire son certificat du chasseur, et tout non-résidant doit produire un document du Québec, de sa province ou de son pays, établissant qu'il a été reconnu apte à se servir d'armes à feu pour la chasse.

Chasse au nord du 52ᵉ parallèle pour les non-résidants. Les non-résidants ne peuvent chasser au nord du 52ᵉ parallèle de latitude autrement que par l'intermédiaire d'un pourvoyeur.

Le chasseur n'a droit qu'à un seul permis de chaque catégorie de permis. En cas de perte, un nouveau permis peut être délivré au prix prévu pour tel permis. Dans le cas de perte d'un certificat du chasseur, moyennant le paiement des frais d'émission, un duplicata peut être délivré.

Tout résidant, qui déclare détenir un permis de chasse et avoir oublié de le porter, doit le produire à un agent de conservation dans les sept jours qui suivent le constat d'infraction.

Un permis de chasse n'est pas valide:

a) S'il ne porte pas les signatures du titulaire et de la personne qui délivre le permis;

b) S'il est délivré à la suite d'une fausse déclaration;

c) S'il est utilisé par une personne autre que son titulaire et

d) S'il est altéré d'une façon quelconque.

On peut se procurer un permis de *Chasse à l'arc et à l'arbalète* en s'adressant ou en écrivant, pour renseignements, au ministère du Loisir, de la Chasse et de la Pêche:

— *Service des réservations et renseignements*
Direction générale du Plein air et des Parcs
C.P. 8888, Québec, QC, G1K 7W3 ou

— *Service régional de l'administration*
6255, 13ᵉ Avenue, Rosemont, Montréal, H1X 3E6
92, 2ᵉ Rue ouest, Rimouski, G5L 8B3
818, avenue Laure, Sept-Iles, G4R 1Y8
3950, boul. Harvey, Jonquière, G7X 8L6
100, rue Laviolette, Trois-Rivières, G9A 5S9
85, rue Holmes, Sherbrooke, J1E 1S1
13, rue Buteau, Hull, J8Z 1V4
180, boul. Rideau, Noranda, J9X 1N9

Indemnités en cas d'accident

Le détenteur d'un permis de chasse sportive et ses ayants droit peuvent réclamer une indemnité, ou des tiers des dommages-intérêts, prévus à la section XI de la Loi sur la conservation de la faune et dans l'arrêté en conseil 3312 du 29 septembre 1971, par suite d'un accident qui résulte directement de la pratique, à des fins récréatives, de la chasse au Québec.

Tout avis de réclamation doit être adressé au:
Service central des réclamations
Ministère de la Justice
1200, Route-de-l'Eglise
Sainte-Foy, QC, G1V 4M1
Tél.: (418) 643-4209.

SAISONS, PRISES ET POSSESSION

Pour chaque espèce permise, vous trouverez annuellement dans le «Résumé des règlements de chasse au Québec», les zones où la chasse est permise, les saisons durant lesquelles la chasse est permise, ainsi que les limites de prises et de possession.

INTERDICTIONS

Il est interdit:

de chasser entre une *demi-heure* après le coucher du soleil et une *demi-heure* avant le lever du soleil, sauf dans le cas d'une chasse au Raton laveur la nuit, selon certaines restrictions.

Il est interdit:

de chasser le gros gibier à l'aide d'un projecteur ou au moyen d'un piège, d'un collet ou d'une trappe.

Est présumé avoir chassé en contravention du présent article, toute personne ou tout groupe de personnes qui est trouvé en possession, dans un endroit fréquenté par le gros gibier:

- d'un piège, d'un collet ou d'une trappe capable de retenir un gros gibier; et
- la nuit, d'un projecteur et d'une arme à feu, ou d'un arc, ou d'une arbalète.

Il est interdit:

- de chasser, gêner ou troubler le gros gibier dans ses ravages;
- de circuler en motoneige dans un ravage de Chevreuils ou d'Orignaux sauf dans un sentier agréé par le ministre, ou parmi un troupeau de Caribous;
- de chasser le gros gibier à l'aide d'un chien; et de laisser errer, dans un endroit fréquenté par le gros gibier, un chien dont on est propriétaire ou gardien.

Il est interdit:

- de déranger ou détruire le nid ou les oeufs d'un oiseau sauvage;
- d'endommager ou détruire la tanière d'un animal;
- d'utiliser un moyen artificiel autre qu'une lunette d'approche pour déceler à distance la présence d'un animal; cependant, lors d'une chasse au Raton laveur la nuit, une lampe de poche est permise,
- de pourchasser, mutiler ou tuer volontairement un animal avec un véhicule, un aéronef ou une embarcation motorisée.

Toutefois, il est permis de tirer, d'une embarcation motorisée, un gros gibier, à la condition que ce ne soit pas à la suite d'une poursuite et que le moteur de l'embarcation soit à l'arrêt.

Il est interdit:

- de faire usage d'un *dispositif* qui relie une arme à feu, arc ou arbalète à un mécanisme qui provoque ou peut provoquer la décharge d'un ou de plusieurs projectiles sans que le chasseur n'actionne lui-même cette arme;
- d'utiliser un *poison,* un explosif ou une substance délétère aux fins de la chasse;

— de cacher ou de tenter de cacher son *identité* à un agent de conservation dans l'exercice de ses fonctions ;

— sous l'influence de *l'alcool* ou d'une drogue, d'être en possession d'une arme à feu chargée ; et

— de jeter ou d'abandonner un animal tué à la chasse, à moins que sa chair ne soit pas *comestible* et que sa fourrure ne soit pas utilisable.

Toute personne qui tue un animal à la chasse doit prendre les mesures requises pour éviter que la chair comestible ou la fourrure utilisable de cet animal ne se gâte.

Tout chasseur en activité de chasse, guide ou autre personne qui accompagne un chasseur en activité de chasse, doivent porter un *survêtement ou dossard* de façon à ce que soit visible, en tout temps et de tout angle, une surface continue de *couleur orangé fluorescent* d'au moins 2 580 centimètres carrés (400 pouces carrés) s'étalant sur le dos, les épaules et la poitrine.

Cependant, le port de ce survêtement orangé fluorescent n'est pas obligatoire: lors d'une chasse à la Corneille, à la Sauvagine; lors d'une chasse au Lièvre d'Amérique, au Lièvre arctique ou au Lapin à queue blanche au moyen de collets; lors d'une chasse à l'Orignal ou au Chevreuil durant une saison de chasse à l'Orignal ou au Chevreuil au moyen de l'arc; du 1er décembre au 31 mars pour la chasse au Coyote, au Loup ou au Renard; lors d'activités de trappage; et pour les bénéficiaires de la Convention de la Baie James et du Nord québécois et de la Convention du Nord-Est québécois dans les territoires de ces conventions.

ENREGISTREMENT

Le chasseur qui tue un gros gibier ou un Ours noir doit:

aussitôt un Chevreuil, un Caribou ou un Ours noir abattu, détacher de son permis de chasse le coupon de transport (le coupon approprié dans le cas d'un Ours noir) et apposer ce coupon sur l'animal ou sur la peau dans le cas d'un Ours noir;

aussitôt un Orignal abattu, détacher de son permis le coupon de transport et apposer ce coupon sur l'animal et voir, le jour même de l'abattage, à ce que le coupon de transport du permis de chasse à l'Orignal d'un deuxième détenteur faisant partie d'une expédition de chasse au moment de l'abattage soit aussi apposé sur l'animal abattu;

dans les 48 heures de sa sortie de la forêt, présenter son permis de chasse et faire rapport de sa chasse à un agent de conservation ou à toute personne préposée à cette fin à un poste de contrôle, faire poinçonner le coupon de transport ou les coupons de transport dans le cas d'un Orignal; et

voir à ce qu'*après l'enregistrement*, tout coupon de transport reste attaché à l'animal jusqu'au moment de son dépeçage ou de son entreposage ou à la peau d'un Ours noir jusqu'au moment de son apprêtage.

Tout chasseur, après avoir tué un gros gibier ou un Ours noir doit, à la demande d'un agent de conservation, procéder immédiatement à l'enregistrement de l'animal abattu.

Tout ou partie du gros gibier abattu doit être produit sur demande de la personne qui procède à l'enregistrement et cette dernière peut y faire un prélèvement.

Tout Caribou ou Orignal abattu doit être transporté à l'état entier ou en quartiers.

Tout Chevreuil abattu non enregistré, lorsque transporté par véhicule, doit être transporté de façon à être visible de l'extérieur du véhicule.

Lorsqu'un gros gibier, un Ours noir ou une partie de ceux-ci, y compris la peau, est acheminé à l'extérieur du Québec, le coupon de transport poinçonné ou les deux coupons de transport poinçonnés dans le cas de l'Orignal font office de licence pour transporter, hors du Québec, tout gros gibier, Ours noir, partie ou peau.

ENGINS DE CHASSE

Il est interdit de chasser au moyen de balles traçantes, de balles à pointe dure de type militaire ou de balles à bout non écrasant.

La chasse d'un animal ou d'un oiseau est permise à l'aide des engins de chasse spécifiques. L'usage du collet pour la chasse des Lièvres (d'Amérique, Arctique) et du Lapin à queue blanche est permis, selon les zones et les saisons.

OISEAUX MIGRATEURS

Par «Oiseaux migrateurs», on entend les Oiseaux migrateurs considérés comme gibier.

Quiconque chasse ou transporte des Oiseaux migrateurs doit porter sur soi un permis canadien de chasse aux oiseaux migrateurs et l'un des permis québécois de chasse au petit gibier.

Les Oiseaux migrateurs et les zones où la chasse de ces oiseaux est permise, les périodes précises de chasse, les limites quotidiennes de prises et les limites de possession sont publiés annuellement par le ministère du Loisir, de la Chasse et de la Pêche.

Il est interdit de chasser les oiseaux migrateurs:
a) sauf au moyen d'un arc ou d'un fusil de calibre 10 ou plus petit calibre;
b) au moyen d'un fusil dont le magasin et la chambre peuvent contenir ensemble plus de 3 cartouches;
c) avec des cartouches chargées à balle;
d) avec plus d'un fusil pour son propre usage à moins que chaque fusil en excédent ne soit déchargé et démonté ou déchargé et rangé dans un étui;
e) à l'aide d'appelants (oiseaux vivants) ou d'enregistrements d'appels d'oiseaux;
f) à moins de 400 mètres d'un endroit où un appât a été placé; et
g) à l'aide d'un aéronef, d'un bateau à voiles ou à moteur, d'un véhicule automobile ou d'un véhicu-

le tiré par une bête de trait. (Cependant, il est permis de se servir d'une embarcation à moteur pour récupérer un Oiseau migrateur mort ou blessé.)

Il est interdit:

a) d'abattre, d'estropier ou de blesser un Oiseau migrateur sans avoir les moyens adéquats pour récupérer un oiseau et faire tout son possible pour récupérer immédiatement ledit oiseau: une fois récupéré, l'oiseau blessé doit être achevé immédiatement et compté dans la limite quotidienne de prises;

b) d'avoir en sa possession ou de transporter un Oiseau migrateur qui n'a pas au moins une aile intacte munie de son plumage (les ailes et les plumes peuvent être enlevées en vue de la cuisson immédiate d'un oiseau, ou lorsque l'oiseau a été emmené à la résidence de son propriétaire en vue de le conserver); et

c) d'acheter, vendre, mettre en vente ou échanger des Oiseaux migrateurs.

Il est interdit à quiconque a été reconnu coupable d'une infraction en matière de chasse aux termes de la Loi sur la convention concernant les Oiseaux migrateurs ou d'un article du règlement, de présenter une demande de permis canadien de chasse aux Oiseaux migrateurs ou d'en avoir un avant l'expiration d'un délai d'un an à compter de la date à laquelle il a été reconnu coupable.

Une chasse contrôlée à la Grande oie blanche a lieu dans une partie de la réserve nationale de la faune au Cap-Tourmente. Pour tout renseignement s'adresser au:
Service canadien de la faune
Beaupré,
C.P. 130,
Cté Montmorency, QC, G0A 1E0
Tél.: (418) 827-3776
On peut obtenir des renseignements complets concernant la loi et les règlements de chasse aux Oiseaux migrateurs, en s'adressant au:
Directeur général,
Service canadien de la faune
Ministère de l'Environnement
Ottawa, Ontario, K1A 0E7

Index

Les noms en caractères gras correspondent aux sujets faisant l'objet d'une description complète.

Accident de chasse, 372
Affût, 214, 215, 216, 219, 220
Affût pour la chasse aux oiseaux migrateurs, 302, 319-321
   (localisation), 331, 332, 341, 342
Âge (chevreuil), 268
Ajustement de la mire, 94, 95
Anatomie des canards, 76 (grandeur), 204-206
Animaux de survie, 283-285
Appeaux, 221-226
Appelants, 221-223
Armes, 89-119
Armes, historique des, voir Historique
Avance
   tir, 153, 210-212
   à rebours, 211
   soutenue, 211
Balistique (tables), 109-119
Balle, effet de la, voir Effets
Balles, 109-120
Bannique du chasseur, 288
Bas-St-Laurent (région administrative 01), 293-302
Beagle, 134
Bécasse, 26, 27
Bécasse à la « Louis », 281
Bec-scie commun, 158, 159
Bec-scie à poitrine rousse, 160, 161
Bec-scie couronné, 162, 163

Bernache Canada, 80, 81, 223, 227
Braque allemand, 134
Bureau d'enregistrement (gros gibier), voir Enregistrement
Cache (affût), 214, 216, 219, 220
Calibres, 97-119, 207
Canard Arlequin, 202
Canard chipeau, 164, 165
Canard noir, 166, 167
Canard malard, 168, 169
Canard huppé, 170, 171
Canard pilet, 172, 173
Canard roux, 174, 175
Canard siffleur, 176, 177
Canard souchet, 178, 179
Canards
   anatomie des, voir Anatomie
   identification des, voir Identification
Canards
   de bois, 221-223
   de surface, 74, 223
   plongeurs, 75, 223
Cantons de l'Est (région administrative 05), 333-336
Carabine, 93-95, 143
Caribou, 12, 13
Carottes au cognac, 289
Cartouches, 105-108
Castor, 50, 51, 283, 284
Cerf de Virginie, 14, 15
Certificat du chasseur, 371, 372
Chasse
   à courre, 130
   à l'affût, 127, 219
   à l'Orignal, 237-240, 252

à la Corneille, 251, 252
à la Gélinotte huppée, 255-257, 268
à la Marmotte, 254, 255
à la Perdrix blanche, 256, 257, 268
au Caribou, 241-243, 252
au Cerf de Virginie, 231, 236, 241, 252
au Lièvre, 246-249
aux champs, 106, 213, 214, 219
avec Chiens, 130, 133-139
devant soi, 127
en battue, 127, 128
Chesapeake retriever, 135
Chevreuil
    âge, 268
    poids, 267
Chevrotine, 108
Chiens de chasse, 133-139
Choke (étranglement ou retreint), 208, 209
Civet de lièvre, 276
Civisme, 258, 259
Collets, 249, 373
Conseils de chasse, 129
Conseils (chasse à la Sauvagine), 227, 228
Corneille d'Amérique, 28, 29
Côte-Nord (région administrative 09), 353-360
Couloirs migratoires, 77-79
Coyote, 64, 65
Crème de foies d'oies « Mère Sylvie », 281
Cuisson du gibier, voire Recettes
Débitage, 266
Dépistage, 130, 131
Dindon sauvage, 30, 31
Dossards, 374

Écureuil roux, 52, 53, 284, 285
Effets de la balle, 146, 147
Eider commun, 202
Embarcations, 217, 218, 240
Émincé d'outarde au vin rouge, 279
Engins de chasse, 375
Enregistrement (gros gibier), 294, 304, 310, 324, 334, 338, 344, 354, 362
Entrecôte de caribou, 270
Entretien des armes, 96, 107
Épagneul breton, 135
Épagneul (cocker américain), 136
Épagneul (cocker anglais), 136
Équipement du chasseur, 120-126, 129
Étranglement (choke ou retreint), 208, 209
Éviscération, 228, 265-267
Fabrication des appeaux, 225, 226
Faisan à collier, 32, 33
Fermes de chasse, 308-318-336
Fosse, 214
Foulque américaine, 180, 181
Fricassée de caribou, 271
Fumet de gibier, 270
Fusils, 92, 107, 143, 207-210
Garrot commun, 184, 185, 227
Gélinotte à queue fine, 34, 35
Gélinotte huppée, 36, 37
Golden retriever, 137
Grand morillon, 200, 201
Grande oie blanche, 82, 83, 228
Hache, 123
Hibou, 252

Historique des armes, 89-92
Identification des canards, 157-206
Indemnités (en cas d'accident de chasse), 372
Interdictions (chasse), 373-375
Kakawi, 186, 187
Labrador, 137
Lagopède des Saules, 38, 39
Lapin à queue blanche, 40, 41
Lièvre du garde-chasse, 276
Lièvre d'Amérique, 42, 43, 269
Leurres, 222
Loup, 66, 67, 250, 252
Loup-cervier, 68, 69
Lunette de visée, 121, 122
Macreuse à ailes blanches, 188, 189
Marinade pour le gibier, 288
Marmotte commune, 54, 55, 252, 285
Méthodes de chasse, 127, 128, 213-216
Mire, voir Ajustement
Montréal (région administrative 06), 337-342
Morillon à collier, 194, 195
Morillon à dos blanc, 196, 197
Morillon à tête rouge, 198, 199
Mouffette rayée, 56, 57
Mufle d'orignal, 272
Munitions, 98-119
Nettoyage (perdrix), 268
Nouveau-Québec (région administrative 10), 361-364
Nord-Ouest/Côte-Nord (régions administratives 08-09), 353-360
Oie bleue, 84, 85
Oie du cap Tourmente, 279, 280

Oiseaux migrateurs, 375, 376
Orignal, 16, 17
Orignal aux légumes, 271
Orignal Stroganov, 272
Où chasser?, 291-368
Où chasser
    au Canada?, 365
    aux États-Unis?, 366-368
Ours blanc, 18, 19
Ours noir, 20, 21, 130, 250, 269
Outaouais (région administrative 07), 343-352
Pain de viande de venaison, 274
Parc
    de Matane, 296, 297
    des Laurentides, 314, 315
Parcs et Réserves, 296-301, 306, 307, 312-317, 326-329, 340, 346-349, 356, 357
Partenaire de chasse, 258
Pâté de faisan « Monseigneur », 282
Perdrix
    à la mode, 278
    aux raisins, 277
    en crème, 278
Peaux, voir Tannage
Perdrix européenne, 44, 45, 268, 269
Permis de chasse, 371, 372
Petit garrot, 182, 183
Plombs, 106-108
Poids (chevreuil), 267
Pointer, 138
Porc-épic d'Amérique, 58, 59, 284
Portée, 208, 209
Pourvoirie, 364

Prédateurs, 63-72
Prises et possession, 373, 374
Québec (région administrative 03), 309-322
Renseignements généraux, 369-376
Raquettes, 125, 126
Rat musqué, 284, 285
Raton-laveur, 60, 61, 252, 284
Recettes
    Bécasse à la « Louis », 281
    Civet de lièvre, 276
    Crème de foies d'oies « Mère Sylvie », 281
    Émincé d'outarde au vin rouge, 279
    Entrecôte de caribou, 270
    Fricassée de caribou, 271
    Fumet de gibier, 270
    Lièvre du garde-chasse, 276
    Marinade pour gibier, 288
    Mufle d'orignal, 272
    Orignal aux légumes, 271
    Orignal Stroganov, 272
    Pain de viande venaison, 274
    Pâté de faisan « Monseigneur », 282
    Perdrix
        à la mode, 278
        aux raisins, 277
        en crème, 278
    Rôti
        de chevreuil mariné, 273
        de sanglier, 275
        de venaison, 273
    Salade de lapin, 275
    Sarcelles flambées suprêmes, 282
    Sauce pour gibier, 269
    Steak d'oie, 280

    Venaison en crème, 274
    Vin
        de marguerites, 287
        de pissenlits, 286
Règlements de chasse, 371-376
Renard roux, 70, 71, 252
Réserve
    Cap-Chat, 299
    de Chibougamau, 306, 307
    de faune du cap Tourmente, 312, 313
    de Mastigouche, 326, 327
    de Port-Cartier/Sept-Îles, 356, 357
    de Portneuf, 316, 317
    de Rimouski, 300, 301
    Duchénier, 298
    Dunière, 296, 297
    du Saint-Maurice, 328, 329
    la Vérendrye, 346, 347
    Papineau-Labelle, 348, 349
    Rouge-Matawin, 340
Rôti
    de chevreuil mariné, 273
    de sanglier, 275
    de venaison, 273
Roue du roi, 129
Saguenay (région administrative 02), 303-308
Saisons de chasse, 373, 374
Salade de lapin à queue blanche, 275
Sanglier, 22, 23
Sarcelle à ailes bleues, 190, 191
Sarcelle à ailes vertes, 192, 193
Sarcelles flambées suprêmes, 282
Sauce pour gibier, 269
Sauvagine, 155-228

Sécurité, 261, 262
Setter Gordon, 138
Setter irlandais, 139
Skeet, 152, 153
Springer Spaniel, 139
Steak d'oie, 280
Survie, 124, 260, 283-285, 288
Tannage des peaux, 252, 253
Techniques de chasse, 87-154
Territoires de chasse, 292-364
Tétras des Savanes, 46, 47
Tir, 142-148, 210-216, 220
Tir
    à bout portant, 210
    à l'affût, 105, 213
    à l'approche (ou à la levée), 105, 213
    à l'arc, 140, 141
    à la levée (ou à l'approche), 105, 213
    aux pigeons d'argile, 149-153

Traces, 130, 131
Trap américaine, 150, 151
Trois-Rivières (région administrative 04), 323-332
Trophée de chasse, 235, 244, 245
Venaison, 274
Venaison en crème, 274
Vêtements du chasseur, 120, 124, 216
Vin
    de marguerites, 287
    de pissenlits, 286
Vin et gibier, 286
ZEC, 302, 308, 318, 330, 331, 336, 341, 350, 351, 370

La composition de ce volume
a été réalisée par
les Ateliers de La Presse, Ltée

Achevé d'imprimer sur les presses
des lithographes
Laflamme & Charrier inc.
en août 1984

IMPRIMÉ AU CANADA